O TURISTA APRENDIZ

CONHEÇA NOSSO LIVROS
ACESSANDO AQUI!

Copyright desta obra © IBC - Instituto Brasileiro De Cultura, 2023

Reservados todos os direitos desta produção, pela lei 9.610 de 19.2.1998.

1ª Impressão 2023

Presidente: Paulo Roberto Houch
MTB 0083982/SP

Coordenação Editorial: Priscilla Sipans
Coordenação de Arte: Rubens Martim
Produção Editorial: Eliana S. Nogueira
Revisão: Mariângela Belo da Paixão

Vendas: Tel.: (11) 3393-7727 (comercial2@editoraonline.com.br)

Foi feito o depósito legal.
Impresso na China

Dados Internacionais de Catalogação na Publicação (CIP) de acordo com ISBD		
A553t	Andrade, Mário de	
	O turista aprendiz / Mário de Andrade. - Barueri : Itatiaia, 2023. 240 p. ; 15,1cm x 23cm.	
	ISBN: 978-65-5470-019-1	
	1. Literatura brasileira. I. Título.	
2023-1586		CDD 869.8992 CDU 821.134.3(81)
Elaborado por Odilio Hilario Moreira Junior - CRB-8/9949		

IBC — Instituto Brasileiro de Cultura LTDA
CNPJ 04.207.648/0001-94
Avenida Juruá, 762 — Alphaville Industrial
CEP. 06455-010 — Barueri/SP
www.editoraonline.com.br

O TURISTA APRENDIZ

MÁRIO de ANDRADE

ITATIAIA

Nota do Editor: A revisão textual das obras de Mário de Andrade deve respeitar a importância do estilo linguístico do autor para a literatura brasileira. Seu modo de escrever é absolutamente pessoal, com grafias, concordâncias e até mesmo uso de vírgulas que tornam sua escrita única e genial. Por esse motivo é importante a manutenção de sua dicção, evitando, assim, que o contexto seja prejudicado, e valorizando as obras inestimáveis deste que é considerado um dos mais importantes nomes do Modernismo Brasileiro. Deste modo, a opção do IBC (selo Itatiaia) é o ajuste às novas regras ortográficas sem alterar o estilo das obras apresentadas, garantindo, dessa maneira, a continuidade das escolhas do autor.

SUMÁRIO

Prefácio 7
O turista aprendiz: Viagens pelo Amazonas até o Peru, pelo Madeira até a Bolívia por Marajó até dizer chega — 1927 9
O turista aprendiz: Viagem etnográfica...115
Complementação — Turista aprendiz 204
Uma palestra com um Espírito Culto 207
A ciranda 210
O turista aprendiz..212
Notas de Viagem..214
O turista aprendiz..233
Vida Musical 236

PREFÁCIO

Mais advertência que prefácio. Durante esta viagem pela Amazônia, muito resolvido a... escrever um livro modernista, provavelmente mais resolvido a escrever que a viajar, tomei muitas notas como vai se ver. Notas rápidas, telegráficas muitas vezes. Algumas, porém, se alongaram mais pacientemente, sugeridas pelos descansos forçados do vaticano de fundo chato, vencendo difícil a torrente do rio. Mas quase tudo anotado sem nenhuma intenção da obra de arte, reservada pra elaborações futuras, nem com a menor intenção de dar a conhecer aos outros a terra viajada. E a elaboração definitiva nunca realizei. Fiz algumas tentativas, fiz. Mas parava logo no princípio, nem sabia bem porque, desagradado. Decerto já devia me desgostar naquele tempo o personalismo do que anotava. Se gostei e gozei muito pelo Amazonas, a verdade é que vivi metido comigo por todo esse caminho largo de água.

Agora reúno aqui tudo, como estava nos cadernos e papéis soltos, ora mais, ora menos escrito. Fiz apenas alguma correção que se impôs, na cópia. O conjunto cheira a modernismo e envelheceu bem. Mas pro antiviajante que sou, viajando sempre machucado, alarmado, incompleto, sempre se inventando malquisto do ambiente estranho que percorre, a releitura destas notas abre sensações tão próximas e intensas que não consigo destruir o que preservo aqui.

Paciência...

São Paulo, 30-XII-1943

O Turista Aprendiz:

Viagens pelo Amazonas até o Peru, pelo Madeira até a Bolívia por Marajó até dizer chega — 1927

São Paulo, 7 de maio de 1927 — Partida de São Paulo. Comprei pra viagem uma bengala enorme, de cana-da-índia, ora que tolice! Deve ter sido algum receio vago de índio... Sei bem que esta viagem que vamos fazer não tem nada de aventura nem perigo, mas cada um de nós, além da consciência lógica possui uma consciência poética também. Às reminiscências de leitura me impulsionaram mais que a verdade, tribos selvagens, jacarés e formigões. E a minha alminha santa imaginou: canhão, revólver, bengala, canivete. E opinou pela bengala.

Pois querendo mostrar calma, meio perdi a hora de partir, me esqueci da bengala, no táxi lembrei da bengala, volto buscar bengala e afinal consigo levar a bengala pra estação. Faltam apenas cinco minutos pro trem partir. Me despeço de todos, parecendo calmo, fingindo alegria. "Boa-Viagem", "Traga um jacaré"... Abracei todos. E ainda faltavam cinco minutos outra vez!

Não fui feito pra viajar, bolas! Estou sorrindo, mas por dentro de mim vai um arrependimento assombrado, cor de incesto. Entro na cabina, agora é tarde, já parti, nem posso me arrepender. Um vazio compacto dentro de mim. Sento em mim.

8 de maio — Rio de Janeiro. O almoço foi, como sempre nos meus dias de chegada ao Rio, com Manuel Bandeira. Não sei, acho o Rio uma cidade muito feia, mas dizem que é bonita... A natureza sim é maravilhosa, eu sei, mas a cidade, a urbanidade, o trabalho do homem, o sofrimento e a glória do homem, é uma coisa detestável. O mais importante de observar são as ruas dos bairros de residência e os subúrbios pobres. As ruas residenciais têm um ar família, um ar interior de casa-de-manhã, ainda sem a limpeza pro dia, um ar indiscreto saia e blusa, que não é só ar, é verdade. A gente continua, como a descrita por Debret, mais que indiscretamente vestida nas portas, nas calçadas. E a pobreza, os operários dos subúrbios não têm a menor dignidade arquitetônica de seu estado: casas enfeitadíssimas, miseráveis, anti-higiênicas e enfeitadas, bancando alegria, festa. É repugnante. De-noite fui com Luciano Gallet esperar no cais uma amiga nossa que chegou da Europa. Manuel Bandeira também estava lá, entusiasmado, esperando um poeta baiano, Godofredo Filho, diz que muito bom.

9 de maio — Rio. Almoço com Paulo Prado. Se deu isto: chego no Copacabana, com os olhos ofuscados do meidia claríssimo, estou procurando o Paulo no não sei como se chama, salão, vejo que alguém está me acenando justo sentado junto do janelão central, deve ser ele na certa e me dirijo pra lá. Já pertinho, é o Paulo Prado sim com Marinette e mais... Puxa! É o Graça Aranha, não nos damos mais, mas agora é tarde porém, não vou fazer desfeita a ele, não merece, nem fui eu que briguei com ele. Ele é que brigou, isto é, pelo menos fingiu que não me viu, depois que espinafrei ele em dois artigos por querer decidir de minha vida sem procuração minha. Paulo Prado se levanta e com ar de conforto pra me deixar à vontade: "Se conhecem?"... Graça Aranha se levantou, ri grosso, meio desapontado, "Oh, oh! como não!" Eu engasguei. E foi tudo muito bem, nos reacamaradamos, e só o verbo é que ficou desagradável. O Paulo Prado, quando pode, me conta que na véspera, depois de termos combinado o almoço de hoje, o Graça Aranha lhe dissera que iria almoçar com ele. Achou do seu dever avisar que eu já estava convidado, mas achou também de acrescentar, por saber meus sentimentos sobre a nossa briga, que eu não tinha nada contra o Graça mais, e ele respondia pela minha cordialidade. Mas o Graça secundou que ia pensar. De-noite telefonou ao Paulo que vinha ao almoço e era tarde pro Paulo Prado me consultar. Esse "era tarde" não sei, naturalmente Paulo Prado nem se amolou, sabendo, é certo, meu sentimento. Mas ficou pau a surpresa. Eu vinha da mesma forma ao almoço, desde que avisado que o Graça estava disposto a reconsiderar o ato de cegueira com que fingiu, aliás sem ostensividade, não me enxergar.

De-noite, que calor! na casa de Manuel Bandeira, gozando a fresca de Santa Tereza. Conheço Rodrigo Mello Franco de Andrade, Manuel continua entusiasmado com o poeta Godofredo Filho, garantindo que tem versos admiráveis e os diz muito bem. E afinal o poeta principia dizendo versos, oito, dez poesias, não para. De-repente me virei pro Manuel e disse baixinho:

— Mas Manuel! Ele recita pessimamente e os versos são pouco menos que detestáveis...

— Nem me fale! Na Bahia, palavra que achei os versos lindos, mas bastou que o Godofredo principiasse dizendo eles na frente de vocês, percebi que é tudo muito ruim!

10 de maio — Rio. Almoço com Manuel. Visita aos quadros novos de Ismael Neri. De grande interesse sempre, não tem dúvida. Sempre pesquisando, inventando coisas no cérebro, cerebrinas, um pouco mesmo caraminholadas. Mais interessante que bom. E que homem cheio de si, puxa! Janta e noite com o Dantas e, meu Deus! a mulher dele! Enfim havia a suavidade desse meu amigo e a friagem molhada da lagoa.

Sonho — Essa noite Machado de Assis me apareceu em sonho, barba feita e contou que estava no inferno.

— Coitado...

Ele se riu mansinho e esclareceu:

— Mas estou no inferno de Dante, no lugar pra onde vão os poetas. O único sofrimento é a convivência.

11 de Maio — A bordo do *Pedro I*. Não pude gozar nenhuma das sensações que me propunha nessa partida, uma inquietação me distraiu completamente. O carregador que me arranjaram pra levar as malas do hotel ao cais, um velhinho, me apareceu com uma dessas carretas, nem sei como chame, empurradas a pulso, e que têm só duas rodinhas na frente, do tamanho do pulso mesmo. Quando vi a carreta já não gostei e me bateu na imaginação os milhares de voltas que aquelas rodinhas tinham de dar desde a Lapa ao cais. Pois não é que quase parto sem as malas mesmo, chegadas na última hora, já fechado o compartimento do navio por onde entravam as bagagens? Com essa história não me despedi de ninguém direito, nem percebi certo quantos companheiros de viagem iam no bando. Já de São Paulo sabia que eram uma porção e gente de circo, disposta e bem divertida. Pois quando dou tento mesmo definitivo no caso, toda a gente roera a corda! Estamos apenas dona Olívia, e as duas moças, Dolur e Mag*. Dona Olívia com aquele sorrizinho dela, me fala:

— Você deve estar bem descontente de ser o único homem da expedição...

— Se soubesse que era assim, não vinha, dona Olívia.

Meio áspero, sincero. Ela não teve o que dizer. Nem eu. Estava com raiva dela e das moças. Ela se lembra de contar que Washington Luís telegrafou aos presidentes de estados e pro Peru. Não falo nem sim nem não, mas como está ventando muito peço licença, vou na cabina trocar o chapéu por um mais adequado boné de viagem. Olhei no espelho e consegui ficar mais fácil.

Visto assim do mar, o Rio iluminado da noite é alucinante. Uma alucinação que se mexe com rapidez, pra ser bem explícito. Me deixo levar. A água geme oleosa, pesadíssima, refletindo devagar a iluminação assanhada das praias. Se sente festa nas praias, estão dando por aí um grande baile romântico, me sugerido pela ilha Fiscal. Um Creso impossível de tão rico, dono do "trust" norte-americano do açúcar, porque do açúcar! Está recebendo em seu Castelo dos Pirineus a Rainha de Sabá. Telegramas mandando comprar todos os candelabros iluminados do mundo e buscar nos Estados Unidos todos os jazes de negros autênticos. Passam exércitos de criados correndo com bandejas cheias de sorvetes porque está bastante calor. A Dama das Camélias se debruça no janelão baixo que dá sobre as águas e brinca de guspir. Se percebe mais longe o Barão de Rothschild, o rei da Bélgica e um marajá não sei de onde assoprando em apitos de prata brilhantes. Nos terraços passam, meio indiscerníveis, Paolo e Francesca, Paulo Prado, Tristão de Ataíde e Isolda, Wagner, Gaston Paris, Romeu e Julieta, etc. olhando pras estrelas que estão de-fato esplêndidas de saúde, tomando sorvete porque faz bastante calor. Dança-se loucamente no Largo do Machado, na Lapa, na Praça Onze.

...eis que um frêmito sussurrante percorre a multidão imprensada na Avenida Rio Branco. Milhares de cavalos brancos por causa do nome da avenida, carregando pajens também de branco, cetins e diamantes, surgem numa galopada imperial, ferindo gente, matando gente, gritos admiráveis de infelicidade, a que respondem

---

* Apelidadas, durante a viagem, de Trombeta e Balança respectivamente.

sereias e mais sereias escondidas atrás das luzes dos morros. E quando a avenida é uma uniforme poça de sangue, vêm elefantes e camelos transportando gongos de cobre polido, batendo, primeiro os elefantes que são mais altos, depois os camelos, depois os leões, depois as panteras ferocíssimas, dando urros, tudo sempre na infrene disparada. E assim que passaram as panteras rasteiras, espirrando pros lados o sangue que corre no chão, setecentos escravos negros, assoprando em apitos, nus em pelo, com turbantes de prata polida, puxam por festões de camélias brancas fornecidas pela Dama das Camélias, Eulálias, Magnólias brancas, uma carretinha de cais, também branca, em que chega numa velocidade sublime a Rainha de Sabá.

12 de maio — Não paramos em Vitória. Princípio suando em bica. Muita sonolência, não enjoo, mas que sonolência!...

Pela manhã apareceu a bordo uma borboleta mariposa que media bem uns três metros e vinte da ponta de uma asa à outra. Era toda de veludo pardo com aplicações de renda de Veneza, mui linda. Dessa qualidade eu já conhecia, porque uma senhora do meu bairro possui um casal no jardim. Isso não impediu que a aparição fosse recebida com aplauso geral, porque durante as correrias pra pegar a mariposa, ela sempre achou um jeito de apresentar os passageiros uns aos outros e de-noite deu um baile no salão.

Agora viajam conosco mais um naturalista suíço, o professor Hagman, que vive em Manaus, um ricaço chamado Atrepa-Atrepa, filho duma fábrica italiana de sedas paulistas, um rapaz com a roupa de ontem, o Adolescente de cuecas, piscando pras minhas companheiras, e, meio malacabado, um homem feito em casa.

13 de maio — Cidade do Salvador. Arre que maravilha, estou cansado. Mas o diabo é que não adianta falar "maravilha", "manhã admirável", invenção arquitetônica adorável", "moça linda". Não adianta, não descreve. Esses qualificativos só existem por que o homem é um indivíduo fundamentalmente invejoso: a gente fala que uma coisa é "admirável" e ele não só acredita, mas ainda aumenta na imaginação o que a gente sentiu. Mas se eu pudesse descrever sem ajuntar qualificativos... Bem, não seria eu.

E desde a noite da partida que estou querendo não apresentar alguém. É uma americaninha, girl etê, com muito açúcar e fotogênica duma vez. Faz de conta que não sei absolutamente nada de inglês, tiro fotografias. Foi um encanto conversarmos só de olhos e gestos. Nunca olhei tão olhado em minha vida e está sublime. Talvez por causa disso ela me amou eternamente, mas foi obrigada a ficar na Bahia porque não posso ter complicações.

14 de maio — Vida de bordo, e continuou suando cada vez mais. O suíço Schaeffer amigo de John Graz, se apresenta. O professor Hagman está cada vez mais insuportável na faina de ensinar coisas amazônicas pra nós, mas só ensina coisas muito sabidas. Hoje quando ele contava o sentido da palavra "oca" em tupi, Balança muito safadinha, perguntou:

— Então o que quer dizer Dondoca?

Mas o professor não entendeu. Ele é puro.

Maceió — À noitinha clara paramos ao largo de Maceió, pra um grosso desembarcar. Veio um catraieiro cantando "Meu barco é veleiro", um coco lindíssimo, e fincou um arpão no *Pedro I*. Então desceram tantas malas de correio, mas tantas, que toda a gente de bordo ficou farta de saber que em Alagoas está muito desenvolvida a literatura epistolar.

Sonho — Sonhei assim:

— Com muito cuidado, escrevi um discurso em tupi pra dizer a nossa saudação a todos, quando estivéssemos entre os índios. Encontramos uma tribo completa bem na foz do Madeira, não faltava nem escrivão nem juiz de paz pra eu me queixar se alguém bulisse com a Rainha do Café. Vai, recitei o meu discurso, que aliás era curto. Mas desde o princípio dele os índios principiaram se entreolhando e fazendo ar de riso. Percebi logo que era inútil e que eles estavam com uma vontade enorme de comer nós todos. Mas não era isso não: quando acabei o discurso, todos se puseram gritando pra mim:

— Tá errado! Tá errado!

15 de maio — Foi Recife e mais Recife dia inteirinho, aliás muito prazer. Ascenso e Inojosa no cais. Praia da Boa Viagem, manhã, água de coco gelada. Almoço no Leite, essa fatalidade recifense, como o Butantã paulista. Casa do Ascenso tarde toda, ele dizendo-cantando verso que mais verso, na completa ignorância das nossas inquietações ou fadigas. Imaginem onde jantamos? No Leite. Passeio Boa Viagem ao luar sublime, essas meninas... Partida às 24 horas, com tantos prazeres que nem o Inojosa foi capaz de nos prejudicar.

16 de maio — Não te enganes jamais de camarote, sem licença da proprietária.

Desfeito o engano sem muita convicção, continua esta vida de bordo. Que sensações estranhas sinto... Em terra, mesmo em férias, não sei... há uma predeterminação psicológica, que não evita sequer um segundo a noção, o sentimento, não sei o quê da luta pela vida, ou pelo menos do trabalho. O mar limpa o ser desse estado do ser. Percebo que exercício acaba com a sonolência e esta preguiça meia dolorida, embora nada dolorosa. Dobra-se o cabo Roque. Mar do Ceará. Amanhã chegaremos a Fortaleza. Decerto é a lembrança da Padaria Espiritual que me vende um biscoito de Horácio. "Gosto das vênus fáceis e prontinhas" eu mastigava ao luar. Engoli em seco.

17 de maio — Pela manhã Fortaleza. Não descemos que a parada era mínima. Rendeiras a bordo — essas fatalidades que a gente já sabe que vai encontrar na cidade Fulana... Imagina a gente encontrar rendeiras cearenses no Havre! e chofers franceses, bem maleducados em Botucatu... Vida de bordo. Continuo suadíssimo, mandarei fazer roupas de linhos em Belém. Mas a sonolência está vencida. Não sei porque me lembrei de uma anedota que meu tio Pio que não é meu tio, me contou. Ele, rapaz, estava brincando com um negrinho escravo do pai, não sei o que o negrinho fez, e ele:

— Oh, negrinho entremetido, eu te bato, heim!
— Bata que eu corro!
— Eu corro atrás!
— Eu escapulo por debaixo de mecê!
— Eu me agacho!
— Eu pegava numa pedra e tocava uma pedrada em mecê!
— Eu desviava!
— Eu pegava num relho, dava uma relhada em mecê!
— Que-de relho!
— Eu dava uma paulada!
— Não tem pau!
— Nem num sei! pegava no que fosse e dava uma quefossada em mecê!

A bordo, 18 de maio
Amanhecemos em pleno canavial. A isso chamam aqui de "verdes mares bravios".
E um canavial e não tem nada de bravo, pelo contrário é meigo serviçal como um Chalaça que o *Pedro I* amonta nele e faz o que bem entende. Até dá raiva, Banza banza namora come cana enquanto a gente está impaciente pra ver a foz do Amazonas amanhã. Foz do Amazonas...

Estávamos todos trêmulos contemplando a torre de comando o monumento mais famanado da natureza. E vos juro que não tem nada no mundo mais sublime, Sete quilômetros antes da entrada já o mar estava barreado de pardo por causa do avanço das águas fluviais. Era uma largueza imensa gigantesca rendilhada por anfiteatro de ilhas florestais tão grandes que a menorzinha era maior que Portugal. O avanço do rio e o embate das águas formavam rebojos e repiquetas tremendos cujas ondas rebentavam na altura de sete metros chovendo espumas espumas espumas roseadas pela manhã de Sol. Por isso o *Pedro I* avançava numa chuva em flor. Avançava difícil, corcoveando aos saltos, rolando pelo costado dos baleotes e das sucurijus do mato amazônico aventuradas até ali pela miragem da água doce. À medida que a gente se aproximava as ilhas catalogavam sob as cortinas de garças e mauaris que o vento repuxava, todas as espécies vegetais e na barafunda fantástica dos jequitibás perobas, pinheiros plátonos assoberbada pelo vulto enorme do baobá a gente enxergava dominando a ramada as seringueiras sonhadas em cujas pontas mais audazes os colonos suspensos em cordas de couro cru apanhavam as frutinhas de borracha. O aroma do pau-rosa e da macacaporanga desprendido da resina de todos os troncos era tão inebriante que a gente oscilava com perigo de cair naquele mundo de águas brabas. Que eloquência! Os pássaros cantavam no voo e as bulhas das iererês dos flamingos das araras das aves-do-paraíso nem me deixaram escutar a sineta de bordo chamando pro jantar. A senhora me tocou no braço e assustei. Fui com os outros, deixando o pensamento chorado na magnificência daquela paisagem feita às pressas em cujo centro relumeava talqualmente olho de vidro a rodela guaçu de Marajó inundada.

18 de maio — Último dia de bordo, um dia feito de nadas, com uma minuciosidade de chapéu-chile. Os discos árabes do sírio de Belém, que afinal acaba oferecendo a casa de armarinhos que tem lá. Foi ele que me lembrou a comparação com chapéu-chile, porque usa um, e vende muitos, vindos de Iquitos. Não sei, quero resumir minhas impressões desta viagem litorânea por nordeste e norte do Brasil, não consigo bem, estou um bocado aturdido, maravilhado, mas não sei... Há uma espécie de sensação ficada da insuficiência, de sarapintação, que me estraga todo o europeu cinzento e bem-arranjadinho que ainda tenho dentro de mim. Por enquanto, o que mais me parece é que tanto a natureza como vida desses lugares foram feitas muito às pressas, com excesso de castro-alves. E essa prenoção invencível, mas invencível, de que o Brasil, em vez de se utilizar da África e da Índia que teve em si, desperdiçou-as, enfeitando com elas apenas a sua fisionomia, suas epidermes, sambas, maracatus, trajes, cores, vocabulários, quitutes... E deixou-se ficar, por dentro, justamente naquilo que, pelo clima, pela raça, alimentação, tudo, não poderá nunca ser, mas apenas macaquear, a Europa. Nos orgulhamos de ser o único grande (grande?) país civilizado tropical. Isso é o nosso defeito, a nossa impotência. Devíamos pensar, sentir como indianos, gente de Benin, de Java. Talvez então pudéssemos criar cultura e civilização próprias. Pelo menos seríamos mais nós, tenho certeza.

Belém, 19 de maio — Durante a noite o *Pedro I* portou em Salinas pra emprestar um tapejara que nos guiasse através da foz traiçoeira do Amazonas e quando nos levantamos no dia de hoje bem cedinho já estávamos nela. Que posso falar dessa foz tão literária e que comove tanto quando assusta no mapa? A imensidão das águas é tão vasta, as ilhas imensas por demais ficam no longe fraco que a gente não encontra nada que encante. A foz do Amazonas é uma dessas grandezas tão grandiosas que ultrapassam as percepções fisiológicas do homem. Nós só podemos monumentalizá-las na inteligência. O que a retina bota na consciência é apenas um mundo de águas sujas e um matinho sempre igual no longe mal percebido das ilhas. O Amazonas prova decisivamente que a monotonia é um dos elementos mais grandiosos do sublime. É incontestável que Dante e o Amazonas são igualmente monótonos. Pra gente gozar um bocado e perceber a variedade que tem nessas monotonias do sublime carece limitar em molduras mirins a sensação. Então acha uma lindeza os barcos veleiros coloridos e acha cotuba a morte dos pretendentes, se prende ao horizonte plantado de árvores que a refração apara do firme das ilhas e ao livro de Jó. A foz do Amazonas é tão ingente que blefa a grandeza. Woodworth, o quarteirão dos cinemas no Rio, Y-Juca Pirama são muito mais grandiosos.

Mas quando Belém principia diminuindo a vista larga a boniteza surge outra vez. Chegamos lá antes do chuva e o calor era tanto que vinha dos mercados um cheiro de carne-seca. Os barcos veleiros sentados no cais do Ver-o-Peso sacudiam as velas roseadas azuis negras se abanando com lerdeza. Nos esperavam oficialmente no cais dois automóveis da Presidência prontinhos pra batalha de flores. Pra cada uma das companheiras do poeta um buquê famoso, fomos. Então passamos revista a todos os desperdícios da chegada. Só de-noite nos reunimos pra janta excelente. Belém andara indagando dos nossos gostos e mantinha na esquina de boroste do hotel, um cinema. Fomos ver William Fairbanks em *Não percas tempo*, filme horrível. A noite dormiu feliz.

19 de maio — Foz do Amazonas. E é de-manhã, manhã sublime. Algumas velas coloridas, água terrosa, uns verdes de horizonte. Não se vê nada! A foz do Amazonas só é grandiosa no mapa, vendo, tudo é tamanho que não se pode ver. Algumas velas, água terrosa e uns verdes ralos de horizonte. Só. Chegada a Belém, com recepção oficial, Dionísio Bentes, prefeito etc. Automóveis oficiais, flores pras mulheres e nenhuma espécie de interesse. Sono depois do almoço. De-tarde "depois da chuva" provamos o açaí. Depois do jantar, já desoficializados, sem que fazer, fomos todos ao cinema, ver a fita importante que os jornais e as pessoas anunciavam, William Fairbanks em *Não percas tempo*, borracheira.

20 de maio — Cônsul do Peru, 45$000. Passeio sublime pelo mercado. Provamos tantas coisas, que embora fosse apenas provar, ficamos empanturrados. Tudo em geral gostoso, muita coisa gotosíssima, porém fica sobrando uma sensação selvagem, não só na boca: no ser. Devia ter feito essa viagem com menos idade e muito menos experiência... Visita oficial e almoço íntimo com o presidente. Íntimo? Depois do sal, o prefeito se ergueu com champanha na taça, taça! fazia já bem tempo que com meus amigos ricos paulistas eu não bebia champanha em taça... Pois é: ergueu a taça e fez um discurso de saudação a dona Olívia. Aí é que foi a história. Aliás desde que o homenzinho se levantou fiquei em brasas, era fatal, eu teria que responder! Pois foi mesmo: nem bem o prefeito terminou que dona Olívia me espiou sorrindinho e com um leve, mas levíssimo sinal de espera me fez compreender que a resposta me cabia, nunca no mundo improvisei! Veio uma nuvem que escureceu minha vista, fui me levantando fatalizado, e veio uma ideia. Ou coisa parecida. Falei que tudo era muito lindo, que estávamos maravilhados, e idênticas besteiras verdadeiríssimas, e soltei a ideia que sentíamos tão em casa (que mentira!) que nos parecia que tinham se eliminado os limites estaduais! Sentei como quem tinha levado uma surra de pau. Mas a ideia tinha... tinham gostado. Mas isso não impediu que a champanha estivesse estragada, uma porcaria. Depois visitamos a igreja famosa de Nazaré e a esplêndida catedral, em frente ao arcebispado. E passeios pelo Sousa, de automóvel. Não sei, adoro voluptuosamente a natureza, gozo demais porém, quando vou descrever, ela não me interesse mais. Tem qualquer coisa de sexual o meu prazer das vistas e não sei como dizer.

Belém, 20 de maio — Passeamos o dia inteiro e já me acamaradei com tudo. Estou lustroso de felicidade.

Belém é a cidade principal da Polinésia. Mandaram vir u'a imigração de malaios e no vão das mangueiras nasceu Belém do Pará. Engraçado é que a gente a todo momento imagina que vive no Brasil, mas é fantástica a sensação de estar no Cairo que se tem. Não posso atinar porque... Mangueiras, o Cairo não possui mangueiras evaporando das ruas... não possui o sujeito passeando com um porco-do-mato na correntinha... E nem aquele indivíduo que logo de-manhã pisou nos meus olhos, puxa comoção! inda com rabo de sobrecasaca abanando... Dei um salto pra traz e fui parar nos tempos de dantes. Diz-que meu avô Leite Morais quando ia à faculdade ensinar as repúblicas de estudantes andava só desse jeito... Cartola e sobrecasaca e "Meus senhores, tarati, tarará, o réu abrindo o guarda-chuva das circunstâncias atenuantes"... Então uma feita mais entusiasmado ele gritou celebremente: "Na contradança do Direito o delito dança vis-à-vis com a pena!" Tenho por quem puxar...

As doze horas todos foram dormir e só acordei pro banho da tarde. O calor aqui está fantástico, porém o paraense me falou que embora faça mesmo bastante calor no Pará o dia de hoje está excepcional. De cinco em cinco minutos saio do banho e me enxugo todo, sete lenços, dezessete lenços, vinte e sete lenços... Felizmente que trouxe três dúzias e hei de ganhar da lavadeira.

21 maio — Manhã: mercado, já sabe. Visita ao Museu Goeldi, longa, com as coisas bem mostradas. Biblioteca admiravelmente bem conservada pelo Dr. Rodolfo de Siqueira Rodrigues, um desses heróis que não se sabe. Fui provar minhas roupas de linho, deixarei aqui no hotel todas as roupas que trouxe de S. Paulo, arre! De-noite, baile do "Assembleia" em honra dos viajantes. Não fui. É incrível como vivo excitado, se vê que ainda não sei viajar, gozo demais, concordo demais, não saboreio bem a minha vida. Essas notas de diário são sínteses absurdas, apenas pra uso pessoal, jogadas num anuariozinho de bolso, me dado no Loide Brasileiro, que só tem cinco linhas pra cada dia. As literatices são jogadas noutro caderninho em branco, em papéis de cartas, costas de contas, margens de jornais, qualquer coisa serve. Jogadas. Sem o menor cuidado. Veremos o que se pode fazer disso em São Paulo.

"Grades espirituais — Museu Goeldi — Belém, 21 de maio de 1927
Menotti Plínio Cassiano e a Anta"
(Foto e legenda M. de A.)

22 de maio — Passeio de lancha ao Chapéu Virado pelo furo do Maguari. Praias, tomar banho de água doce em quase pleno mar. Enxames de ilhas, cardumes de ilhotas que vão e vêm, desaparecem. Esta variedade infinita de calores amazônicos. Batia um calor fresquinho no furo. Ontem, depois da chuva, bateu um calor tão frio que as mulheres daqui se cobriram. E dizem que lá dentro, quando estivermos de-fato no coração do imenso rio, tem madrugadas tão úmidas que a gente chega a tiritar de calor.

Jacumã, remo quase redondo. No Pará remam na proa, em Manaus na popa.

Uma vontade de dar nome... Vou anotando: Vila Felixana, Meu Repouso, O Cenáculo, Fé em Deus, Retiro Delícias, Doce Estância, Pouso Alegre, Pouso Ameno,

Canto da Viração, Café do Lasca. Note-se o desejo de vento refrescante em certos nomes: Canto da Viração, Chapéu Virado...

Que riqueza de colorido nos tajás! E o banho foi de-fato maravilhoso.

Menu: Camorim. Pato com tucupi. Leitão com farinha d'água. Compota de bacuri, creme de abacate, e o sorvete de murici que tem gosto de queijo parmesão ralado com açúcar. E frutas, frutas.

23 de maio — Manhã de mercado. Compra da rede de linha, um Braque como combinação de cores. Visita a jornais, entrevista, dia meio perdido em coisas paus.

Belém, 23 de maio — Belém me entusiasma cada vez mais. O mercado hoje esteve fantástico de tão acolhedor. Só aquela sensação do munguzá!... Sentada no chão, era uma blusa branca branca numa preta preta que levantando pra nós os dentes os olhos e as angélicas da trunfa, tudo branco, oferecia com o braço estendido preto uma cuia envernizada preta donde saía a fumaça branquinha do munguzá branco branco... Tenho gozado por demais. Belém foi feita pra mim e caibo nela que nem mão dentro da luva.

Estou me lembrando duma ideia que tive certa vez. Não vê que possuo um tio bem brasileiro que quando construiu a casa dele numa chacra que é o pé mimoso de Araraquara, logo mandou fazer um quarto de hóspede batuta com tudo o que há de bom no mundo. Me hospedo sempre na casa dele e só vendo que gostosura aquele apartamento bem com tudo o que a gente carece pra viver sem falta. Porém meu tio é catatau e instalou todas as coisas baixinho. No banheiro, cada cabidão niquelado, a lâmpada por cima do espelho de fazer a nossa barba, em tudo eu manguari andei corcunda e assim mesmo dando cabeçada numa conta. Numa dessas batidas é que a ideia fagulhou e acho que descobri a razão dos erros dos homens. Deus criou a gente e nos deu uma alma à imagem da d'Ele. Mas Deus não tem corpo como se sabe e a alma nossa grandiosa feito a de Deus, veio muitas vezes parar num corpo desencontrado no tamanho. É por isso que muita gente anda de alma corcunda dentro do corpo e muita outra anda dando cabeçada por aí... Não tem que guerê nem pipoca, é isso mesmo.

Em Belém o calorão dilata os esqueletos e meu corpo ficou exatamente do tamanho de minha alma.

Belém, 24 de maio — Ah, o calor está macota e não se atura mais! "Vam'bora pro sul!" que nem canta o aboio que o pernambucano me cantou...

Hoje de-manhã fomos aceitar o almoço que o presidente nos ofereceu. Que colosso! No palácio do presidente se come camorim com molho de tucupi, a carne de tracajá dissolve os protocolos e quando a sapotilha engrossa na língua da gente o seu gosto abaritonado a gente chega a esquecer as mil virtudes da saudade e não deseja mais nada: fica vesgo pra dobrar a felicidade e cai nos braços do prefeito mais simpático do mundo, sujeito que fala tanto como uísque com água de coco.

24 de maio — Almoço presidencial de novo. O filho de Bentes tá namorando as duas meninas e elas, de acordo, namorando, com ele, juntas. Me irrita essa sensação de dor de corno. De-manhã fui no Antônio do Rosário encomendar objetos de tartaruga. Chá, casa da Sra. Albuquerque, uma americaninha. Noite, fomos ao ensaio do boi-bumbá, no curral do Boi-Canário. As notas disso estão entre meus papéis sobre Bumba meu Boi.

Belém, 25 de maio — Hoje a lancha *Tucunaré* nos levou almoçar longe no Caripi. O furo de Barcarena estava sarapintado de vela. Dizem que é habitadíssimo, porém não se enxerga casa, a caboclada desse furo desde a guerra do Paraguai que ergue os seus lares no escondido, temendo mais recrutamento. Só de vez em quando um caule de miriti jogado perpendicularmente à margem se entremostra num refego das ramas arrastando a saia n'água. Aquilo serve de ponte pra desembarque e por ali vive tapuio.

Na escola primária de Maracaguera inda é muito cedinho e o bê-á-bá não principiou. Só lá pras nove em todas as casas do bairro a piazada vai pegando no lanche e no lastro dos livrinhos.

— Té logo, mãe.

— Vai com Deus, João, tome cuidado!

O piá se equilibra pançudinho no miriti e salta pra embarcação. É um casquinho, como eles chamam pra canoa feita com um só pau pequeno, é um casquinho de nada, e lá vai piá remando melhor que o *Clube Tietê* vai pra escola primária de Maracaguera. O recreio é pra tomar banho de brinquedo no furo. Depois se volta pro bê-á-bá e assim mais tarde aqueles pescadores somam sozinhos o dinheiro ganhado com os camorins e as pescadas e leem no jornal que veio embrulhando a farinha d'água de Belém, o caso de Lampeão e mais desordens dos brasileiros de nascença.

25 de maio — Maravilhoso passeio ao Caripi, que adianta dizer "maravilhoso"! não dá a entender o que foi, não posso descrever. Almoço lá. Banho. Bois indianos, infelizmente, tenho uma antipatia... Carneiros na praia, tenho visto mil quadros europeus com carneiros, e já vi bastante carneiro em duas ou três fazendas paulistas. Ah, também vi carneiros em exposições de animais. Eis que de-repente vejo carneiros na praia, ninguém imagina que sensação linda! eu nunca tinha suposto um carneiro na praia! O desembarque, no Caripi, era vazante, foi uma pândega, todo mundo pé n'água. Menos a "rainha do café" (o título pegou!) que foi raptada por um marujo da lancha. Levou-se o violeiro Bem-Bem, oh, a volta pelas onze de um noturno infinito, e nós nas cantorias da tolda… Entre outras estrofes, estas, numa toada boa:

"Ontem na porta da igreja,
Antes da missa acabar,
Eu disse: — Olhe uma santa
Descendo do seu altar!

"As folhas da laranjeira
De-noite parecem prata;
Tomar amores não custa,
Separação é que mata.

"A cantiga que se canta,
Não se torna a recantar:
O amor que se despreza,
Não se torna a procurar."

26 de maio — Mercado, está claro. Visita demorada ao museu Goeldi, cerâmica Marajó. Compras. Visita de despedida ao presidente e ao prefeito Crespo de Castro. Noite com gente modernizante. Tenho me esquecido de falar no Gastão Vieira, médico, com intenções de literatura, se acompanheirado comigo desde o primeiro dia, me admira! Informes vagos, vaguíssimos sobre pajelança, essa gente não se interessa!

Gosma de rã jaguaretê-cunaguaru dá felicidade pra caça e pesca. Primeiro se bota cinza ao pé da árvore em que a rã mora (a cunaguaru só mora em cima das árvores), porque se no outro dia tiver rasto de onça na cinza, então é porque essa rã é mesmo das que têm faculdade de virar onça de-noite, é jaguaretê de-fato. Dessa é que se tira a gosma.

Antiga Santa Casa do Pará. Frei Caetano Brandão reunia os fiéis de-noite e fazia a brincadeira do "Quero que vá e venha, e me traga isto". "Dois tijolos" por exemplo. Assim que a Santa Casa se construiu.

Fonte Boa, lugar onde passaremos. Fonte Boa, Jaguar-etê, Vila Bela… O camaroteiro, enquanto os "eruditos" falam traduzido: "pequeno almoço", só me falava em "almoço pequeno". Creio que há uma tendência muito brasileira pra botar o qualificativo depois do substantivo. Pelo menos no povo. Notar a diferença de sabor brasileiro ou português entre "o brilho inútil das estrelas" e "o inútil brilho das estrelas". O exemplo não é bom. Brasileiro: "era um campo vasto". Português: "Era um vasto campo"…

27 de maio — Partida de Belém no "vaticano" *São Salvador*. Todo o mundo oficial donoliviando com flores. Mas lá estão também os meus admiradores, Gastão Vieira, os dois mocinhos literatos de ontem. Me dá uma sensação engraçada, meio tenho vergonha, um vago sentimento de traição por dentro, quando alguém se chega pro grupo por minha causa. Nessa viagem o que importa é a "rainha do café" e está certo. Aliás rainha do meu coração, que delícia dona Olívia! Vogamos. De-noite paradinha em S. Francisco dos Jacarés. Os mosquitinhos eram em tais milhares que a gente avançava difícil, carecendo abrir caminho com os braços. O pessoal da terceira classe, diz-que abre o ar a faca, fazendo picadas que desgraçadamente logo se desmancham. Por vezes a massa dos mosquitinhos era tão compacta que Mag e Dolur, esportistas, conseguiam se sustentar, um minuto não digo, mas uns quarenta segundos no ar, nadando na mosquitada. Nesses "apontamentos de viagem" como dizia meu avô Leite Morais, às vezes eu paro hesitando em contar certas coisas, com medo que não me acreditem.

28 de maio — Durante a noite de ontem pra hoje caiu uma tempestade etê. Foi um deus nos acuda! Diz-que devia haver um porto de lenha lá na margem que não se via, e o *São Salvador* parou, ganindo que mais ganindo na escuridão, pedindo socorro, tudo de um sinistro admirável. Mas ninguém vinha acudir o vaticano se afundando, juro que não hei-de fazer nenhum trocadilho com a palavra vaticano, basta os que me vêm na cabeça! Muitas vezes as ondas encapeladas chegavam a varrer lá em cima a tolda do barco e a gente ficava um minuto, dois, sem respirar, debaixo d'água. As crianças eram levadas pelas ondas, as mães se atiravam atrás; só o capitão, muito pálido dizia: "Eu fico! Morro com a minha nau!" — era comovente. Afinal se percebeu um rastilho de luz nas águas e veio saindo do nada a multiplicação dos peixes, lerdos, difíceis de abordar carregados de lenha. Creio que os índios tiveram medo da gente, lenha trouxeram quanta precisávamos, porém não houve jeito de subirem a bordo pra mostrarmos a eles a galinha trazida só pra isso. Então desistimos e o vaticano andou.

Manhã fresca. Um bando de papagaios nos recebe, falando "bom-dia" em abanheenga. De vez em longe uma garça. Estreitos de Breves. Vida de bordo. Estas coisas bobas que fazem sublime a viagem, por exemplo: um boto brincando n'água. Um boto brincando n'água! que maravilha! Paisagens lindas. Noite sublime de estrela. Parada em Antônio Lemos.

29 de maio — Amanhecemos num porto de lenha. Ainda os estreitos. Cemitério a beira-rio. Enfim pleno Amazonas. Paramos em Itamarati, posto lindo, onde mora o primeiro guará realmente integralmente rubro que nunca vi. Jiraus de florzinhas, "jardins suspensos" dessas paragens onde jamais se sabe até onde irá a cheia do ano que vem. Cachorros que jamais souberam o que é correr, parados em cima dos jiraus. Vogamos rastejando a margem. Os meninos de moradias quase sempre invisíveis, vêm nas suas barquinhas, cada qual tem uma, aproveitar a esteira do vaticano, pra terem sensações de água viva. As ciganas se denunciam, de passagem, com um voo honesto, e pousam pesadas, parecem pesadíssimas, erguendo o rabo. E esse mosquito pior que todos... Toda a gente se vê na obrigação de nos "contar" como é que é, que desespero! Já me mostraram mil vezes a palmeirinha do açaí, já me contaram cem vezes que aquele pássaro é a cigana, e aquilo é boto brincando, pinhões! Pela tardinha deixamos o *Xingu* a bombordo. A boia de bordo (a nossa, que é especial) é sempre uma delícia. Dança-se demais, pra tanto calor e tanto jejum de amor, isto já vai ficando pau. Vila Bandeirante de Gurupá, decadente. O forte. A igreja.

Vou descrever o porto de lenha desta manhã: carregam mil achas até o porão do navio pra ganhar dois mil-réis.

30 de maio — Amanhecemos na fazenda de Arumanduba, famosíssima, do maior milionário da Amazônia, o senador José Júlio de Andrade. A fama do homem nos persegue desde a chegada em Belém, espécie de caudilho, duzentos, trezentos capangas, uma riqueza "maior do mundo". É verdade que não conversamos sobre ele com pessoas "oficiais", e resumido o que escutei, o homem é ruim. Todos, povo, gente burguesinha, se percebe, guardam do homem um sentimento entre medo e malquerença. Mas o sentimento, se percebe, é uma legítima... exalação da classe. A parada foi pequena, não vimos nada. Passa a vila decadente de Almeirim, a estibordo. Entrovisca. Vem atrás de nós, nos pega, um vapor do Loide, o *Duque de Caxias*. Boato de Tarsila e Osvaldo a bordo, só boato.

Caso notável, humanamente doloroso de etimologia popular: vimos ao longe a serra da Velha Pobre, que na verdade foi chamada "da Velha Nobre" por causa duma nobre de fato, muito velha, que morou que anos! por aquelas bandas. Porém o povo não se dava com jerarquias que não fossem as da pobreza — e a serra da Velha Nobre, Velha Pobre se chamou.

Vi o gado invernando na maromba, espécie de jirau em ponto grande, pra permitir a existência de animais pesados durante cheia do rio. Sensação triste de insuficiência, de erro vital.

No Amazonas não cortam rabo de cachorro, pra ele poder se equilibrar em cima da estiva. Estiva: em geral um açaizeiro derrubado, servindo de pontão no porto. No que por aqui chamam de "porto", às vezes apenas um abertinho no mato e uma descida de terra mais lisa, se dissolvendo na água barrenta do rio.

"Veneza de Santarém — 1927 — (É o hotel) 31 de maio
To be or not to be Veneza
Eis aqui estão ogivas de Santarém"
(Foto e legenda de M. de A.)

31 de maio — Vida de bordo. É uma delícia, estirar o corpo nestas cadeiras confortáveis da proa, e se deixar viver só quase pelo sentido da vista, sem pensamentear, olhando o mato próximo, que muitas vezes bate no navio. Visto o primeiro jacaré, fez furor. Garças. Pelo anúncio da tarde, chegamos a Santarém, com estranhas sensações venezianas, por causa do hotel ancorado no porto, enfiando o paredão n'água, e com janelas de ogiva! Os venezianos falam muito bem a nossa língua e são todos duma cor tapuia escura, mui lisa. Fomos recebidos com muita cordialidade pelo doge que nos mostrou a cidade que acaba de-repente. O relógio da Câmara estava parado, o que nos permitiu compreender Santarém há trinta anos atrás. Ficamos admiravelmente predispostos em favor da cidade, e as freiras fizeram uma procissãozinha infantil, com uma brisa muito agradável saindo dos estandartes.

Cumplicidade da pobreza... Na entrada do Tapajós vi barcas com umas velas esquisitas, eram as redes de dormir dos pescadores, servindo de vela. De-noite, rede e de dia, vela.

Caso Pançudo — Este é um dos feitos patrióticos mais venezianos de que já tive notícias. Andou, faz algum tempo, uma comissão norte-americana pelo Amazonas, estudando o problema do comércio da borracha, com ideias de fixar um ponto com todas as condições necessárias, mesmo salubridade, em que os norte-americanos pudessem se estabelecer. Anda daqui, anda dacolá, ficaram gostando muito de Santarém e arredores, e pra mostrar no relatório como o lugar era propício, principiaram fotografando todos os venezianos robustos. Ora aqui nas proximidades parava uma família nova, de que a mulher e os dois filhinhos eram as maiores expressões de robustez e beleza local, as crianças então, diz que deslumbravam de fortes. E realizavam este milagre único: não eram barrigudinhos. O marido consentiu muito patrioticamente que fotografassem a gente dele, mas era maleiteiro porém. O que que fez: quando os americanos prepararam a mulher com os dois filhinhos, na frente da casa, pra fotografar, o homem foi lá dentro e se embrulhou completamente na rede, nem nariz de fora, pra não sair na fotografia. Porém d'aí por diante o homem deu pra ficar jururu, era aquela tristeza que os outros forçavam pra vencer, ninguém vencia. É que lá por dentro ele estava remoendo, remoendo que apesar da precaução de se esconder na rede, era capaz que a fotografia tivesse pegado ele também. E os norte-americanos haviam de recusar pra sempre a Amazônia, a terra não se enriquecia, só por causa da magreza do maleiteiro. Consolavam ele, diziam que era bobagem, mas não foi possível vencer a tristeza do patriota; ele foi ficando mais triste, nem comia de tristeza e, numa quarta-feira, morreu de tristeza. Aliás eu conto isto só por contar e não com ideia de dar esse patriota sublime pra exemplo de brasileiro. Se morressem patrioticamente todos os brasileiros indignos deste país imenso...

1º de junho — Ali pelas vinte-e-quatro horas da noite de ontem pra hoje, paramos na fazenda do Tapará, pra embarcar vinte bois de corte. Que coisa desumana! é assim: numa espécie de corredor assoalhado que dá pra um terracinho junto d'água, vem um homem correndo que as luzes do navio concedem vestir de um último pedaço de calça esmulambada. Atrás dele vem um boi corcoveando embrabecido. Então surge de-repente no terracinho um farrancho de tapuios seminus, corpos admiráveis de estilo, rebrilhando na chuvinha propícia, grande cena de teatro. E o grupo dança detrás do boi uma mazurca muito viva de gestos, "*êh, boi!*" e só se escuta "*êh boi*", "*êh, boi!*"... O homem da frente corre até a beirada do assoalho e atira para bordo a corda em que o bicho está preso. A corda salta que nem se vê, mas de bordo o trabalhador infalível não erra uma, pega a corda e grita "*Vá!*".

Então a barulheira dos tapuios se esganiça em histerismos alegres que aguçam o medo do boi. O animal se atira n'água e vem nadar no costado do navio. O homem da corda puxa o boi, ajeita o boi, prende o laço do guindaste nas guampas do bicho e "*Devagar!*" que avisa o boi. E o santinho, com as mãos cruzadas no peito, olhos de terror que não se aguenta, nasce das águas como o dia e vai mansamente subindo, subindo, pensando em Deus. Mas eis que um braço diabólico interrompe a assunção, agarra o bicho pelo rabo e o traz pra junto do navio. O guindaste desce um pouco, o boi se agarra como pode e é puxado pro convés de baixo, onde em pouco está dormindo entre as redes do pessoal terceira classe.

Dia farto. Almoço pirarucu, muito bom. Antes da chuva fez um calor tão fecundo que a gente, com uma dessas lentes de aumento comuns, podíamos observar uns nos outros o crescimento da barba. Creio que por causa do calor os índios desta região são mui barbudos e trazem a barba a tiracolo, em tranças de desenhos complicadíssimos. É costume os jacarés aparecerem sempre a primeiro de junho nos igapós de beira-rio, pra os turistas poderem contemplá-los com satisfação. Enxergamos muitos boiando.

Depois Óbidos. Recepção do intendente, em cuja casa provo licor de taperebá, muito bem feito. E delicioso. Com menos açúcar seria magnífico. Visita ao forte tradicional, com os seus canhões amansados. Óbidos tem muitas bandeirolas e um coreto feito de folhas de coqueiro na frente da igreja. Esse é o meio dos obidenses mostrarem aos turistas que a cidade tem muita animação. Se a gente pergunta se tem festa, já com vontade de esperar pra ver, os obidenses respondem em coro que a festa foi ontem pra encerramento do mês de Maria. Assim se gasta pouco e corre fama da animação da cidade de Óbidos. Passava uma piracema de jaraquis, a água estava pipocando e os pescadores numa trabalheira mãe. "*Quem come jaraqui — Fica aqui*" é o refrão local. Só de pique, o cozinheiro, na janta, nos apresentou um tucunaré "à portuguesa". Posso lhes garantir que é peixe gostosíssimo no mais, e que Óbidos ficou muito em mim.

Vogando no rio, treze horas — Eu gosto desta solidão abundante do rio. Nada me agrada mais do que, sozinho, olhar o rio no pleno dia deserto. É extraordinário como tudo se enche de entes, de deuses, de seres indescritíveis por detrás, sobretudo se tenho ao longe em frente uma volta do rio. Isto não apenas neste Amazonas, mas sobretudo em rios menores, como no Tietê, no Moji. É fulminante. O rio vira de caminho no fim do estirão, a massa indiferente dos verdes barra o horizonte, e tudo se enche de mistérios vivos que se escondem lá detrás. A cada instante sinto que a revelação vai se dar, grandiosa, terrável, lá da volta do rio. E eu fico assim como que cheio de companhia, companhia minha, mais perigosa que boa, dolorida de receios que eu sei infundados, mas que são reais, vagos, e por isso mais completos e indiscutíveis, legítimos, deste perigo brutal de viver (de existir). Mas basta que chegue alguém, uma voz que suba da primeira classe até aqui, e a fascinação se esvai.

Alias, também em São Paulo, nas minhas solidões procuradas de que eu gosto tanto, mas à noite pelas ruas dormidas, sempre tudo se enche em torno de mim, de gente, de seres. Mas então a realidade urbana impõe presenças mais utilitárias, são sempre ou personagens que eu invento pra ter casos pacíficos e felizes com eles, ou são meus companheiros de vida, meus amigos. Mas são sempre amigos melhores que os meus amigos de carne e osso, os mesmos nos nomes e nos corpos, mas melhorados por mim. Até dentro do meu estúdio, é agradável, quando estou escrevendo... Não se trata apenas desta pergunta, ou resposta, comum que nós, artistas, fazemos ao criar: "*Será que o Carlos Drummond vai gostar disto?*", "*o Manuel Bandeira vai gostar deste poema*", não. Isso é antes um anseio de presença aplaudidora que se sente apenas depois de terminada a obra de arte. O que eu sinto, ou o que eu faço é enquanto estou escrevendo, e até lendo, é ter o quarto habitado, em geral um, raro dois amigos, que estão ali, juro que estão lendo por cima dos meus ombros o que escrevo, me aconselhando, me dirigindo, me contradizendo pra firmar bem, por amizade, por dedicação, as minhas argumentações. É tão bom... Eu não gosto de paradoxos, que são próprios das pessoas cheias de complexos, e que com eles se vingam dessa contradição dolorosa que existe entre a realidade exterior da vida e o complexo: mas na verdade eu nunca me sinto deserto e provando o gosto sáfaro da solidão como quando estou numa sala cheia de pessoas, mesmo sendo todas pessoas amigas. É indiscutível: eu gosto muito mais dos meus amigos quando eles estão longe de mim.

2 de junho — Vida de bordo. Tarde em Parintins com o prefeito bem falante. Nos ofereceu o livro da municipalidade, quanto livro já, quanto relatório!... Um crucifixo muito curioso na igreja. Vos ofereço as regras do Apostolado da Oração: 1º — Renunciam totalmente as danças; 2º — Renunciam a máscaras e fantasias; 3º — Não tomam parte em festas particulares (rezas em casas particulares não são permitidas pelo vigário); 4º — As senhoras renunciam aos excessos da moda, não usam trajes com decotes nem cortam os cabelos; 5º — Na igreja e nas procissões usam sempre véus; 6º — Nas missas e nas procissões não usam leque; 7º — Frequentam o mais possível as confissões e comunhões.

Em Parintins. Só não saiu na porta e na janela pra nos ver a moça que morreu justamente hoje, apunhalada pelo amor. De-noite, vogando, se escutou o berro dos guaribas. É um lamento humano, tenebroso, que nos deixou sem graça nenhuma.

Boi marrequeiro — Chamam assim o boi ensinado que vai chegando, com ar de quem não quer, pra junto das marrecas e para pertinho delas. O caçador que vai se escondendo por trás do boi marrequeiro, então atira.

"Tapuias de Parintins — Junho 1927"
(Foto e Legenda de M. de A.)

3 de junho — Madrugada cheia. Um jacaré morto boiando, de barriga pra cima e os pés espetadinhos no ar. Mais de setecentas (me deram o número) mais de duzentas garças abrem voo do capinzal verde claro. No almoço o peixe tambaqui, ótimo, de uma delicadeza superfina. E tartaruga com recheio da mesma, obra-prima. Pelas duas horas portaremos em Itacoatiara, primeira cidade do estado do Amazonas. Vista em sonhos. É a mais linda cidade do mundo, só vendo. Tem setecentos palácios triangulares feitos com um granito muito macio e felpudo, com uma porta só de mármore vermelho. As ruas são todas líquidas, e o modo de condução habitual é o peixe-boi e, pras mulheres, o boto. Enxerguei logo um bando de moças lindíssimas, de encarnado, montadas em botos que as conduziam rapidamente para os palácios, onde elas me convidavam pra entrar em salas frias, com redes de ouro e prata pra descansar ondulando. Era uma rede só e nós dois caíamos nela com facilidade. Amávamos. Depois íamos visitar os monumentos públicos, onde tornávamos a amar porque os todos burocratas estavam ocupados, nem olhavam. As ruas não se chamavam com nome de ninguém, não. Tinha a rua do Meu Bem, a rua das Malvadas, a rua Rainha do Café, a rua das Meninas, a rua do Perfil Duro, a rua do Carnaval, a rua Contra o Apostolado da Oração. E todas as moças lindíssimas deixavam facilmente eu cortar os cabelos delas. Eu cortava que mais cortava, era um mar de cabelos, delicioso, mas um bocado quente. Foi quando me acordaram.

Que eu desculpasse, mas tinha uma pessoa que precisava falar comigo. Três horas. Ouvi bulha maior que de costume, enquanto botavam um pouco de água fria em mim. Percebi luzes pelo telhado da cabina, ah! Era Itacoatiara. E era o capitão delegado regional do lugar que, como representante do governador do estado do Amazonas e do prefeito de Manaus, e ainda do prefeito de Itacoatiara (doente) vinha apresentar à dona Olívia e comitiva as boas-vindas no estado. É.

4 de Junho — Com a história de ser acordado perdi o sono, mas tive pra compensar uma madrugada maravilhosa. Aliás já tenho reparado e vou me acostumando, essa gente de bordo não tem hora pra nada. A qualquer hora da noite que o calor bote a gente pra fora da cabina, se encontra mais pessoas, pijamas, até mulheres, passeando sozinhos ou conversando por aí. Às vezes acordamos o homem do bar.

E foi um dia divertidíssimo por causa dos encantos de beira-rio, muito povoado, estamos nos aproximando de Manaus. O vapor para pra cortarem canarana, alimento dos bois que vão a bordo pra nos alimentar. Eis senão quando sai do canavial das canaranas uma barquinha. Vêm nela três mulheres, mas só a velha embarca. Uma das moças era simplesmente sublime no tipo e na gostosura, que corpo, nossa!... Inda por cima ela é que remava, com o corpo arrebentando no vestidinho estreito de cassa branca. Porque chamei de "cassa" a fazenda é que não sei, deve ser problema de classe. Fizemos um barulhão por causa da moça, mas nem por isso ela deu sequer um olhar para nós, não olhou! Mas o que carece mesmo exaltar nessas índias das classes inferiores da Amazônia, é a elegância discreta embora desenvolta com que elas sabem ficar nuas, que diferença das mulheres civilizadas! Na Grécia, na Renascença, pelo menos com o que vem contado nos quadros e nas esculturas, ainda as mulheres ficavam nuas bem, mas duns tempos pra cá!... ficam nuas, mas tomam um ar de saia-e-blusa completamente caipira e abobalhado. E horrível. Nunca vi uma burguesa minha contemporânea que não tomasse ar de saia e blusa ao se despir. É lógico que estou falando sob o ponto de vista da beleza, porque no resto sempre as nuas foram companhias impressionantes. Mas o vaticano parou outra vez. Era um porto de lenha, porém não estávamos precisados de lenha. Vamos contemporizando pra chegar em Manaus pela manhã, e assim a recepção ficar muito bonita.

Problema da Torneirinha — Aproveitando a parada no porto de lenha, fomos ver o cipó famoso, pelo qual aquela índia do caso tão lindo da "Tapera da lua", depois de andar fazendo com o mano, certas coisas que não se conta, subiu ao céu e se mudou em lua. O cipó inda está fortezinho na sua velhice veneranda. A altura, diminuiu, com a idade, é natural, o tronco todo enrugadinho, com sapopembas tão colossais que pudemos bivacar na sombra de uma só, setenta pessoas. Pra falar verdade, não se trata exatamente de um cipó, como relatam levianamente os índios, é um apuizeiro, isso sim. A árvore a que ele se agarrou para subir ao céu foi uma balata formidável, a maior do mundo, a qual, evidentemente, morreu com a constrição do parasita. Ainda se pode muito bem avaliar o tamanhão dessa balata, porque, se apodreceu e desapareceu aos poucos levada pelas formigas, ficou o lugar dela por dentro do apuizeiro. Esse oco, pelo que pudemos avaliar, tem uns setenta metros de diâmetro por uns setecentos de altura. Nesse amplo seio providencial fizeram colmeia todas as castas de abelhas brasileiras, desde a guarupu e a bijuri até a mandassaia e a tubuna. É extraordinário e por certo dos espetáculos mais apetitosos do mundo. Até dos antípodas vem estrangeiro assuntar: a sete léguas distante já se escuta o zumbido mavioso e monótono como a luz elétrica. Então perto é uma verdadeira sinfonia, com o mel escorrendo pelas sapopembas e polindo o chão. Como se sabe, o governo brasileiro teve a ideia feliz de colocar por debaixo desse oco transformado em colmeia gigantesca, uma enorme chapa de aço munida de uma torneirinha. Assim, quem quer vai lá, abre a torneirinha e tira quanto mel carece. E até o que não carece, o que é uma verdadeira pena. Mas em todo caso, parece que está resolvido o problema da fome, entre nós. É uma procissão em torno da torneirinha do governo, caucheiros regionais, muras, parintintins, taulipangues das Guianas, norte-americanos, tequeteques sírios, regatões argentinos, paroaras, muitos canadenses, a língua de Goethe, mistura colorida de raças. Até os canadenses e os ingleses formaram um sindicato suíço pra auxiliar nosso governo e construir, a pequena distância do apuizeiro, um hotel de verão, com muitos andares e todo o conforto. O governo deu isenção de impostos e passagem livre pela alfândega pra todo o material importado para a construção do edifício, cimento armado, obras de arte, perfumarias, setenta mil peças de seda, marinonis, chapéus borsalinos, calçados, máquinas de escrever, rádios, peles de inverno para senhoras, pedras preciosas, romances levemente imorais completamente franceses, rendas, etc. Houve mesmo tanto interesse, que logo deram de presente ao sindicato setecentas léguas quadradas de sesmaria em pleno seringal, com direito a explorarem tudo, borracha, castanha, mulheres, rebanhos.

Como é de praxe, provamos o "mel do apuí" como se fala por lá. É alimento bem gostoso a pesar de um bocado sujo, devido a vir misturado com muita salmoura. Isso se deve às abelhas nacionais ainda serem muito ignorantes das novas soluções introduzidas pela *Apis Mellifica* na arquitetura das colmeias. Misturam tudo, os favos com os ovos, cera com salmoura dentro. A gente procura mel nessa parte, não está, acha, mas é pólen. As próprias abelhas não sabem a quantas andam, tem muitas que procurando mel na colmeia que elas mesmas construíram, não conseguem saber onde que está, levam a vida inteira procurando e afinal morrem de fome. Mas estou falando das colmeias comuns, está claro, que existem por aí tudo, no

Brasil. Não reproduz tamanha desgraça no Mel do Apuí por causa da torneirinha do governo. Se abre a torneirinha, pronto: mel pra enjoar. Até diz que ultimamente o mel estava já rareando, porque as próprias abelhas deram pra não trabalhar mais. Como não têm força pra abrir torneirinha, ficam na boca dela, salvo seja, esperando que um turista chegue, abra a torneirinha para o mel sair. Assim não há colmeia que resista.

5 de junho — Depois de mais uma tempestade noturna, chegamos, dia claro em Manaus. Recepção oficial, apresentação a setecentas e setenta e sete pessoas, cortejo (como é engraçado a gente ser figura importante num cortejo oficial) e toca pro palácio Rio Negro, onde imediatamente se dá recepção oficial, pelo presidente em exercício, um número de simpatia. Depois toca para a chacra Hermosina onde tivemos um almoço colossal, mas colossal! Depois da volta, aproveito o crepúsculo pra visitar a zona estragada. Depois com o coronel, comandante da polícia, vamos ao bairro da Cachoeirinha, visitar o arraial da igreja do Pobre Diabo, onde tinha festa, como as nossas mesmo, pau de sebo, leilão, dou-lhe uma, dou-lhe duas... Sono calmo e digno.

Nesta noite provei sorvete de graviola. Esquisito... a graviola tem gosto de graviola mesmo, isso é incontestável, mas não é um sabor perfeitamente independente. É antes uma imagem, uma metáfora, uma síntese apressada. É a imagem de todas essas ervas, frutas condimentares, que, insistindo são profundamente enjoativas. Não chega a ser ruim, mas irrita. Aliás, o guaraná daqui, pelo menos o que provei, tem um gosto vazio, fica-se na mesma.

6 de junho — De-manhã, bonde, passeio oficial até a fábrica de cerveja. Tarde também oficial, hospital, orfanato, exposição Ângelo Guido, não compramos... Noite livre, minha, com Raimundo de Morais, Da Costa e Silva, e outros, infensos a qualquer espécie de "futurismo", porém que se sentiram no dever confrade de me visitar. Aliás simpaticíssimos, conversa ótima, pouca literatura, muito Amazonas e felicidade, com que me trouxeram a bordo às três da madrugada. Me deram o opúsculo de caçoada sem maldade que publicaram por causa da minha vinda futurista. Mas não chega a ser engraçado.

Acariguara é um pau curiosíssimo, diz-que mais resistente que ferro.

Banzeiro: movimento agitado das águas, quando o navio passa e deixa a esteira violando a mansidão do rio. Mas que calor! mais quente que Belém.

Festa da Moça-Nova, rito de puberdade entre os ticunas. Um mês antes fecham a púbere numa casa, depois a embriagam inteiramente com caiçuma, a rapariguinha está rolando no chão. Os homens com máscaras de animais dançando em torno. As mulheres da tribo chegam e principiam depilando a moça-nova, até ficar completamente pelada. Nem um fio de cabelo escapa. E é o corpo todo. Também, onde se viu contar uma coisa dessas perto de moças — ficaram numa excitação danada. E eu que aguente!

Chula — Por aqui chamam "chula" uma cantiga, em geral cômica e de andamento quase rápido, um "*allegro*" cômodo. Eis uma estrofe da chula "Cachaça" sem estribilho, do tempo em que proibiram aqui em Manaus a venda da abrideira nas vendas, da noite de sábado pro domingo:

"Se eu morrer ponha em minha sepultura
Uma pipa das maiores, sem mistura;
O encanamento que me chegue até a boca,
Que em pouco tempo deixarei a pipa oca."

Eis um estribilho de outra, bem fluvial:

"Vira a bombordo, a boreste e à proa e à ré,
Vira pr'aqui, pr'acolá;
Não sei se isto é bom, se não é,
Vira isto pra lá!"

7 de junho — Passeio em duas lanchas oficiais pelo Careiro, tempo feio. Largamos o Negro e tomamos pelo paranã de Catalão. Dia todo. Fomos ao lago do "Amanium", não escutei bem esse nome, preciso perguntar. Mas que coisa sublime, o lago, cercado inteirinho de mato colossal, calmo, uma calma encantada, em que os ruídos, gritos de animais estalam sem força pra viver. Solidão pura e livre, nada triste. Lá estavam as vitórias-régias, com os uapés e socós nas folhas.

Cabroeira: baileco de negros na Bahia.

As jangadas, de até cinco mil toros às vezes, descendo por maio até Manaus. Algumas vão mesmo até os estreitos de Breves, onde se desmancham pra os toros serem embarcados com destino à estranja, Estados Unidos principalmente. São ilhas largas, vogantes em que vêm morando por meses famílias inteiras que constroem seus ranchos, trazem vacas, porcos, galinhas e os xerimbabos, papagaios ensinados, cachorros, tajás de estimação, e vivem de vida comum descendo esse mundo de águas. Às vezes a jangada é pegada por alguma corrente fortuita, bate nalgum braço de rio, margem firme, igarapé, igapó e tudo se destroça, é o fim. Tudo se desagrega, os toros se dispersam, uns seguem, outros não seguem. Mas em geral, por causa da classe, as águas se movimentam das margens para o centro do rio, e assim as jangadas, entregues a si mesmas, descem certo. Mas sempre interrogativamente, chegarão? Não chegarão? Ninguém sabe e ninguém pode, é a sorte.

Vitória-régia, (7 de junho) — Às vezes a água do Amazonas se retira por detrás das embaúbas, e nos rincões do silêncio forma lagoas tão serenas que até o grito dos uapés afunda n'água. Pois é nessas lagoas que as vitórias-régias vivem, calmas, tão calmas, cumprindo o seu destino de flor.

Feito bolas de caucho, engruvinhadas, espinhentas as folhas novas chofram do espelho imóvel, porém as adultas mais sábias, abrindo a placa redonda, se apoiam n'água e escondem nela a malvadeza dos espinhos.

Tempo chegado, o botão chofra também fora d'água. É um ouriço espinhento em que nem inseto pousa. E assim cresce e arredonda, esperando a manhã de ser flor.

Afinal numa arraiada o botão da vitória-régia arreganha os espinhos, se fende e a flor enorme principia branquejando a calma da lagoa. Pétalas pétalas vão se libertando brancas brancas em porção, em pouco tempo matinal a flor enorme abre um mundo de pétalas pétalas brancas, pétalas brancas e odora os ares indolentes.

Um cheiro encantado leviano balança, um cheiro chamando, que deve inebriar sentido forte. Pois reme e pegue a flor. Logo as pétalas espinhentas mordem raivosas e o sangue escorre em vossa mão. O caule também de espinhos ninguém poderá pegar, carece cortá-lo e enquanto a flor boia n'água, levantá-la pelas pétalas puras, mas já estragando um bocado.

A lagoa de Amanium perto do igarapé de Barcarena — Manaus — 7-VI-27 — Minha obra-prima"
(Foto e legenda M. de A.)

Então, despoje o caule dos espinhos e cheire, cômodo, a flor. Mas aquele aroma suavíssimo, que encantava bem, de longe não sendo forte de perto é evasivo e dá náuseas, cheiro ruim...

Já então a vitória-régia principia roseando toda. Roseia, roseia, fica toda cor-de-rosa, chamando de longe com o aroma gostoso, bonita cada vez mais. É assim. Vive um dia inteiro e sempre mudando de cor. De rósea vira encarnada e ali pela boca da noite, ela amolece avelhentada os colares de pétalas roxas.

Em todas essas cores a vitória-régia, a grande flor, é a flor mais perfeita do mundo, mais bonita e mais nobre, é sublime. É bem a forma suprema dentro da imagem da flor (que já deu ideia Flor).

Noite chegando, a vitória-régia roxa toda roxa, já quase no momento de fechar outra vez e morrer, abre afinal, com um arranco de velha, as pétalas do centro, fechadas ainda, fechadinhas desde o tempo de botão. Pois abre, e lá do coração nupcial da grande flor, inda estonteada pelo ar vivo, mexe-mexe ramelento de pólen, nojento, um bando repugnante de besouros cor de chá.

E a última contradição da flor sublime...

Os nojentos partem num zumbe-zumbe mundo fora, manchando de agouro a calma da lagoa adormecida. E a grande flor do Amazonas, mais bonita que a rosa e que o lótus, encerra na noite enorme o seu destino de flor.

8 de junho — De-manhã visita ao mercado de Manaus, bem menos interessante e menos rico que o de Belém. Provamos o coco tucumã que achei ruim a valer. No almoço provamos o matrinxãs que achei dos melhores peixes do Amazonas. Visita à fábrica de beneficiamento da borracha e Associação Comercial, essa última pra quê? Me esqueci: a pupunha com melado também é uma gostosura. Partimos de Manaus às dezessete horas, todo o corpo administrativo do estado no cais, com banda de música. Vida de bordo. Isso da gente ser o único homem duma viagem com mulheres pode ser muito muito masculino, mas.

A tribo dos Pacaás Novos — Ontem, no passeio de lancha, tivemos ocasião de visitar a tribo dos Pacaás Novos, bastante curiosa pelos seus usos e costumes. Nem bem estávamos a um quarto de légua da tribo, já principiou nos comovendo bem desagradavelmente um cheiro, mas tão repulsivo que só com muito trabalho consegui vencer, e chegar até o mocambo. Infelizmente minhas companheiras de viagem desistiram de ir ver, o que faz com que não possam testemunhar tudo o que pude admirar. O conjunto arquitetônico se compunha da casa-grande e uma dúzia de casinhas, muito semelhantes às de adobe e sapé do sul. Quando cheguei, uns curumis brincando no trilho deram o alarme de maneira estranha, sem um grito. Saltavam movendo as perninhas no ar com enorme rapidez e variedade de gestos pernis. Depois fugiram, indo esconder a completa nudez nos casinhotos. Imaginei que era medo de gente branca, mas não era não: quando cheguei no terreno batido, espécie de praça que os edifícios rodeavam, foram saindo das casas e me cercando sem a menor cerimônia, um mundo de homens e mulheres espantosamente trajados. Os curumis, esses então positivamente me agrediram, me dando muitos pontapés da mais imaginável variedade. Isso, moviam os dedinhos desses mesmos pés com habilidade prodigiosa de desenvoltura. Por causa da minha profissão de professor de piano, me pus observando principalmente o movimento do quarto dedo, era assombroso! creio que nem um por cento dos pianistas de São Paulo (e sabemos que são milhões) possui semelhante independência de dedilhação. Arranjei, arranjei não, logo um índio velho, magro e feio como um enorme dia de sol amazônico, veio dizendo que era o intérprete e ganhava sete mil-réis por hora. Aceitei e ele foi logo contando que com aqueles gestos a meninada estava me pedindo presentes, sempre a mesma coisa...

Voltemos à gente grande. O traje deles, se é que pode-se chamar aquilo de traje, era assim: estavam inteiramente nus e com o abdome volumosíssimo pintado com duas rodelas de urucum, uma de cada lado, tudo aveludando por causa de uma farinha finíssima bem parecida com o pó de arroz, esparzida por cima, e que os Pacaás Novos extraíam do milho, ad hoc envelhecido. No pescoço porém, uma corda forte de tucum sarapintado amarrava um tecido de curauá muito fino, ricamente enfeitado de fitinhas de canarana e umas rendas delicadíssimas feitas com filamento de munguba. Com isso formavam uma espécie de saiote, que em vez de cair sobre os ombros e cobrir o corpo, se erguia suspendido por barbatanas oscilantes tiradas dos peixes. Assim esse saiote erguido pra o céu, tapava por completo as cabeças dos índios, tendo apenas na frente, no lugar mais ou menos correspondente aos olhos, um orifício minúsculo dando saída à visão. Por esse orifício percebi que, além do saiote, os índios traziam a cabeça completamente envolta num pano muito sujo, de que não pude descobrir o material de fatura, também convenientemente furado no lugar dos olhos. Além dessa estranha vestimenta, os Pacaás Novos traziam os braços e mãos completamente vestidos com mangas de pele de onça, ou de tamanduá-membira, de lontra, de guará etc., mangas cortadas de jeito que se assemelhavam, talvez com algum exagero meu, ao estilo da famosa manga presunto das brancas de antigamente. Eu estava espantado, na contemplação de semelhante vestimenta, quando, por causa do sol, senti cócegas no nariz desesperado com o cheiro e soltei um colarzinho de espirros, pra que fui fazer semelhante coisa! As mulheres se retiraram fugindo pro fundo das casas, fazendo imensos gestos com as pernas, que depois soube serem gestos de muita reprovação. Os machos porém, e a curuminzada, principiaram movendo os ombros e as barrigas com tamanha expressão, que mesmo sem ajuda do intérprete percebi que tinham caído na risada. Porém nem um som se escutava. Riam com os ombros, com a barriga e as pernas. Aliás, os gestos que faziam, principalmente com as pernas e os movimentadíssimos dedos dos pés eram tão expressivos em pontapés e contorções, repito, de uma variedade inexaurível, que eu, bastante versado em línguas, falando o alemão, o inglês, o latim e o russo com desenvoltura, além dos meus regulares conhecimentos de francês, tupi, português e outras falas, logo me familiarizei com o idioma dos Pacaás e entendi muito do que estavam pensando e se comunicando.

Então o intérprete principiou me explicando os costumes dos Pacaás. Falava muito baixinho, desagradavelmente com a boca encostada no meu ouvido, mas assim mesmo os índios davam demonstração de suportarem a custo a nossa conversa de cochicho. É que os Pacaás Novos diferem bastante de nós. Pra eles o som e o dom da fala são imoralíssimos e da mais formidável sensualidade. As vergonhas e as partes não mostráveis dos corpos não são as que a gente considera assim. Quando sentem necessidade de fazer necessidade, fazem em toda a parte e na frente de quem quer que seja, até nos pés e pernas dos outros, sem a mínima hesitação, com a mesma naturalidade com que o nosso caipira solta uma gusparada. Porém espirro, por exemplo, ou qualquer som de boca ou do nariz, isso é barulho que a gente solta só consigo, eles consideram. De forma que se um pacaá sente vontade de espirrar, sai numa disparada louca, entra num mato solitário, mete a cabeça na mais folhuda serrapilheira e espirra só, com muita educação, Consideram o nariz e as orelhas, as partes mais vergonhosas do corpo, que não se deve mostrar a ninguém, nem pros pais, só marido e mulher na mais rigorosa intimidade. Escutar, pra eles, é o que nós chamamos pecado mortal. Falar pra eles é o máximo gesto sexual. Se os atos da procriação são de qualquer hora e lugar e na frente de todos, isso não se dá frequentemente, por felicidade minha, pois os gestos excitatórios do amor são exclusivamente partidos da fonação. Entre eles existe uma instituição bastante assemelhável ao nosso sacramento do matrimônio, e quando um homem se apaixona por uma cunhã, os dois principiam com assobiozinho da mais delicada sutileza, é o namoro. Um belo dia o namorado chega na casa do pai da pequena e diz que veio pedir a voz dela. Se o pai concede, em seguida há um bacororô que dura de sete a setenta dias, conforme as posses do futuro marido, tudo em silêncio e com muita coisa, pra nós, feia, o casal novo segue pra sua casa e, de portas fechadas, calafetadas as fendas com penugem de passarinho, principiam numa falação que não acaba mais. No outro dia, ali por quando o sol está pra chegar no meio do céu, os pais da noiva, só eles, chegam na porta do casal e sacudindo as paredes dão aviso de sua chegada. Então se a recém-casada bota a boca numa fendinha do adobe e solta um assobio é que está consumado o matrimônio. Em caso contrário comem o marido.

Falar nisso, o ato de comer também é considerado condenabilíssimo, pois obriga a mostrar a boca. De forma que os Pacaás constroem atrás de suas moradas, em lugares escondidos, uns quartinhos solitários, onde tem sempre armazenados milho em pó, bananas e paçoca de peixe, a comida habitual deles. Quando um índio da família sente fome, disfarça, põe reparo se ninguém está vendo ele e escafede. Se fecha bem no quartinho e come quanto quer. Se acaso acontece outra pessoa da família ir lá pra comer também e mexe na porta fechada, o de dentro põe o dedo mindinho do pé esquerdo pra fora e mexe ele bem. Gesto que aproximativamente corresponde ao nosso tradicional "Tem gente".

Aliás essa história dos quartinhos dá ocasião a muita imoralidade nas crianças. Não é raro os pais pegarem meninos e meninas até de sete anos, comendo juntos!

Essa é muito por alto a maneira dos Pacaás Novos. Deixei de contar muita coisa: que é severíssima entre eles a noção da virgindade (orelha); que aceitam a poligamia e o forte marubixaba deles tinha setenta cunhãs de fala etc. Talvez conte outro dia. Sei é que vivem felizes. São muito ativos, e suficientemente porcos pelo nosso ponto de vista da porcaria, muito mansos e caroáveis, embora essa mania de falar com pontapés me tenha deixado a perna bem azul.

Apesar da curiosidade aguçadíssima sai de lá depressa, por causa do cheiro das, ponhamos: gusparadas, amontoadas no chão, dentro das casas, por toda a parte. O que está me preocupando é esclarecer bem que se escrevi que chegando, a meninada estava nua; ela estava de fato nua, mas não porque mostrasse aquilo porém. Estava nua porque piá ainda é inocente, se diz, não faz mal que mostre queixo, a própria orelha e essa coisa divinamente pecadora que se chama a nossa boca.

Me deixem contar apenas mais um caso, que o intérprete aliás só me relatou longe dos outros. Já se compreende que uma mulher mostrando beiço pra homem, é coisa da maior sem-vergonhice. Pois fazia pouco que tivera um sucesso (famoso entre os depravados da tribo, uma dançarina pacaá, que numa espécie de cabaré erguido por ela mesma a légua e meia do mocambo, anunciara espetáculos de nu artístico, aparecendo inteiramente vestida, mas com a boca à mostra, e cantando cançonetas napolitanas que aprendera com um regatão peruano que lhe tirara a orelha. A bulha foi tamanha que precisou o pajé fazer um esperneadíssimo sermão contra o abuso. As cunhãs, que estavam despeitadíssimas, se reuniram furibundas, foram lá e comeram a dançarina.

9 de junho — Vida de bordo. Manhãzinha portamos em Manacapuru que não vi, estando em sonhos. O lanche de hoje foi sapotilha, beribá, abricó nacional, que é outra coisa, e refresco de cupuaçu, ora isso, é língua que se fale! Tardinha: porto de lenha. Como sempre desci em terra, a sitioca chamava "FELICIDADE". Aliás o morador tinha jeito pra letras, havia mais este anúncio: "*ATENÇÃO, MEUS SENHORES! Eu tenho orde do patrão de não VENDER cem reis feado. Cumprir ordem é muito bom*" (sic). Chupamos cacau verde, não adianta. Invasão furiosa de carapanãs. Noite, bailarico a bordo: clarineta, dois violões, cavaquinho e ganzá. Tudo ia na terceira classe.

10 de junho — Vida de bordo. Tem criança por demais, cheguei a sonhar com a degolação dos inocentes. De-manhã portamos em Codajaz, onde passeei com o Schaeffer, procurando um empalhador de aves muito conhecido por aqui. Era italiano e pintor, coitado. Tinha um hárpia admiravelmente bem empalhada. A bordo, Balança, e eu experimentamos a linguagem das flores, por um livro comprado em Manaus. Os troncos rolando por debaixo do casco chato do vaticano. Novo jacaré morto, enfeitado de urubus. E sempre estas ilhotas de capim, periantãs chamadas, vogando rio abaixo. Diz que o capim viça assim mesmo, se alimentando do que encontra na água, não garanto. Lá na coberta no navio cantamos ao luar, Trombeta no violão, fugidos do bailarico. O luar está imenso e o nosso peito. Duas orquídeas híbridas, rosmaninho e cravo encarnado.

Problema da borracha — A gente pode lutar com a ignorância e vencê-la. Pode lutar com a cultura e ser ao menos compreendido, explicado por ela. Com os preconceitos dos semicultos não há esperança de vitória ou compreensão. Ignorância é pedra: quebra. Cultura é vácuo: aceita. Semicultura? Essa praga tem a consistência da borracha: cede, mas depois torna a inchar.

11 de junho — De madrugada nos envolveu uma névoa tamanha que o vaticano parou. Só andou já de-manhã, enveredando para a boca do Mamiá, onde tinha uma fazenda simpática, bem pitoresca, grande apuro de arrumação. O dono nem aparece, leproso. A mulher, também leprosa, vinha conosco a bordo, só agora sabemos. Os filhos também leprosos. Deu um aspecto absolutamente tétrico na paisagem, nem se pensou em descer, está claro. No entanto não tem pouso em que não desçamos. E depois são os banhos de cachaça pra derrubar a carrapatagem mucuim. Ali pelo meio-dia descemos na bonitinha vila de Coari, uma vontade de desafogar. Tudo era bonito, tudo era são, a ponte gentil. Compramos castanhas, comemos castanhas em quantidade. Calor. Partimos rebocando um canoão e o tal vendedor de fruta, negro, que faz parar os navios da Amazon River com um canhãozinho. Hoje conversamos bastante com o gênio de bordo. A princípio imaginamos que era maluco, mas não era não, era gênio, todos afirmam. Parece também que é vigarista, mas não terei a experiência. É assombroso que um vaticano destamanho pare num lugarejo chamado S. Luís só pra entregar uma carta. Não fiz trocadilho não: é o tamanho do navio, mesmo.

12 de junho — Dia de fresca, sublime. O que há de mais ridículo nesta nossa humanidade é que cada indivíduo tem a sua habilidade pessoal. Um canta de galo, outro mexe com a orelha, assim. A bordo todos mostram. Paramos no lugarejo Caiambé com as samaúmas dentro d'água, no sítio lindo chamado Centenário, casita azul, ainda no sítio S. Isidoro, também pra entregar carta.

"Coari — 11-VI-27 — Alto Solimões"
(Foto e legenda M. de A.: D. Olívia, Mag e Dolur)

Durante o dia, Teffé, ora porque, pus dois efes! onde Balança e eu apostamos quem conseguia ficar mais ridículo como indumentária. Ganhei de longe, está claro, sou homem, e demos um escândalo enorme. Vida de bordo. Os botos brincam brincando na tarde, comem peixes. Os botos comem peixes assim, de tardinha, só por brincadeira. A noite já entrara quando portamos num porto de lenha. Céu do Equador, domínio da Ursa Maior, o grande Saci... Estávamos excitadíssimos, com vontade até de crimes. Atrás, na lagoa, ficava o lugarejo Caiçara, onde tinha festa. Fomos lá e encontramos o bailado da "Ciranda", que vi quase inteiro, registrei duas músicas numa caixa de cigarro, e tomei umas notas como pude, tinha esquecido o livro de notas. Só quase de madrugada, o vaticano principiou mugindo lá longe, nos avisando que estava à nossa espera. Aliás é preciso que se conte que, em caso de precisarmos, a gentileza dos chefes dessa companhia puseram o horário dos vaticanos em que viajarmos, dependendo de desejos de dona Olívia. Bailamos com os caboclos, e viemos vindo, sem pressa, na noite da Ursa Maior. Dia sublime.

A Ciranda — (Notas tal qual tomadas) Na cena casamento todos, padre imitou língua de sírio, pensando que imitava latim. Dá hóstia: — Esta menina me mordeu! Pensava que era pedaço de peixe-boi! — Depois casamento, veio Carão, todos roda. "Ciranda vem chegando — Por morte do Carão!" (bis). Carão entra na roda e o caçador, de fora, procura matá-lo. Dá tiro. Carão ferido. Padre critica: —

Não quebre a cabeça do Carão! Etc. (A ciranda fizera possível evitar morte.) Morto o Carão, padre faz encomendação defunto. Põe estola cabeça Carão, esse ressuscita. Tudo dançado com palmas. Acompanhamento violão e cavaquinho. Ritmos sincopados. Blusas vermelhas debruadas de azul, turbantes com flores e plumas. Rostos pintados com urucum. Depois saída da casa do Sr. Teófilo Nojes (não entendo bem minha letra) com o canto da dança de roda da "Ciranda, Cirandinha" tradicional.

13 de junho — Parada de-manhã no sítio Boca do Aiucá, com música! O que é, o que não é? Era baile. Estavam dançando desde a tarde de ontem e a coisa inda podia durar "de-certo uns dois dias"... Muitos dos homens do baileco vieram botar lenha no vaticano (era porto de lenha), e a maioria das mulheres ficou esperando. Depois continuaram dançando mulher com mulher. O revezamento é instintivo. Às vezes um tem fome, vai comer, às vezes outro se cansa, vai dormir. Orquestra: um chorinho gemido e humilde, violino, cavaquinho e vária percussão inventada, com um pau batendo numa garrafa. Experimentei doce de cúbio, um acidozinho gostoso, polpa delicada, bem macia. Mas se sente a selva, porque fere um bocado a língua. Não se come cru. A fruta é de um vermelho velho, cajá-manga na forma. Chovia. No sítio vimos mauari, mutum, japiim, garça. Havia também um curral de tartarugas. Eu resfriado, meio febril.

Siri-pintanha: mãe sem pai pro filho.

Embiara: comida. "*Vou buscar minha embiara no mato*". O sujeito que tem outro que o domina (dono, patrão, inimigo mais forte) diz que esse é "*a onça dele*". O dominado é chamado "embiara" pelo dominador: "*Este aqui é minha embiara*". Região do Rio Branco.

14 de junho — Amanheci bom. Parada matinal em Fonte Boa, repare na colocação do adjetivo. Passeio com prefeito e família. Dona Olívia com a máquina cinematográfica em punho. Pra agradar, pediu que o prefeito, mulher e os dez filhos "viessem vindo" pra ela os cinematografar. Vieram, uma das coisas mais augustamente amargas que já vi. A mulher tomou-se de tal comoção que nem podia mover as pernas, e afinal levou um tombo. Palavra de honra. Fonte Boa. Foi aqui que ouvi um tantum ergo virado acalanto que relatei no Compêndio. Vidinha de bordo. Matos admiráveis chorando em trepadeiras até a água do rio. Pôr do sol prodigioso. Macaquinhos de cheiro. Na boca do Jutaí vimos uma índia lindíssima, tipo asiático perfeito. Estávamos parados, esperando a comunicação com um seringal lá de dentro do Jutaí. Sempre o vaticano, quando vai chegar num lugar com que mantém relações, embarque de coisas, correspondência etc. apita de longe pra avisar. Não é só o interessado que escuta, e surgem assim embarcações com gente que vem, meu Deus! ver gente das civilizações, Manaus, Belém, o mundo. E vêm também desses índios mansos, já completamente brasileiros, que vivem por aí falando língua nossa, sem memória talvez de suas tribos. Foi o caso. Vieram na igarité, ela e o homem dela, ficaram de longe, uns trinta metros assuntando, sem pedir nada, falar nada, sem se chegar, assuntando. Ele, se percebia, tinha mais traquejo da vida, falava, gesticulava, mostrava. Ela mal se mexia, nem olhando direito o navio. Eu de óculos de alcance em cima dela. Eu só não! O Schaeffer, o gaúcho, o agente postal de Manaus, o italiano Atrepa-Atrepa, que não é nome imoral, simples caçoada das moças, porque ele em Belém não quis tomar banho conosco, e afinal acabou contando que era por causa de ter um defeito no pé, um dedo "atrepado" no outro. Pois a índia maravilhosa não percebi uma só vez olhar o navio, sempre de olhos baixos. Vestia saia de mulher mesmo, apertada na cintura nua. E trazia uma espécie de blusa encarnada (a saia era escura) que caía solta em pregas até o ventre. Quando foi embora é que percebemos que a blusa era só na frente, tapando os seios, atrás acabava apenas num babado cobrindo os ombros, costadinho de fora.

O que, a princípio diverte, mas acaba por infernizar, é a confusão das informações que a gente recebe sobre as coisas da terra, nem se acredita. Todos se propõem conhecedoríssimos das coisas desta pomposa Amazônia de que tiram uma fantástica vaidade improvável, "terra do futuro". Mas quando a gente pergunta, o que um responde que é castanheira, o outro discute, pois acha, que é pato com tucupi. Só quem sabe mesmo alguma coisa é a gente ignorante da terceira classe. Poucas vezes, a não ser entre os modernistas do Rio, tenho visto instrução mais desorientada que a dessa gente, no geral falando inglês.

15 de junho — Dia completo. De uns dias pra cá, maio suicizado, depois de várias conversas com o Schaeffer, estou me acostumando a vir na tolda do vaticano ver, me deixar sublimizado com o nascimento do dia. Mas na madrugada sublime de hoje tivemos uma cena bem dramática. A bordo vem um velho, na terceira, que teve congestão e ficou abobado. Mas é manso, não faz mal a ninguém, não fala. Só uma vez, se chegou e entregou a dona Olívia um lenço sujíssimo, cheio de castanhas-do-pará. E se retirou sem pedir nada! Hoje de-manhã diz-que ele (de madrugada, entenda-se) diz-que ele estava agitado, andando dum lado pra outro, sem parada. De-repente, vendo um canoeiro na margem gritou "Adeus, Jó", sem resposta. Outro canoeiro, uns duzentos metros acima, e o maníaco: "Adeus, Jó! Adeus Jó!" sem resposta. O vaticano se arranhando pela margem, já bastante povoada, porque em breve chegaríamos a Tonantins. E se aparecia alguém, o homem se punha berrando na manhã: "Adeus, Jó!" Mas ninguém respondia. Não tinham, não inventavam a piedade de responder. Perguntei pra ele quem era Jó. (Já passáramos o paranã do Bugarim.)

— Meu filho, ele respondeu. Mora aqui. Já morou...

Nisto veio vindo uma tapera, caindo já, sem ninguém. Na frente uns restos visíveis de jardim. O homem tirou o lenço do bolso, e com gestos largos, foi dizendo adeus. E a tapera já desaparecia lá longe, e ele, silencioso, com aqueles gestos abertos, dizendo adeus, dizendo adeus. Perguntei onde ele ia.

— Pra Remate de Males, sim senhor. — Um pouco mais pra baixo... Eu tive congestão, o senhor sabe?... Já sarei mas meus olhos só querem fechar! Tenho três filhas...

— Estão lá?

— Estão por aí...

— Mas você não tem família em Remate de Males?

— Um pouco mais pra baixo... por aí... Mas o senhor não sabe um remédio pra meus olhos que não quererem mais fechar! Por favor!

Me retirei, não aguentando mais aquilo.

Chegara a hora do beija-mão. É visível: muita gente se sente orgulhoso e naturalmente feliz de privar assim da camaradagem da nossa importante companheira de viagem. Era engraçado. Mais ou menos pelas nove horas, a Rainha do Café aparecia, sempre tão arranjadinha, aquele seu sorriso na ponta do lábio, dado a todos. Já uma hora antes, se via aquele mundo de gente de bordo, rodeando a cabine dela, em busca de bom-dia.

De vez em quando se notava chapas de lama grossa se estriando na superfície do rio. Era baba dos lagões ribeirinhos, chupada pela vazante em começo.

Passamos pela famosa praia do Bom Jardim, que ainda fornece de três a cinco mil tartarugas por ano. Mujanguê: ovo de tracajá batido com farinha e sal. O mesmo petisco com açúcar em vez de sal, se chama arabu. Oh, minha Caraboo.

Nada mais apropriado que essa associação, estamos chegando em Tonantins, porto de lenha, missão de franciscanos, mas que pra nós foi um concerto de belcanto. Dois lindos frades italianos, gordos, fortes, às gargalhadas. Estávamos visitando as instalações, escola com quarenta alunos atuais, posto de profilaxia contra maleita, fechado porque o governo não mandava mais remédio, o igrejó e roçado por detrás com jardinzinho e goiabas, quando chega frei Diogo, fazendo um barulhão, e convida pra entrar na casa dos padres. Entramos. Limpeza, higiene, café. Na sala, um piano. Frei Diogo, sem mesmo perguntar quem éramos, foi logo convidando pra fazer música. Fiquei com vontade de examinar o *Tantum Ergo* e o *Kirie* manuscritos e visivelmente sem caráter religioso. Toquei e era mesmo coisa que não valia nada. Trombeta, examinando as outras músicas empilhadas em cima do piano, achou "*I Lombardi*" e a valsa de Musetta. Por pândega principiei cantando a valsa. Dolur descobriu maxixes do Eduardo Souto que preferi sem hesitação, e executei com coro de Trombeta e Balança. Achamos Toselli, nada mais propício, executado com toda a consciência, em dueto, Trombeta e eu. Chegava frei Diogo que tinha ido providenciar não sei o que, e ficou extasiado. Dava pulos e obrigou a um bis. Com gargalhadas Balança descobriu o hino fachista, que foi executado caçoistamente, por todos, frei Diogo ajudando, na maior desafinação que pudemos encontrar em nossas gargantas. Acabada a Giovenezza, pedimos a frei Diogo que cantasse. Acedeu envaidecidíssimo, e cantou um coro do "Nabuco" em solo, eu acompanhando. Voz admirável, por sinal. Café. Chegava o frei Antonino. Frei Diogo fez um barulhão (tudo era barulhão nos dois italianos) contando que o outro também cantava. Frei Antonino fez um barulhão dizendo que tinha "voz de buro", mas pra agradar cantava a "Santa Lúcia". Acompanhei. Era um vozeirão pra teatro ao ar livre. E de novo Trombeta, a nossa prima-dona deliciosa, e o *Chuá-Chuá* e a *Casinha da colina*, os dois frades fazendo um barulhão insuportável. Era alegria deles. Nisto o capitão Garcia, espécie de factótum que nos deram em Belém, muito gostoso aliás, contou pros frades que éramos paulistas. Foi um silêncio nos dois barulhões. Nos olharam respeitosos, e a gente sentiu nos olhos desejosos dos dois exilados a saudade, o desejo por essa pátria de todos os italianos do mundo. Mas logo frei Diogo reagiu:

— Vocês são paulistas... Vocês não são brasileiros não! Pra ser brasileiro precisa vir no Amazonas, aqui sim! Você (apontou pra mim) tem pronúncia própria de italiano.

Então contei pra ele que de fato era filho e neto de italiano.

— Fachista?

— Antifachista! respondi.

Nisso o frade fez um barulhão e foi buscar a correspondência da missão, chegada no nosso vaticano. Abriu o pacote e, nos acenou, fazendo um barulhão, com a *Squilla*, folha antifachista de São Paulo, de que eram assinantes. E o outro, o único jornal do mundo que assinavam, *Estado de S. Paulo*, palavra que tive um arrepio, meio orgulho estadual, meio susto da importância do *Estado*. Nos despedimos, e os dois frades, mas com uma inocência indecente, foram logo nos abraçando chupado, com a maior intimidade deste mundo. A janta estava na mesa de bordo. Os tapuios já tinham botado vinte mil achas no navio, e o comandante aproveitava a disposição alegre deles pra ver se conseguia somar quarenta mil. Enquanto jantávamos chegou frei Antonino num barulhão. Indaguei. Não achava o caboclo amazonense com instinto religioso não. Era no geral indiferente e carecia tratá-lo com muito cuidado, senão se arredava da missa. Em geral se contentava de possuir a pintura de Sto. Antônio e pronto. Ou Nossa Senhora. Mas não reza nem se amola muito com Deus. Mas é mais feliz que vocês, civilizados. Não tem a mínima ambição. Farinha um pouco, cachaça muita e está feliz. Tem filho à beça e não carece de nada mais. Mais feliz que vocês civilizados. Mas alguns têm festas horríveis. Quando é só dança inda vai bem. Agora mesmo acabou a trezena de Sto. Antônio que são treze noites de dança, isso nem se pensa acabar! Mas certas "classes" de caboclos, têm uma festa, por exemplo, chamada da Moça Nova (olhei pras meninas me rindo), que nem se descreve!... Ficou silencioso um bocado. O navio partia e era bom pretexto pra ele não se entristecer demais, pensando na festa da Moça-Nova. E frei Antonino se despediu de nós, na escadinha do vaticano e foi-se embora. Num barulhão.

16 de junho — Madrugada sublime na tolda do vaticano. Manhãzinha paramos pra cortar canarana pros bois. Um casal de araras atravessa o rio. Bandos de borboletas amarelas na pele do rio. De repente uma azul, das grandes. Libélulas em quantidade. E os peixes saltassaltando nos remansos. E a quantidade de jaós, não se caça jaó por aqui? Me chamam no pio, lhes respondo, e passo horas nesses amores sem espingarda, enquanto os matos passam rente e terras mais inquietas. O lugarejo lindo de Maturá dá pra fazer alpinismo. Dia de calor famoso. Pela tardinha portamos em S. Paulo de Olivença, com o prefeito bem-falante, a filha normalista e frei Fidélis. Estávamos visitando o Colégio de N. S. da Assunção, e a professora, uma dona respeitável, com a sua idadezinha bem à mostra, fazendo de bedéquer. Como trocássemos umas palavras em inglês, ela se botou falando inglês, com mais perfeição que eu inda é facílimo, porém com a naturalidade e muito maior firmeza que as meninas. Nesse momento ela estava mostrando os andores e mais coisas, flores, véus, capelas de virgens de uma procissão que se realizara hoje de-manhã, e como nos assustássemos do inglês perfeito dela, contou meia melancólica que tinha sido virgem em Londres e Paris, quanto heroísmo. De novo, nas mãos de frei Fidélis, vi o *Estado de S. Paulo* e o *Mensageiro* do Coração de Jesus, Itu, São Paulo. Em Tefé, o portuga da venda garantiu que eu era português da gema, em Tonantins passei por italiano, agora aqui em São Paulo de Olivença, frei Fidélis me pergunta meio indeciso se sou inglês ou alemão! Noite sublime de lua cheia. As gaivotas que descem nos paus boiando, acordam com o arfar do vaticano e só vendo o barulhão que fazem. As duas horas da madrugada, paramos em Sta. Rita pra comprar redes de tucum. Dia gozadíssimo.

17 de Junho — Logo de manhãzinha paramos no porto de lenha do Assacaio, interessantíssimo. O Schaeffer e eu, entrando pelo mato fizemos provisão de coisas curiosas, como a bonita flor bico-de-arara. Aqui cortei e levo comigo um pedaço do tal cipó "matamatá", escada de jaboti, explicam, o tal em que a lua subiu pro céu. O homem beneficiando o pirarucu pescado esta noite. Pirarucu tem o coração na garganta. Rosas perfumadíssimas, nunca vi assim, Índios legítimos, bancando negros, pintados com jenipapo. Não pintam as articulações dos dedos, que ficam parecendo cicatrizes claras, é horrível. Fotei. Pouco depois do meio-dia portamos em Belém, onde vimos uns índios lindos, principalmente a cunhã tristonha, já bem mulher, fineza esplêndida de linhas. De-noite me bateu uma nervosidade desgraçada, já se imagina porque. O gaúcho que aderiu à nossa viagem amazônica e mora em São Paulo, tem delírio de grandeza. "Eu, por exemplo, botina pra mim, na melhor casa me custa duzentos mil-réis, esta roupa fiz no Lattuchella, foi novecentos." Os outros, gente pobre, ficam sarapantados, não sei se duvidando. Então o delirante virou pra mim e me perguntou se não era mesmo. Eu... eu falei que era.

Não sei bem porque, mas minha perna estava coçando tanto com os macuíns, eu estava tão nervoso, falei que era mesmo e desandei; qualquer casinha de porta e janela, em São Paulo, era aluguel de seiscentos mirréis, metro quadrado no centro eram cem contos e não havia quem vendesse, que eu ganhava sete contos e não dava pra nada, todos meio querendo se rir. Então virei pro homem e ali no bucho:
— Não é, doutor? Ele, pra pagar a dívida teve que falar que era, me vinguei. Me aliviei tanto que a coceira passou (só a coceira) e fui beber um guaraná gelado pra ver se acalmava. Aprendi, nessas paragens, a me coçar de três maneiras distintas, a objetiva, a subjetiva e a fisiopsíquica, que é a melhor das três. Pelas vinte-e-quatro horas desceu a moça apaixonada por todos.

Noite de inferno. Inda por cima os carapanãs me infernizaram tanto que pensei ficar louco.
— Que é aquilo? Será jacaré?...
— Num sei não, num vejo bem... Mas tá cum jeito.

18 de junho — Chegada a Esperança, posto fiscal brasileiro. Frente à margem do Peru. Entrada pelo Javari buscando Remate de Males. Os taxiseiros têm uma floração policrômica que vai do encarnado descendo pelo alaranjado-rosa, o rosado pálido, o amarelo branquicento, o esverdeado claro e enfim o franco verde-alface. Falando assim, parece bonito, na realidade não atrai. É nessa arvoreta que mora a formiga táxi. Remate de Males às treze e trinta. O igrejó, torre de zinco. Fazia um calor de rematar. O palácio do lugar é a loja maçônica, e todos acabaram virando maçons por causa da importância do palácio. Numa loja:
— Tem álcool?
— Não senhor.
— Não tem coisa nenhuma, chapéu de palha, remo, alguma coisa feita aqui pra levar como lembrança!
— Não tem não senhor, ninguém faz nada nesta terra desgraçada.
— Afinal topamos com um casal de maleiteiros na janela e as famílias na porta, maleiteiríssimos também.
— Quantos filhos o senhor tem?
— São doze, señor... difícil de sustentar nesta terra desgraçada. Logo adiante:
— Menino, você não sabe quem tem umas bananas pra vender?
— Não tem!
— Não tem! Como não tem! porque não plantam!
— Ah... é uma terra desgraçada.
E fazia um calorão desgraçado. Voltamos pra bordo. Aliás estávamos desde início do passeio sem a companhia de dona Olívia. Essa não dera nem dez passos em terra, voltara se esconder na cabina, pra não ver aquela gente, sem uma exceção, comida pela maleita. Chegados a bordo, vinha chegando da margem peruana uma

lancha a gasolina. Saltou dela um peruano moreno, forte, com sangue vivo por detrás da morenez. Falava muito e tomou conta do navio.

E desejei a maleita, mas a maleita assim, de acabar com as curiosidades do corpo e do espírito. Foi assim. Nem bem chegamos a bordo, Trombeta veio logo alvoroçada avisar que estava no bar um moço maravilhoso de lindo. É mesmo assim: sempre que o vaticano para num porto, todo o pessoal melhorzinho da terra vem pra bordo. Ficam por aí. Fomos ver o tal moço e era realmente de uma beleza extraordinária de rosto, meio parecido com Richard Barthelmess.

"Assacaio — 17-VI-27"
(Foto e legenda M. de A.)

Mas inteiramente devorado pela maleita, a pele dele, duma lisura absurda, era dum pardo terroso sem prazer. As meninas ficaram assanhadíssimas e, como deixavam todo mundo olhando e desejando elas, principiaram fazendo tudo pra o rapaz ao menos virar o rosto e as espiar. Pois ele não olhou. Todo o barulho que fazíamos nada o interessava sequer pra uma olhadela, não olhou. Pagou a bebida e saiu, sem olhar. As meninas foram atrás. Ele, encostado na murada, olhava pra fora. As meninas principiaram passeando pelo deque, conversando alto, num enxerimento atrevidíssimo. O que fez o rapaz? Não olhou, desceu de bordo e foi-se embora sem olhar uma só vez pra trás. Então desejei ser maleiteiro, assim, nada mais me interessar neste mundo em que tudo me interessa por demais...

Paramos de novo, de volta, em Esperança pra tomar lenha. Noite caída. Soubemos de um bailarico ali perto, celebrando um casamento e fomos até lá, dançar, o fiscal da alfândega de Manaus, as duas moças e eu. Íamos num casquinho absurdo de pequeno, em que mal cabíamos os quatro, rebordo do barco à flor d'água. E cai uma tempestade, mas famosa. Fomos obrigados a abicar de qualquer jeito e flechar na disparada pelo trilho até a casa que já se enxergava uns cinquenta metros acima. Chegamos lá encharcados e a festa parou por nossa causa, essa hospitalidade servil... A noiva, bem parecida, a mãe dela, foram cuidar das meninas, deram roupas pra elas, enquanto esquentavam ferro pra enxugar as calças de montar e as blusinhas. O noivo inquieto, não sabendo o que fazer comigo. A festa parou. Depois nos ofereceram quinado e aluá, com o seu gosto azedinho agradável, excessivamente perfumado de canela. Fizemos a saúde dos noivos e o baile recomeçou, ao som duma flauta, inimiga do violão gordo que todo se esbofava pra acompanhar as corridinhas dela. O noivo se levantou, foi buscar a noiva pela mão, e trouxe ela, me ofereceu, pra ela dançar comigo, não é maravilhoso! E foi dançar com Trombeta. Depois dançou com Balança. E por ali ficamos nós dançando, ao som dos dois instrumentos e dum soldado que cantava de olhos baixos, creio que não nos olhou uma vez, de vergonha. E era soldado! O vaticano berrava lá em baixo nos chamando. Fazia luar. Alguém tinha ido buscar nosso casquinho, que estava ali no porto. E fomos de rodada rio abaixo, ao luar, cantando o "*Luar do sertão*", inchados de romantismo, com um sofrimento bom dentro do peito.

Eram quase três horas da manhã e a Rainha do Café fazia muito se recolhera. Acordamos o homem do bar, na intenção de tomar um alcoolzinho forte, evitando algum resfriado. Tomei meu gole, e fui na cabina trocar minha roupa encharcadíssima, deixando as moças com o moço fiscal. Não demorei talvez quinze minutos, mas assim que cheguei no bar, percebi o estrago. Não sei o que o rapaz apostou com as moças, e elas, liberdosas de educação, tinham bebido muito, cálice de pinga sobre cálice. Não durou muito, mandei tudo pra cabina, principiou uma bulha excusa na cabina delas que, se de um lado pegava com a minha, do outro, vizinhava com a da criada de dona Olívia, esta logo em

"Remate de Males — 18-VI-27"
(Foto e legenda M. de A.)

seguida. Aos poucos a bulha aumentou. Eram lamentos doloridos de Trombeta, ao passo que Balança me chamava pelo nome, entre risadas de não poder mais. Eu incomodadíssimo, se a Rainha acordasse e fosse ver... encontrava as duas completamente bêbadas. E eu que estava desde o princípio da viagem engolindo coisas, pra evitar desgostos a dona Olívia... — O que é, Balança! por favor, fique quietinha! E vinha, agora mais claro o choro de Trombeta, me chamando. Me vesti às pressas, e saí no deque. O que havia de ver! Elas, porta da cabina escancarada, Balança deitada no chão da cabina, Trombeta na cama, com as pernas no chão, agarradas por Balança. É que Trombeta, nem com ajuda de Balança, conseguira arrancar uma das botas que trazia, e agora! Nisto acendem luz na cabina de dona Olívia, fiquei estarrecido. Apagaram a luz. Mas se alguém me visse entrar ou sair da cabina das moças, elas já iam tão mal faladas, eu sabia, por causa de suas liberdades modernas! E os lamentos de Trombeta tendiam a aumentar. E os esforços de Balança a faziam rolar no chão da cabina, cada vez rindo abafado mais. Acendem de novo a luz, é dona Olívia. Aviso com gesto. Apagam a luz, ah, não pude mais! Morres de fraco? Morre de atrevido, murmurei com Bocage, disse uma bocagem por dentro, entrei, arranquei a bota de Trombeta. Vontade de bater.

19 de junho — Às cinco da madrugada, Tabatinga, último Brasil que vi em sonho. Às seis primeiro Peru, Letícia, apenas entrevista. Às dez portamos em Vitória, usina de açúcar do peruano Dr. Vigil, lindo posto, progressista, limpinho, ar de felicidade. Provei a frutinha marmela, assim meia sem graça, com gosto de boba. Os peruanos nascem todos na Itália, gesticulam, fazem um barulhão. Esse Dr. Vigil, num segundo provou ser um homem estupendo. Forte, otimista, bom, carinhoso, delicado, patriota, sabido, quando não sabe, inventa. Porém em dois anos levantou essa usina de açúcar extraordinária. Visitamos todos os duzentos e sete milhões de carapanãs que o usineiro cria com a ajuda de duzentos e quarenta índios que o Dr. Vigil conseguiu domesticar e fazer trabalhar com eficiência. Nós, peruanos, afinal dá orgulho, nem bem saindo do Brasil maltratado, sem nenhuma iniciativa corajosa, apodrecendo por este mundo de água, mal enfia a faca no Peru, pronto, uma iniciativa linda, maquinário moderníssimo importado de quanta Inglaterra e EE.UU. têm máquina por aí tudo, tudo movido a sangue peruano e desenhos de Zuloaga. Partimos entusiasmados, depois da visita à serraria, à usina e passeio pelos canaviais, em vagonetes puxados a quéchuas correndo, Juan e Manuelito, me senti toreador. Aliás o Dr. Vigil veio conosco pra Iquitos, e já substituiu o fonógrafo do Dr. Hagman, junto da Rainha do Café. Que sorri com paciência.

20 de junho — Paramos madrugadita no porto de lenha Chimbote. A bordo uma crilada maleitosa. Pelo almoço passamos ao largo de San Pablo, colônia de leprosos com seus banheirinhos a beira-rio... Vida de bordo. Primeiro índio nu adulto avistado. O Dr. Vigil está se tornando insustentável como espécie de simpatia. Chegou a falar em jacarés de doze metros! Admirável é ele contar a guerra que os peruanos tiveram com os chilenos. Desde o primeiro dia, peruano vai dando cada pisa em chileno, que só vendo, não perdem combate, uma emboscada, só surram. No fim, perderam a guerra. E só vendo o ódio, não se fale em chileno, olho de peruano fuzila. Guaribas nos galhos.

21 de junho — Vida de bordo. Estamos nos conformando com chegar a Iquitos, *la gran capital de la* província de Loreto, visita oficial, recepção oficial... De vez em quando um assovio longo firme fura o verde o mato, o que é! Índio. Índio civilizado avisando pra diante que tem vaticano passando. Praias que vem boiar, na vazante, se esquentando ao sol. E agora conto o que houve? Não conto. Sei que dei um estrilo fantástico com o capitão do vaticano, o médico, todos esses brasileiros que estavam em terra deles. Mas disse o diabo. Gente mansa que nem eu, é assim, quando perde as estribeiras, não tem mais medida, xinguei todos, e saí, batendo com violência a porta do camarote do capitão. E fui ter com o safado, nada mais nada menos que o capitão, *el gran capitan* Carrillo, *jefe del puerto* de Iquitos, cheguei na frente dele, estava frio, sem sangue, e falei, nem sei com que voz falei:

— O senhor afaste-se ou lhe meto seis balas no bucho!

Depois até ri, não só não tinha revólver como não sei se o capitão saberia o que é bucho. E fiquei ali, encostado na amurada, isto foi depois do jantar, em frente aos nossos camarotes, que eram os primeiros da esquerda do navio, junto à proa. Hora de fazer o quilo, todos passeando pelo deque circundante do navio. O *gran capitan* ficou passeando também, com o filho de onze anos, emburrado, com uma cara de querer ser furioso. Eu na calma encostado na amurada, dando as costas pro rio, vendo o pessoal na passeata. Afinal uns sentaram, outros foram pro salão, outros pro bar. O capitão passeando. Eu ali, firme. Pensava? Homem! havia uma calma fria em mim, esse fatalismo dos sem coragem, mas incapazes de se acovardar se a ocasião chega mesmo. Cada vez que o capitão passava, eu o seguia com os olhos, desde que ele despontava longe, até virar na proa. Mas ele não me olhava um naco, se olhasse, eu perguntava "nunca viu", ali, na fatalidade. As meninas souberam, parece que o capitão aposentado que viaja à disposição de dona Olívia contou pra elas, estão palidíssimas, querem disfarçar, já vieram me pedir pra não fazer nada, fazer nada!

— Vocês vão embora! Disfarcem pra dona Olívia não perceber.

E ali na calma, sempre no mesmo lugar. Alguns entram para as cabinas. O silêncio vai caindo aos poucos a bordo. Eu ali, na calma. Calma! que besteira! No inferno, fingindo calma. O capitão passeando, cada vez mais trombudo. O meninão filho dele faz tempo que está dormindo. E assim ficamos horas. De-manhã chegaremos a Iquitos. Horas tantas, até me distraí do que estava fazendo, positivamente não tenho ânimo bélico, principiei pensando noutra coisa.

De-repente tive um susto, ué, ele não vem mais? Prestei atenção. Não vinha mais. Pensei: naturalmente foi deitar. Pensando que "naturalmente" acompanhei de um imenso palavrão, endereçado ao capitão Carrillo, capitão do porto de Iquitos, viajando a bordo do vaticano *São Salvador,* terra do Brasil. E é estranho o fatalismo: friamente, sem nenhuma vontade, sem nenhuma raiva, fui, fui mesmo, e passei, no outro lado do navio, na frente da cabina do Carrillo, fazendo os meus pés voluntariamente soarem no chão. E então fui deitar. Oh, como estava cansado! Sem ter coragem, a alma doía, toda nevralgizada, que não se podia tocar. Assim mesmo me lembrei que pelo menos eu ficara parado e bem encostadinho todas aquelas horas de angústia, ao passo que o coitado do Carrillo bem que devia ter andado por aí umas três léguas de tombadilho. Eu estava sem nenhuma vontade de rir, mas ri.

22 de junho — Iquitos pela manhã. "Siembren algodan y café — Trabajen la goma elástica." Caceteações de recepção oficial, uma centena de apresentações. O presidente da província, todo de branquinho, um peruanito pequetito, chega, vai ao salão, senta, troca trinta e quatro palavras com dona Olívia, se levanta militarmente e parte. Então o secretário dele ou coisa que o valha, me avisa que ele espera em palácio, a retribuição da visita dentro de duas horas exatas! Como os reis em Londres ou na Itália, viva o protocolo! Faz um calor! Bem me disseram que em Iquitos o calor era mais forte que o de Manaus. E carapañas, aqui llamados sancudos, pleno dia. E me enxugo e quando acabo de me enxugar, estou molhado de suor. E este calor! e estes sancudos! Homem! sei que sentei na cama desanimado, me deu vontade de chorar, de chamar por mamãe... Em palácio, recepção alinhada, tudo de branco. Tive que fazer de novo o improviso que fizera pela primeira vez em Belém e repetira já várias vezes, sempre que encontrava discurso pra dona Olívia pela frente. Só que desta vez, quando chegou o momento de dizer que não sentíamos "limites estaduais", mudei pra "limites nacionais", e a coisa foi aceita da mesma maneira. Almoço a bordo. Passeamos livres. Por aqui não há proteção alfandegária pra certas indústrias que os peruanos têm a lealdade de confessar que não têm: ai que delícia! chocolates suíços e várias outras conservas europeias baratinhas... "Chica helada, um real: gostico pobre de aluá aguado. Y los chinos, caramba! MODUS VIVENDI, carpinteria de Antônio Bardales, ZAPATERIA, de Juan Chiong. Iquitos é cheia de viudas, passeando com véus nas ruas calçadas a tijolo". Casas lindas de azulejos de várias cores. Resolvemos, as moças e eu, chamarmos o capitão do nosso vaticano de Hideous Poxie. Telegrama 102$000. "Siembren algodan y café — Trabajen la goma elástica" está escrito nas calçadas. São dois norte-americanos do maior patriotismo peruano, que de noite, escrevem essas coisas nas ruas, pra fazerem depressa bastante negócio e voltarem pra terra deles que é melhor. Passa um vestígio peruano, com uma costeleta enorme pendurada na maleita. Não há muitos pretos por aqui, até agora não vimos nenhum. De-repente eis um, um? Um negativo de fotografia, foi minha impressão: mãos e cara, pretos, todo o rosto, branco, exatamente um negativo. Nos acompanha o cônsul do Brasil, um Mellito surdo e burro. Chapéu de Chile, setenta mil-réis. Janta em terra com Saavedra y Pinon, corretíssima. Salada de abacate, comida pela primeira vez. Às 11h partida pra Nanay.

23 de junho — Amanhecemos em Nanay, mas não levantei logo, meio preocupado com a decadência social de dona Olívia. Em Manaus ainda ela era rainha. Em Remate de Males chamaram-na de condessa. Ontem *El Dia* de Iquitos comunicava aos peruanos a chegada da "Dra." (sic) Olívia Penteado. Estão embarcando duzentos toros de caoba, cada um pesando de duas a três toneladas, me disseram. Caoba é castelhano; aqui na região se diz aguano, nós dizemos mogno... Vão pra Boston, pra uma fábrica de vitrolas. Estamos no meio da lagoa, enxergando a vista convidativa, meia paulista com seus morrinhos e os coqueiros pipaios. Vamos a terra visitar um *pueblo* de índios uitotos que é perto daqui, dona Olívia, as duas moças, um americaninho de Iquitos e eu. A espécie de porto, ou melhor, de cais era uma jangada fixa, mas que distava um meio metro da praia quase a pique e lamacenta. Pulei na jangada, fixei bem um pé nela e outro na lama de praia e dei a mão pra dona Olívia. Ela irrefletidamente pula direto na praia mais que íngreme, escorrega, cai de joelhos, e isso mesmo porque agarrei o braço dela. Foi um minuto de angústia, ela se esforçando com os joelhos e a mão livre pra se agarrar na terra e essa, lamacenta, cedendo, se via o momento em que ela desapareceria n'água, pela fenda entre a jangada e a praia. Afinal conseguiu se firmar. Bom, disfarçamos o mais que pudemos nosso desaponto com os tais "não se machucou"?, "Como foi, heim?" Botando a culpa toda na praia, propondo ela mudar de calçado, pelo menos. E lá seguimos, com o guia de dentes pretos, de mascar coca. O caminho de índio no campo. O guia, se vê algum companheiro da maloca, solta uns gritos curiosos, meio parecidos com certos gritos de *cowboys*. O aldeiamento é já um *pueblo* de índios se vestindo como nós, isto é calça e paletó, ou calça e camisa, e *hablando* uns farrapos de espanhol. Casinhas de taquara com coberta de folhas de coqueiro, admiravelmente bem trançadas. Em geral dois compartimentos, um ao ar livre, outro fechado. Só a casa do centro, grandona, era mais característica, um casão enorme, muito alto, duma sala só, toda de folha de coqueiro, paredes e tudo, com a aberturinha no alto pra fumaça ir tomar ar. Dentro desse mocambão tinha, dos lados, armações de madeira, em cada uma morando uma família, em legítimo segundo andar. O centro é alisado, pra trabalhos, onde num lado tinha um cocho com macaxeira fermentando pra fazer bebida, e em outro mais longe, uma índia moça, que fora depilada já, os pelos curtos eriçados na cabeça, pintada de jenipapo, fazendo farinha. Duas outras estavam depenando um papagaio, carne dura, pra comer. Pote lindíssimo, fiz o diabo pra comprar, mas só consegui comprar outro, de muito menor interesse. O tuxuaua estava regiamente em pelo, cismando numa rede, quando entramos em casa. Meteu uma calça e veio nos receber. Gente em geral bonita. Uma índia chegava a linda e a quisemos fotografar, que não! "Se quieren, tienen que pagar!" — rindo muito. O governo peruano cede este lugar aos uitotos, com a condição deles trabalharem vinte dias por ano... pra si mesmos, fazendo plantação. Mascam coca e vivem. Fiz tudo, insisti, ofereci bastante dinheiro pra me darem um pouco de coca, não houve meios. E voltamos pra bordo, ninguém mais não caindo. Noite a bordo com americanos e ingleses divertidos. Os peruanos, descendentes de espanhóis, falam com orgulho patriótico dos Incas, na civilização incaica, na música incaica. Também há brasileiros que querem lançar o estilo marajoara.

Nanay, 24 de junho — Acordei madrugadinha com a bulha do embarque de toros. Não eram nem cinco horas, e saí de pijama no deque pra assuntar um pouco a vida. A primeira coisa que enxerguei foi logo o índio irônico de ontem, num casquinho, rodeando o navio. Estava de olho no deque, e assim que me viu, mostrou a serra dos dentes se rindo satisfeito. Eu estava inda com esperança de provar coca e fiz um gesto pra que ele encostasse o casquinho no vaticano. Era só isso mesmo que ele esperava. Desci pra terceira, enquanto, em duas remadas, ele chegava junto de mim. Embarquei na canoa e falei pra ele remar pro largo. Estava mesmo decidido e engambelar o uitoto e conseguir o excitante. Ele remou, sempre se rindo com aquele jeito de esperto, e quando a bulha só chegava mansa em nossas águas, principiou lá na língua dele:
— Me falaram que o senhor faz cantigas, o senhor estava escrevendo num papel...
— Faço sim. Por isso que pedi coca pra você. Queria escrever uma cantiga da coca, mas sem provar como que posso fazer?
Ele riu meio envergonhado, matutando, e secundou firme:
— Coca não dou não, não tenho...
— Ora deixe de história! Já falei pra você que dou dez soles se você me dá um pedacinho. Você não dá, eu compro na cidade!
— Em Iquitos?
— Em Iquitos.
Ele tornou a rir sossegado.
— Chinês inda não vende coca...
— Eu me arranjo, garanto pra você. Se pedi é porque ficava mais fácil.
— O senhor vai escrever muitas cantigas, e...
— Vou.

— O senhor ontem falou pra aquele moço que quase não tem boca, que era pena ver a gente, preferia ver Inca...

Eu estava com raiva de não conseguir coca e:

— Falei sim. Os incas são um povo grande, de muito valor. Vocês são uma raça decaída.

Ele molhou os olhos nos meus muito sério:

— O que é "decaída"?

— É isso que vocês são. Os incas possuíam palácios grandes. Possuíam anéis de ouro, tinham cidades, imperadores vestidos com roupas de plumas, pintando deuses e bichos de cor. Trabalhavam, sabiam fiar, faziam potes muito finos, muito mais bonitos que os de vocês. Tinham leis...

— Que que é "leis"?

— São ordens que os chefes mandam que a gente cumpra, e a gente é obrigado a cumprir senão toma castigo. A gente é obrigado a cumprir essas ordens porque elas fazem bem pra todos.

— Será?

— Será o que?

— Será que elas fazem mesmo bem pra todos...

Os olhos dele estavam insuportáveis de malícia.

— Fazem sim. Se você tem casa e tem mulher, então é direito que um outro venha e tome tudo? Então o imperador baixa uma ordem que o indivíduo que rouba a casa e a mulher do outro, tem de ser morto: isso é que é uma lei.

— O senhor vai botar tudo isso na cantiga, é?

— De-certo.

— A gente possui lei também.

— Mas são decaídos, não fazem nada. Onde se viu passar o dia dormindo daquela forma. Por que vocês não fazem tecidos, vasos bonitos... Uma casa direita, de pedra, e não aquela maloca suja, duma escureza horrorosa?

O uitoto se agitou um bocado. Agarrou remando com muita regularidade, olhos baixos pra esconder a ironia luminosa que morava nos olhos dele. E se pôs falando com a monotonia das remadas, depois de acalmar bem a expressão e poder me olhar sério de novo:

— Moço, pode botar tudo isso na cantiga, que está certo pro senhor... Se o senhor me entendesse na minha fala eu contava melhor. Vossa fala, sei pouco. O senhor fala que a gente é decaída porque não possui mais palácio, está certo, porém os filhos do Inca também não possuem mais palácios não, só malocas.

— Pois é isso mesmo: eles também são raça decaída!

— Não são não! Os filhos do Inca já não fazem mais palácio, isso sim. De primeiro eles faziam palácio, agora já não fazem mais, o senhor me entende? E não é porque espanhol tomou palácio que filho de Inca não faz mais outro, filho de

Inca é feito a gente, podia fazer outro. Mas Inca foi fazendo, fazendo palácio, teve um dia que fez um palácio tão bonito, era tão lindo que a gente parava assustado. Pois então veio outro imperador e fez outro palácio que também era tão lindo que a gente parava olhando. Ficou... não ficaram dois palácios não, ficou um palácio e ficou outro palácio, a gente parava olhando um palácio e parava olhando outro palácio... Cada um era mais lindo que o outro, contam os pais das tribos, e foi uma revelação terrível. Todos puseram reparo, por causa dos palácios, que tudo era a mesma coisa, tecidos de penas e leis. Tinha de tudo e tudo era bom, porém tudo era melhor. O imperador inda quis mandar uma ordem mandando a gente achar melhor só o palácio e a lei que ele tinha feito, porém a gente parava da mesma forma, olhando, na frente dum palácio e do outro palácio; e, por causa da lei, teve uma guerra temível entre os soldados do imperador e o povo. Quando se acabou, o povo ganhara porque tinha brigado com certeza. Pois então puseram no lugar do imperador, o primeiro moço que percebera que um palácio não podia ser mais bonito que o outro. Vai, o moço mandou uma lei ordenando que ninguém não construía mais palácio, porque no fundo da gente, a gente pondo reparo, no escuro, tinha um outro palácio mais guaçu, tão lindo, mas tão mesmo! que era impossível construir. Todos quiseram obedecer à lei do moço que sabia tanto, porém foi impossível por causa que isso não resolvia nada; nem caso de palácio nem as leis que deviam fazer a felicidade do povo. Não resolvia porque se a gente assuntava no escuro, o fundo da gente, percebia o tal palácio muito lindo ou a tal lei que fazia mesmo a felicidade, julgava assim e estava certo. Porém, atrás do palácio muito lindo e da lei perfeita, que de tão grandes não podiam ser praticados na vida que vai passando, atrás do palácio e da lei, no fundo da gente, no escuro aparecia outro palácio e outra lei que pareciam inda mais perfeitos, mas que a gente nem podia saber se eram mais perfeitos mesmo porque não era possível construir esses palácios sobre o chão, nem obedecer leis que de tão boas, nem a gente conseguia saber quais eram!... Então toda gente se revoltou, e um terno exaltado, de-tarde, pegaram no moço tão sábio, e o enforcaram na maloca pobre dele. De muito que os filhos do Inca já conheciam a coca, porém uma lei sempre falara que ninguém podia mascar coca, só doente morrendo. Os pais das tribos contaram os casos dos palácios pros filhos do Inca, e eles ficaram horrorizados com as mortes que tivera na guerra e na revolução. E foram, que nem uitotos, muito mais sabidos, porque não fizeram mais guerras nem revoluções. O branco venceu a gente e se aproveita disso. Por se aproveitar é que dá terra pra uitoto morar e mandou uma lei de índio trabucar no roçado vinte dia por ano. Uitoto podendo nem vinte dias trabuca, é muito. Uitoto nem carece imaginar se é feliz, porque agora ele já passou pra diante do tempo do palácio e da lei. Uitoto é feliz, moço, não é gente decaída não. Uitoto não tem lei porque é feliz e por isso anda direito. Bota coca na boca pra se alimentar. E vive bem. Uitoto só sabe o que Deus manda porque os uitotos agora possuem um deus que manda neles. Não se amolam mais com o palácio de pedra nem com o palácio que tem no fundo da gente, no escuro.

Parou fatigado e remou pro vaticano. Chegando, se despediu assim:

— Tenho coca no bolso, aqui, porém dou não. O senhor tem um imperador que inda proíbe de mascar coca... Pois então porque o senhor desobedece! Assim inda fica mais infeliz. Não valeu de nada eu contar, sei. É muito tarde, não, é cedo pro senhor não ser infeliz... Falei mas foi pro senhor escrever uma cantiga mais bonita.

24 de junho — Inda Nanay com o barulhão do embarque dos toros. Manhã meia pau. Pelas doze horas volta a Iquitos. Grupo a passeio, tomando helados. Encontro com o cônsul que outra coisa não faz senão nos encontrar, ora bolas! Passeio no trenzinho urbano. Bairro pobre com casitas mui lindas, mais que as brasileiras. Janta ótima, cerveja alemã legítima, as melhores conservas inglesas. Noite, baile oficial, no Clube Internacional, onde as danças ainda se iniciam com a quadrilha também oficial. Dona Olívia dança bem, com o prefeito de Loreto, que atrás chamei de presidente de província. Não é, é prefeito do departamento de Loreto. As moças (eu tive o bom-senso de não dançar) erram tudo, como boas modernas. Balança é tomada dum *fou rire* que nos envergonha bem. No baile é que me falam de Silurga.

Em busca da Infelicidade

Um amigo que desfez o lar.

I — "O que me preocupa é Silurga, minha filhinha. Miriam é jovem e bonita, não há-de se acomodar com a posição de desquitada..." Me admiro do nome.

II — Como foi composto o nome de Silurga.

III — Minha sensação da impossibilidade de ser feliz com tal nome. Não é blague não, há razões psicológicas.

IV — Os pais do meu amigo Adamantho que acaba de desfazer o lar se chamavam José e Maria, e foram felizes. Psicologia dos pais que dão nome extraordinário aos filhos. Desejo do excepcional, do brilho raro, do gênio. Na verdade vaidade dos pais. A felicidade que desejam pros filhos é relativa, querem é sucesso: "Minha filha vai ser uma Guiomar Novais".

V — Psicologia da pessoa que carrega nome extraordinário. Há-de insensivelmente descambar pra tendência de se excepcionalizar do comum.

a) Sucumbirá com frequência às tentações, porque se chama Silurga, não é como as outras.

b) Seus namoros serão espaventosos. Mas um dia vê um engenheirando lindo e forte, de futuro, chamado José. Silurga logo tem vergonha do nome. Não contem meu nome pra ele. Acaba contando, mas José tem um grande espanto, se afasta.

c) Se estudar, Silurga dará filósofa e psicanalista, é fatal. Cai numa roda literária, onde terá camaradagens muito descompostas com um poeta futurista chamado Taumaturgo. Porque os dois se sentem excepcionais.

d) E se se casar Silurga exigirá iguais direitos, não ter filhos que a deformem e um dia, nunca ela saberá bem porque, mas dá o fora no marido. Seu destino não é de mulher casada. A sinceridade vale tudo. E um novo lar estará desfeito.

VI — Ninguém sabe bem por que, mas na base dessa destruição está o nome de Silurga, aquele nome procurado pra que ela fosse excepcional e que a predestinou à infelicidade. Não lembro se Gide se Huxley fala no como o homem organizou certo a vida dos animais domésticos, os de casal acasalando, os de sultanato dando-lhes haréns, evitando-lhes as guerras e os defeituosos conúbios. Só pra si os homens não conseguem arranjar nada de bom. Buscam todos os meios de infelicidade e chamam os filhos de Taumaturgo, Iseo, Miriam e Silurga em vez de Armando, Júlio, Paulo tão agradáveis de dizer. E por isso, em grande parte por isso, mais o lar do meu amigo se desfez. Me esqueci de contar que esse amigo se chama Adamantho.

Nomes numa família nortista (Wanderley) residente em São Carlos (S. Paulo):
Brasilianite/Brasilianife/Brasilianisque/
Cajubi/Cajuci/Cajudi/
E a última aparecida chamaram de Calobrama.
Gustavo o pai, Almira a mãe — a filha = Gusmira.
Uma preta de Araraquara chamou a filha de Vanadiol.
E acabada a Guerra Europeia outra de Araraquara chamou o filho de Neutro.
O atual prefeito de S. Carlos, Carlos Simplício Rodrigues da Cunha, pouco menos que analfabeto, que achava bonito falarem em "rua Davidor", batizou o filho de Davidor.

O Rato das Sabinas — Contaram pro imediato do vaticano *São Salvador*, uma vez, que rato branco matava rato comum. Vai, o imediato querendo acabar com a praga da rataria do vaticano, comprou quatro ratos brancos e botou a bordo pra experiência, porém, como não queria fazer nenhuma criação de ratos brancos, comprou só quatro machos. Nem bem o navio partiu de viagem, principiou aparecendo quantidade de ratos mortos, não restava dúvida, os ratos brancos eram mesmo mais fortes. Porém passado algum tempinho, eis que principia aparecendo a bordo uma rataria malhada que tomou conta do vaticano, custou acabar. É que, em tudo, os ratos brancos eram muito mais fortes que os comuns.

Pra um dia de Iquitos

Cada vez que descemos de bordo nos examinam. Mas há um ar delicioso de contrabando. Era 24 de junho e estava um vaticano no porto. Então os marujos se lembraram de fazer um boi-bumbá pra brincar na cidade. Armaram logo um boi enorme, que precisava até dois homens por debaixo pra mover. E um marinheiro era Mãe Catirina, outro Cazumbá, formaram o grupo todo que lá foi descendo do navio no cais flutuante. Os guardas divertidos deixaram o grupo passar com suas danças gozadas.

> "Boi Caprichoso já não quer
> comer capim
> Vaqueiro, faça a vontade que o
> boi quiser..."

lá foram. Bem dentro da cidade porém, num escuro, de combinação com peruano de algum boteco, viraram o boi. Estava cheio de garrafas de pinga e maços do famoso cigarro brasileiro. Ganharam um dinheirão.

Iquitos, 24 de junho — Em Iquitos conheci uma chinesa chamada Glória. Eu conheci uma só Glória nesta vida... Mas essa me beijou. Diante desta Glória sórdida e chinesa tive a impressão dum desarranjo feroz. Ela estava com um nome que não lhe pertencia e me era impossível beijá-la.

"Partida de Iquitos — 25-VI-27 — Viva el Peru"
(Foto e legenda M. de A.)

25 de junho — Me esqueci de contar: ontem, passeando, passamos pelo cinema local que com grande estardalhaço anunciava último dia do grande filme *Não percas tempo* com William Fairbanks. É que o filme ia e vinha no navio, conosco... Hoje partiremos. Visita matinal ao mercado. Inda menos interessante, como coisas à mostra, que o de Manaus. Mas a gente é de se ver.

Aliás depois da fronteira, frequentemente encontramos páginas de boas revistas norte-americanas pelos matos e calles. A gente peruana é bem mais bonita que a brasileira amazônica, a mudança é sensível, e não se trata de pessimismo nativista. E que gente sem complexos, dá inveja. O Peru é o melhor país do mundo. No Clube, vendo os interessantes desenhos de jornais e revistas de Quito, me afirmaram que os peruanos são os melhores desenhistas do mundo. Mas o mais interessante é a guerra com o Chile, até parece a Alemanha de 14. Venceram em tudo e no fim arrebentaram em cóleras danadas contra o Chile, por causa desse ter vencido a guerra. Me contaram isso já umas três vezes. E esses iquitenses falam com a boca cheia de pedrinhas "chiquititas pero" de delicadeza bem discutível, que atiram com os lábios numa afobação habilidosíssima. É mesmo tão rápida a fala, que quando a gente principia recebendo as pedrinhas, pronto: a frase se acabou e se fica sem perceber metade do sentido. O contrário da fala brasileira que quando a gente já percebeu e até decorou o sentido da frase, inda falta mais da metade do mel pra escorrer. Às doze horas o capitão Carrillo teve o topete de oferecer um cocktail a dona Olívia, no Clube Iquitos, e está claro que veio convite até pra mim. Não fui nem as meninas foram, espécie de escândalo. Mas o melhor foi ontem, quando chegávamos de Nanay, dona Olívia ter vindo me pedir pra não sair à rua, nos meus passeios, vestido à americana daqui, de camisa esporte, sem paletó. Depois da visita oficial de anteontem, saí assim, por ver que safam assim todos os americanos e ingleses saudáveis do lugar. Mas diz-que causei escândalo, porque era visitante, e consideraram aquilo desrespeito à heroica capital do departamento de Loreto. Pelas duas horas, fui visitar o meu encanto desta terra, a pintora Zarela Menacho, numa casa de pátio que é a mais linda de Iquitos. Encanto de visita. 16 horas, visita oficial de despedida ao prefeito, mais *speech*. Parecia o papa recebendo a rainha da Bélgica. E o cônsul, ôh! o cônsul... 17 horas partida, todo o governo e toda Iquitos no cais flutuante. E a vida de bordo, vapor cheio. Os toros de caoba, empilhados na proa, impedem a visita livre. Frescor e rapidez na descida. O vaticano parece outro, rápido buscando o meio do rio, abandonando as margens longe. Mas a neblina para o navio pela noite.

26 de junho — Céu nublado, chuvas. Passamos San Pablo pelo almoço. Vida de bordo, atopetada de gente, não é só brasileiro que viaja cheio de filhos. "Dá-me tu mano, para que non resvales". "Ya lo creo". "Sirva-se usted". Balança namora um inglês completamente desmanchado. O indivíduo com o binóculo equilibrado nos bigodes. Passamos o dia comendo cocaditas peruanas, não se pode mesmo fazer outra coisa mais grave, infelizmente. O pior, com essa noção de navio cheio, é a multidão de pessoas invisíveis que tomam horrivelmente lugar. Não há tolda, não há lugar nenhum em que eu não sinta pessoas em redor. À noitinha, Letícia, alfandegária. O Dr. Vigil se despede. Corre que é contrabandista, o que o enche ainda de mais interesse. E nem bem vogamos águas brasileiras, aparece muito lampeiro a bordo, um oficial da marinha peruana, que vinha escondido no camarote de Hideous Poxie. Apresentações. E vem Tabatinga, invisível na noite escura.

27 de junho — Não vê que lá não sei onde, nas alturas dos Andes, um inglês casara com uma peruana bonita. Vai, um tenente da marinha peruana, regularmente feio, mas com muita simpatia e uma risada franca passando na frente de todos, conseguiu adornar a testa da loira Albion. Vieram saber do caso, e os manos da perua, muito vaidosos de sua aliança com a Inglaterra, se reuniram ao cunhado com tanta energia que o peruano teve que se esconder pela primeira vez. Assim mesmo, quando o caso já dormia no esquecimento de umas três semanas, achou jeito de fazer vir o inglês sozinho num lugar afastado e perguntou se era verdade que ele e os cunhados estavam decididos a castigar as volúpias dos tenentes em geral. O inglês fez que sim e o tenente da marinha peruana deu uma surra no tal. Surra vasta que fez o estranho conhecer todas as espécies de camas peruanas, de chão de macuim até as macas de hospital. A inglesada então pisou nos calos e deu um grito que ativou a embaixada. O tenente se viu com um processo nas costas, porém tomou um tobogã de susto que o fez descer em pouco tempo de três mil metros de altitude a estas vargens de Iquitos, pelo Marañon. Havia proibição expressa, mas todos protegeram muito o tenentinho, coitado! e nas asas auriverdes do Brasil, ele se escondeu na responsabilidade internacional de um qualquer Hideous Poxie, e nem bem Letícia passada surgiu na luzinha escassa da noite e de todos os dias. E todos o acolheram muito bem e eu fiquei muito edificado. Também: um inglês chifrudo a mais ou a menos, que têm com isso as asas auriverdes da compaixão?

Noite gelada e este dia também. Bateu a "friagem", descida dos Andes como os tenentes. Por nós, paulistas, foi bem-recebidíssima. Enquanto esses amazônicos estão todos macambúzios, tiritando, nós numa alegria farfalhante. Manhã em Esperança. Dia em Remate de Males, onde vimos outra vez Richard Barthelmess, que nem a bordo quis vir. Trombeta soube que é filho de italiana e peruano, nascido no Brasil. Noitinha de novo em Esperança. Os ex-noivos com que dançamos na ida, vieram nos dizer adeus, que simpatia de gente! Não se pode dormir, há crianças que choram. Então Balança inventa cantar como galo. Trombeta a imita, eu imito, o tenente imita, e umas dez pessoas nas cabinas constroem um imenso galinheiro artificial, que se não fez nascer a aurora, obrigou as mães cuidarem mais dos filhos. Vou dormir. Foi o dia mais rido da viagem.

28 de junho — A friagem continua. Manhã em Sta. Rita, onde compramos redes de tucum. Fiquei com remorso, e além da minha, levo agora mais duas redes de tucum, uma pro mano, outra para o meu amigo Pio Lourenço, de Araraquara, que tem a mania mansa da etimologia da palavra "Araraquara". S. Paulo de Olivença. Footing com Dolur, conversando psicologia. Vida de bordo, cheirando criança. À noite, Tonantins, onde frei Diogo nos guarda um carneirinho pra comermos no dia seguinte. Embarque de lenha. Rapidez na descida. Partida pelas vinte e três horas.

Os índios Do-Mi-Sol — Eu creio que com os tais índios que encontrei e têm moral distinta da nossa, posso fazer uma monografia humorística, sátira às explorações científicas, à etnografia e também social. Seria a tribo dos índios Do-Mi-Sol. Será talvez mais rico de invenções humorísticas, dizer que eles, em vez de falarem com os pés e as pernas, como os que vi, no período pré-histórico da separação do som, em som verbal com palavras compreensíveis e som musical inarticulado e sem sentido intelectual, fizeram o contrário: deram sentido intelectual aos sons musicais e valor meramente estéticos aos sons articulados e palavras. O nome da tribo, por exemplo, eram os dois intervalos ascendentes, que em nosso sistema musical, chamamos do-mi-sol.

É na subida do Madeira que encontro os índios Do-Mi-Sol. Assim evita, durante a subida a mínima descrição da paisagem, que farei só na descida que é mais rápida. É um paroara que encontro cantando na terceira. Fica meu amigo e um dia pergunta se quero ver uma coisa. Me diz pedir ao comandante uma parada logo ali adiante, na boca dum igarapé e me leva conhecer o tal povo. Dar fisiologia desses índios, toda inventada. Descrever as cerimônias da tribo, suas relações tribais, família, fratias etc. Religião. Sua filosofia e maneira de discutir. Seu comunismo. No fim, dar uma série de lendas, de pura invenção minha. As lendas etiológicas, se prestam muito para a fantasia. Dar um vocabulário também ficava engraçadíssimo, se prestando a efeitos muito humorísticos, mas só poderiam perceber isso os que soubessem música. E os músicos em geral são tão pouco perspicazes... É melhor desistir do vocabulário.

29 de junho — Monotonia da volta. Balseiro: grupo flutuante de paus, árvores, grama, especialmente cedros... A friagem se acabou. Portamos em Fonte Boa, além de outros lugares. O filhote de capivara na canoa. Baileco a bordo. O casal peruano, diz-que dança muito bem, dançam dois tangos teatrais, que é de morrer de rir. Depois os peruanos de bordo dançam a marinera. Sapateado com lenço na mão. Na minha caderneta de diário encontro esta anotação: "A mulher do peruano Fuentes... e eu". Mas não há meios de me recordar o que foi que aconteceu entre mim e ela, coisa feia não foi, isso não se esquece. O diário continua: "Dormir de raiva".

30 de junho — Manhã em Caiçara, com o lago lindo pelas costas. Pelo almoço Tefé, com a casa dos padres. Naquela misturada de raças, pediram que assinássemos o livro das visitas, indicando as nacionalidades. Fulano, peruano; Sicrano, sírio; o Dr. Tal, gaúcho; Schaeffer, suíço; Balança, paulista; Guarda da Alfândega, Amazonense; Mário de Andrade, brasileiro. Dentre os brasileiros de bordo, fui o único brasileiro, sem querer. Vida de bordo. A peruada simpática, a americanada também. Vivemos mais com eles: os brasileiros são moral e fisicamente desengonçados. Ora, com mil bombas! Torno a encontrar no diário: "A mulher do peruano Fuentes e eu". Agora não tem reticências, entre mim e ela, como da primeira vez. Mas coisa bonita, garanto que não foi, coisa bonita não se esquece. Aliás, no caderno de notas soltas, encontro com essa data, às duas da madrugada, mais a seguinte anotação:

A Iara — Consegui avistar a Iara. Surgiu de sopetão das águas, luminosa, meio corpo fora, tomando bem cuidado em não mostrar pra mim a parte peixe do corpo. É realmente muito bonita, meio parecida com uma certa malvada que andou, faz pouco, enchendo os meus descansos em São Paulo. Tem o perfil um pouco duro, cabelo preto e bem aparadinho. O carmim da boca é nitidamente recortado. O canto dela é efetivamente mavioso, num ritmo balanceado mas sem síncopas.

Essa nota, prova definitivamente que não houve nada nem de bonito nem de feio, entre mim e a mulher do peruano Fuentes.

1º de julho — Manhã de chuva. Parada pra lenha em S. Sebastião. Passa uma lancha com soldadesca, indo pra Coari, onde mataram o prefeito. Logo adiante Codajaz com empalhador de pássaros. Depois de um dia parado pra contentar portinhos de lenha, chegamos às vinte horas em Manacapuru, vista com a imaginação. Mas vêm a bordo, chapéus e cestinhas de palha jupati, brilhante. A um indivíduo mitra que nós, em São Paulo, chamávamos "caínho" e é voz já muito esquecida, aqui no norte usam chamar de "munheca de samambaia".

Me contaram que os gaiolas pequenos passam até onde não dá calado, da seguinte forma: como o fundo do gaiola é chato, vendo um banco de areia pela frente, dão toda a força ao naviozinho pra encalhar. E o gaiola encalha de cheio, porém a roda continua rodando com força, a água reflui violenta em torno do barco, o suspende nos braços, e o atira do outro lado do banco de areia.

Índios Do-Mi-Sol — Também poderia pôr junto da tribo Do-Mi-Sol, outra tribo inferior, escrava dos Do-Mi-Sol, justamente porque falava com palavras como nós, e daí um estreitamento de conceitos que a tornava muito inferior. Mas por intermédio dessa tribo, poderei criar todo um vocabulário de pura fantasia, mas com palavras muito mais sonoras e de alguma forma descritivamente expressivas, onomatopaicamente expressivas, dos meus sentidos.

Estou passeando no grande mocambo do rei e num dos compartimentos encontro uma rainha comendo, coisa safadíssima. Ela ficou indignada e me passa uma descompostura. Foi uma chuva de sons, trinados, destacados, saltos de oitava duma velocidade e dum belcanto admiravelmente virtuosístico, meu Deus! que tarantela!

Aliás, força a notar que o número de sons que eles possuíam era muito maior que a nossa pobre escala cromática. Era frequente o quarto de tom, não raros os quintos de tom. Um dos paredros mais apontados da tribo Do-Mi-Sol (e se eu a chamasse Mi-Mi?...) falava constantemente palavras em que entravam sextos-de-tom e outras miudezas sonoras que inda me pareceram mais sutis. Inventara um vocabulário próprio, exclusivamente dele e que ninguém não compreendia. Era um grande filósofo, todos afirmavam. Os que, depois de vários anos de estudo, conseguiam o interpretar o achavam genial, e davam pra se degradar, degradar e ficavam completamente degradados. Escutei muitas vezes esse filósofo falando ao povo, sentado nas raízes das sumaúmas ou encarapitado no oco dum pau. Era como um chilro leviano de passarinho, e, com exceção dos discípulos degradados, todos iam aos poucos adormecendo. Então o filósofo sacudiu levemente a cabeça, e num sorriso meigo compreendia e aceitava a incapacidade geral de o seguir. Calava-se. E como o exercício do chilro o enchera muito de ar, peidava com melancolia.

2 de julho — Madrugamos em Manaus. Prefeito. Almoço em terra. Fujo visitas a colégios. Conversa natural com Raimundo Morais no Ponto Chic. Preparos. O médico Dr. Olímpio, furibundo por ter de seguir viagem ao Madeira, por nossa causa. O Clóvis Barbosa, redator de Redenção, simpático. Partida às dezoito horas, Dr, Monteiro, presidente, mais todos. Gente boa, Fonte Boa...

Achei Manaus mais quente que Iquitos... Aliás, essa história de calor a gente mais ou menos se acostuma. Não se acostuma por causa dos naturais desta terra, que não se esquecem de nos dizer todo dia e todo o dia, que "no dia de hoje está fazendo um calor excepcional". E principiou um dos crepúsculos mais imensos do mundo, é impossível descrever. Fez crepúsculo em toda a abóbada celeste, norte, sul, leste, oeste. Não se sabia pra que lado o sol deitava, um céu todinho em rosa e ouro, depois lilá e azul, depois negro e encarnado se definido com furor. Manaus a estibordo. As águas negras por baixo. Dava vontade de gritar, de morrer de amor, de esquecer tudo. Quando a intensidade do prazer foi tanta que não me permitiu mais gozar, fiquei com olhos cheios de lágrimas.

3 de julho — Amanhecemos, pleno Madeira, no porto de lenha Sto. Antônio. Me esqueci de contar que viajamos agora noutro vaticano, o *Vitória* que navega mais fácil que o *São Salvador*. Capitão Jucá, um mefistófeles gordão, mais simpático que Hideous Poxie. E que alegria na cabloclada! Rio bem mais habi- tado. Casaria gostosa, melhor que a do Solimões. Agora estou compreendendo: o Madeira, me diziam, é que era um rio "alegre", quando eu me entusiasmava com as cantorias dos passarinhos do Solimões. Aqui, tem muito menos passarinho, mas tem mais gente. E rio "alegre" nestas terras vastas de pouca gente, é rio com gente, não é rio com passarinhada cantando. Estou bem divertido outra vez, mas depois do porto de lenha Caiçara, na cabina, me limpando à cachaça dos mucuins, ouço os curumins de bordo brincando no salão. Arrastam cadeiras e um diz:

— Eu sou a Amazon River!

Outro grita depressa:

— Eu sou a Madeira-Mamoré!

— Ora, Josafá, não podes ficar na minha frente não! Aí é Porto Velho!

Brincam assim, e de-repente o *spleen* me bate. Virei pullman da Paulista, estrada de rodagem caminho do Cabatão, pé de café, telefone: cidade 5293, uma angústia agitada, irritada, vontade de estar em casa, pra sempre, basta de viajar! Não vou jantar, pronto. Me deito suando. Gosto de saber que estou suando, que está fazendo muito calor, que estou não aguentando mais! E durmo. Pelas duas da madrugada passamos Borba, vista em sonho. Pesadelo famoso. Choveu toda a noite.

Cunhatã

Você está sentado, ela chega, põe a mão no ombro de você:

— Agora temos mais sete dias até Porto Velho.

— Como é seu nome?

— Magnólia, eu vou na companhia do comandante. Vou ver titia.

— Aquela outra, de azul, é sua irmã?

— Não, futura cunhada.

— Sei. Espanta a naturalidade e a firmeza de noções com que ela fala. E não terá talvez nem dez anos!

— Sou boliviana de nascença, mas me considero brasileira.

— Onde que você mora?

— Faz seis anos que moro em Belém. Logo que nasci minha mãe fugiu com outro boliviano. Agora ela está no Rio de Janeiro, com outro boliviano. Fugiu outra vez. Ela já mudou umas cinco vezes de boliviano.

Tudo está certo, menos a mãe dela estar no Rio. Todo pessoal a bordo sabe que a mãe de Magnólia morreu assassinada. Uma das crianças por ali, escuta a conversa e diz:

— A tua mãe está morta!

Magnólia estremece, pega numa mentira. Os olhinhos dela piscam muito, e ela enrubece, com uma grande vergonha de ter a mãe morta. Mas reage. Ergue o rostinho com altivez e pergunta pro menino:

— E a tua? Tua mãe ainda não está morta?

— A minha não!

— Pois a minha mãe está morta!

Há um minuto de assombro, tal o orgulho com que Magnólia afirmou a morte da mãe. As crianças estão meio indecisas, não sabem se não estão sentindo um pouco de inveja, por não terem a mãe morta. Magnólia já se retira, lenta, com firmeza.

"*O Vitória* no Madeira — Se vê no primeiro plano margem esquerda do igarapé de Três Casas. Foto tirada barranca alta, direita do mesmo igarapé 7-VII-27" (Foto e legenda M. de A.)

Habilidade Política — No Pará o governo só nomeou para prefeito das cidadezinhas, gente de fora delas, porque assim, o prefeito, novo, desligado da política local, se interessava livremente pela cidadinha. E de-fato, elas progrediram muito com isso. No Amazonas, o que fez o governo? Em vez de nomear gente de fora, nomeou nativos, bem integrados na política de cada cidadinha. Assim eles amavam o torrão natal, estavam bem integrados nele, conheciam de longa data as necessidades locais e podiam agir mais fecundamente. E de-fato, as cidadinhas progrediram muito com isso. É o que dizem.

Dona, ponhamos, Zefa
Falar em governos, me contaram ainda de outro, do Amazonas, que até ficou conhecido por "Governo de dona (ponhamos) Zefa". O presidente até dizem que era muito bom, queria ser honesto etc., mas dona Zefa mandava nele, e aliás era muito boa senhora também. Então o marido, no palácio Rio Negro, recebia a cartinha dela:

"*Meu marido, olha o Hildebrand está no porto e a renda dele me contaram que vai ser de uns cento e cincoenta contos. Isso você dá para o Alarico, porém a renda do Francis que vai ser de mais de duzentos, essa você dá para o nosso filho mais velho, que precisa mais e tem de se casar. Beijos da tua Zefa.*"

> "*Filho do chefe político*
> *inda bem não é gerado*
> *diz o pai minha mulher*
> *já tem no ventre um soldado*
> *mas antes de sentar praça*
> *eu o quero reformado.*"

("*O povo na Cruz*". Fundos Villa-Lobos, III, p. 116)

4 de julho — Pela manhãzinha passamos por Sapucaiaoroca. Esse era um *pueblo* muito festeiro, dizem, que justamente estava numa festança impossível, dia do Menino Deus, 25 de dezembro. Vai, uma velha muito boa que também estava na festa por causa da filha e do genro, os netinhos vieram se queixando junto dela, que estavam morrendo de sono. A velha disse que sim que levava eles, mas ainda foi insistir com o genro e com a filha, que era tarde, viessem pra casa também. Até lembrou que ela, com força de velha, inda que sendo velha muito boa, era difícil atravessar toda a largueza do rio, pra chegar lá em casa. Mas nem o genro nem a filha quiseram saber de nada, e caíram no samba com furor. A velha sacudiu a cabeça, ajuntou os netinhos muito triste, subiu no casquinho com eles e imaginou como é que ia ser. Força pra vencer a corrente do rio, ela não tinha, e agora? Os netinhos chorando, ali. Então, desesperada ela pegou na jacumã, assim mesmo, e nem bem principiou remando ficou admirada porque estava com muita força! Pois nem bem chegaram no meio do rio, se escutou uma bulha tamanha lá em Sapucaiaoroca, velha virou pra ver, com os netinhos, e era a terra-caída. Num átimo, com estrondo, tudo, as casas, o barracão, tudo desapareceu com gente, música, festa e tudo, n'água do rio. Só a velha boa se salvou com seus netinhos. Porém sempre, no dia do Menino Deus, se escuta em Sapucaiaoroca, o som do violino e dos violões, continuando assombrada no fundo do rio. Em Lagoa Santa, Minas, tem lenda desse mesmo ciclo da cidade afundada, que escutei lá. Portamos em Vista Alegre, a melhor propriedade do Madeira, com frente da igreja caída. Casa bonita, excelente. Às 16h30 portamos no barracão América, na ilha das Araras, a maior do Madeira. Descemos. 20h30 em São José do Uruá. As moças estão meio mornas. Falta americano a bordo. Às 23 horas, *Vencedor*, de Carlos Lindoso, maranhense viajando até Manicoré. Embarcamos lenha até quatro da madrugada, hora em que acordo. Numa viagem pra Iquitos, cada vaticano da Amazon River gasta mais ou menos quatrocentos milheiros de achas de lenha. No Amazonas o milheiro fica por vinte e cinco mil-réis. No Solimões, sessenta. No Madeira vai pelos cinquenta. Um marinheiro do vaticano, "trabalho penoso" não alcança duzentos mil réis mensais, nem com os extraordinários.

Fibras e Nomenclatura — Ontem, no porto de lenha Caiçara do Madeira, compramos chapéus e cestas de "tucumarumã" ou "tucumaruã" piranga, palha avermelhada. Ainda disseram "tucumãuã" e "tucumãhy" ou "tucumã-açu". Mas outro, um major, me garantiu que era "murumuru" e não "anumã", "como os outros estavam falando". E ninguém tinha falado em "anumã"!... Chapéu de tucumã branco. Chapéu de tucumarumã. Chapéu de carnaúba. Chapéu de timbó-açu. Chapéu de jupati. Chapéu de Chile.

Sacado: é quando numa curva muito forte, o rio abre um furo novo que encurta caminho pra água. A antiga volta, inútil agora, fica se chamando "sacado".

Casquinho de Caranguejo — prato finíssimo, e muito vistoso quando preparado no próprio casco do caranguejo. Quando se vê uma menina boa, no Pará, dizem que "fulana é um casquinho". E como a caça de tartaruga, consiste em pegar ela na praia e virar a bicha, que assim não pode fugir mais: os rapazes chamam "ir virar tartaruga", sair em busca de caboclas mais ou menos desprotegidas na praia pra.

5 de julho — Ainda a noite é funda. Núcleo de um cometa no alto, em cima da proa. Parece que vai clarear, mas logo bate um instante de escuridão intensa. Antes de qualquer prenúncio de claridade no céu, é o rio que principia a alvorada e se espreguiça num primeiro desejo de cor. Bate um frio nítido. No conchego morno e mais que úmido, positivamente molhado do noturno, sai brisando de uma volta do rio um ar quase gélido que esperta. Esperta os primeiros cochilos das cores apenas, nenhuma ave por enquanto. Um aroma vago, quase só imaginado, porque os rios da Amazônia não têm perfume, um perfuminho encanta os ares e se sente que o dia vai sair por detrás do mato. E então o horizonte principia existindo. É uma barra escura, dura, largada em volta, cercando a gente por igual, de todos os lados. Nenhuma evaporação. Guardada nesse horizonte crespo, a água inda lenta do

Madeira, vazando pouco, represado pela corrente mais imponente do Amazonas, ainda continua mais clara que o céu. No oriente, uns braços de cores aguadas, sem vontade, numa indolência enorme. O friozinho arrebitado insiste em mexer com todos, mas o dia vem vindo lento, aguado mesmo, quase nada colorido, é mais luz indecisa que cor definida, pretejando umas nuvens pequenas que se puseram na frente. Juro que o primeiro som ouvido foi um galo de uma civilização inda dormida na rede da casinha de palha de coqueiro. Mas o ouvido acordado, se abstrai do murmulho das águas fendidas e do arfar binário das caldeiras e consegue distinguir uns trinadinhos sem valor, suspiros. Tudo vem lento. Só a cor dá mesmo pra sair, se define com rapidez. Um olhar que se retire da arraiada, quando volta já encontra cores novas. O azul se define, cor de enfeite de Nossa Senhora. Um roseado sem muita graça, trêmulo, maleiteiro se arroja no ar e logo tem um desmaio sem alarde, vira dum amarelo incolor e acaba ficando branco. É só o tempo de acender o cigarro e até o azul nítido de há pouco foi branqueando também e temos um desagradável céu branco, com nuvens de cinza adiante. E é só. Mas olha aquela nuvenzinha que está saindo do oriente, traz no rabo quase ainda por detrás das árvores, traz sim como um debrum de roxo vivo. Não é mais roxo, é escarlate. É escarlate e a nuvenzinha vibra no fundo manchada de rosa brilhante, de encarnado e algum ouro nas bordas, também. E já o horizonte redondo, inteiro se roseia de manso. As nuvens criam coragem. Até longe, bem no alto do céu, vejo um farrancho delas, todas vestidas de luz clara, são laranjas perfeitos e uns brancos louros com ar de vida infantil. Agora o rio todo é de crepe claríssimo, que a brisa ponteia com os gritinhos de umas três gaivotas. E assim que se acaba aquela ponta de ilha e o horizonte se agacha bem mais longe, o sol fura danado as sensações. Há um fogaréu de fundição chofrando pra baixo das águas refletidoras. O rio se escurenta em volta, cinza pura, a mancha vive só, com os reflexos rodeando e o foco de ouro laranja em cima sublime, de violenta grandeza. Só a nuvenzona na frente inda está escura no céu. O resto é azul vivíssimo outra vez, e rosas, marrons, verdes, laranjas, amarelos. Bulhinhas mirins de passarinhos por aí. A brisa curta penetrando em tudo. Um primeiro embaciado na aberta do paranã e uma primeira, prodigiosa volúpia de calma. Dia de calorão vai fazer... Lá pelas nove horas, no mais... A roupa está umedecida. O chão preto da tolda escorre encharcado uma água que não choveu. E o grito bem riscado, firme do bem-te-vi. Trinados na margem baixa, a estibordo, movida atrás pelo zigue-zague dos ramos das castanheiras. Que calmaria serena... Que mundo de águas lisas, fluidas... Que espelho claro... caiçaras nos portos... Uma ausência plena de inquietações, de audácias, de Pirineus ambiciosos... E o sol, o sol do lado, todo de ouro branco, claro, mui claro, claríssimo, impossível da gente fitar. E há quem xingue a alvorada do *Schiavo*...

Pelas oito horas barracão Santa Helena pra entregar batelão. À tardinha estamos em Manicoré, na barranca elevada, caindo tanto que a fila de casas marginando o rio, em alguns lugares está a três metros do barranco se esboroando. O prefeito Feliciano e o juiz nos recebem. Compro cachaça e chapéu de carnaúba. O passeio, já sabe, era aquela multidão, umas vinte pessoas atrás da gente, se sentindo na obrigação de ver tudo com a gente. Eu era dos da frente. Nisto me beliscam na perna, por dentro da polaina. O beliscão foi forte, dei com uma perna na outra, pra disfarçar a dor, ah! foi um Deus nos acuda! Milhares de mordidas nas duas pernas, eram pontas de fogo, não resisti, na frente daquela gentarada mesmo, sentei no chão, arranquei polainas, meias, me esfreguei, me babujei, berrei, fui correndo pro *Vitória*, completamente destroçado. Pisara numa correição de formigas de fogo, coisa que nunca vi. "Ao Leão De Ouro". "Nesta casa não se tratam (sic) negócios aos sábados". Imaginei que o lião de ouro dedicava os sábados ao estudo da filologia, mas o juiz, muito envaidecido, secundou que não! Ele, juiz é, que fizera o lião de ouro concertar o português de parede. Uma coisa que de longe venho reparando, os caboclos do Madeira estão já na moda: menos criançada e mais cachorro. Quase às vinte horas encalhamos, coisa de vinte minutos. Ainda batemos, logo depois, num banco de areia, porém sem encalhar.

De como vi as Amazonas (sátira à mulher moderna)
Só as encontro no rio Madeira, donde de-fato elas tiravam o nome, essas chamavam as Paus.

Gostavam muito de falar palavras-feias que era um jeito ostensivo de mostrar liberdade e independência.

Estavam numa fase de transição abandonando a lei antiga. Mas ainda não tinham uma lei moderna, e era aquela meleca.

Gostavam de mostrar erudição. Esportivas demais e fortíssimas. Só não queimavam um seio agora, mas não tinham seio nenhum como Antinous.

A filosofia, a sociologia, a psicanálise. Eram totalmente complexentas e não acreditavam na existência de Deus.

De antigamente só conservavam o exercício da lágrima, não porque não conseguissem dominar essa frequente prática feminil, mas por comerciantes, melhor dominar.

Os filhos. Os filhos davam-nos às avós e aos avôs, mas gostavam de criar animais, tendo especial afeto pelos candirus incandescentes.

Detestavam os romances, mas algumas eram poetisas e outras contistas.

As Paus em geral têm muito medo de baratas, razão pela qual muitas emigram, indo naturalmente pra São Paulo.

6 de julho — O *Vitória* esbarra nos bancos de areia e sacoleja inquieto, nos dando sensações bestas de mar. Voltas bruscas do Madeira. Paradinhas em Sta. Marta e Limoeiro. Pelas onze horas parada na boca do lago Uruapiara, que tem muitos castanhais. Não descemos. À tardinha, Bom Futuro, bonita. Os apitos de bordo, chamando os casquinhos pra entregar encomendas, gentes, cartas, os apitos trinam até dobrar, numa carreira de ecos que vão dar na Colômbia e na terra dos Parecis. Oh, margens mudas do Madeira... Não cantam nada essas praias, bonitas por demais pra serem também inteligentes, como sucede com as mulheres. Bandos de borboletas amarelas, brancas. Estamos passando as pedras de Baianos pelas dezoito horas, passagem dura pros sondeiros dos dois lados do navio. O sondeiro: "Três e meia... Três e meia... Três e meia... Mesma água..." O praticante vai repetindo: "Três e meia... Três e meia... Três e meia... Mesma água..." Acabo o meu dia, escutando cantigas na terceira classe, entre tapúios simpáticos e pacientes.

Naco de prosa cearense — Sujeito pequeninho, mal colocado na terceira. Rijo, daquele magruço bom que deixa apenas músculos no corpo. A velha Vei, a Sol, chupou toda a gordura, deixando em troca a ardente morenez e os olhos fundos, claros; e o resto que sobrava da gordura nordestina isso foi no enxurro das chuvas, lá dos limites da Bolívia, quando o inverno vinha feito por cima dos seringais. Ar safadinho, meio gasto, com a voz lenta cantando ao violão pra deixar o sono chegar ou pegar algum gosto de mulher, se achar. E assim dizia: — Vou mais pro diante do Guajará, são ainda três dias de lancha até chegar no meu barracão. A família está no Pará. Baixei só para tomar a bênção de minha mãe. Tenho um irmão em Guajará, patrão de lancha e outro em Porto Velho, empregado no Posto. Também já levei esta vida dura de bordo. Fiz seis anos de navegação, porém larguei duma vez essa vida. Faço de tudo, trabalho não me assusta, porém que seja recompensado. Isso de marujo, que nem dorme direito, até por cima de boi botando a rede, pra ganhar oitenta, noventa mil-réis, não vai comigo. Larguei e fiquei em Guajará, numa casa alemã, empregado. Depois comprei um seringal da casa mesmo, os patrões me ajudaram, comprei vinte contos de mercadoria e meti com os meus homens pelo mato. Nesse ano os índios mataram logo quem? O meu mateiro. Fiquei no mato com a colheita, não sabendo o que fazer. Passava as noites num susto, os índios querendo queimar meu caucho e até chorei. Depois, a gente sem mateiro não vale nada. Andar no mato, ando; com a minha bússola vou pra toda a parte, porém o mateiro é que sabe, abre rumo e vai em zigue-zague direito onde estão as árvores. Nesse ano perdi oito contos. Os patrões perdoaram quatro e o resto trabalhei pra pagar. Também é só mais um ano: quatro anos de caucheiro basta!... Depois vendo o meu seringal e vou-me embora pro Rio de Janeiro.

Índios Do-Mi-Sol — As evoluções e mutações políticas não chegarão jamais a criar uma felicidade menos relativa. Elas apenas modificam a aparência da infelicidade humana, a maneira dessa se manifestar. Apenas. Isso aliás é quanto basta pra valorizá-las porque permite, no homem, a permanência da ilusão.

Os índios Do-Mi-Sol formavam uma espécie de matercracia comunista, com distribuição coletiva das ocupações, tendo por base a injustiça. Assim, ninguém se queixava. A mãe dominava tudo. Havia até provérbios, primeiramente meras frases feitas obrigatórias, nascidas dessa importância dominadora da mãe e da mulher em geral. Assim, aquele um, bastante enérgico, todo em fusas rápidas, e com um salto de oitava descendente no início. Traduzido textualmente dava: "Irias mandona arranjar-se com". Em nossa fala, pois que "mandona" pra os Do-Mi-Sol é sinônimo de mãe, teríamos a tradução assim: "Vá ter com a mãe!". Esta primitiva exclamação ritual, dantes só dita pelos machos, significava que eles não se incomodavam com os problemas de alimentação da tribo. Mas agora, tornada a frase provérbio, significa mais ou menos o que diz o nosso "Quem não tem cão, caça com gato". As suas nuanças de significado, variam apenas nas flexões pessoais do condicional do verbo ir. De fato, como vimos, a tradução ao pé da letra nos deu um "Irias" no condicional. É que esses indígenas tão curiosos, como já falei, possuem um filósofo verdadeiramente genial, que entre outras muitas coisas conseguiu provar a muita gente a inexistência do movimento. Isso aliás provocou uma transformação violenta na vida social e intelectual dos Do-Mi-Sol. Formou-se um partido político exclusivamente masculino, provando que o movimento não existia apenas para os machos. Isso desolou enormemente as mulheres que passaram a tratar os homens por um intervalo descendente de quinta diminuída que significa mais ou menos "ingrato". Então os homens, com muita choradeira, se reuniram na Praça da Mãe, e reconheceram a necessidade de intercalação de mais um item no programa do partido, que aceitava a mobilidade para certas ocasiões. Isto é, como não podiam mesmo aceitar a existência do movimento depois do filósofo, mudaram a palavra, lá nos seus sons, pra outra que significava "motricidade". Mas desde esse tempo, por não aceitarem a existência do movimento, os índios Do-Mi-Sol só empregam os verbos de movimento, de moção, de locomoção, no condicional. Atualmente, qualquer verbo apenas ativo, eles o empregam só no condicional — o que lhes deu aliás uma percepção muito mais transcendente da vida, está claro.

7 de julho — De-manhã passamos pela praia do Juma, lindíssima, larga, com cem milhões de gaivotas. Lá enxerguei o homem que fora assassinado pelas gaivotas. Foi apanhar ovos delas e elas principiaram caindo de vinte metros em cima dele, com bicadas na cabeça. A primeira que caiu, matou. Mas elas são boas, dizem os práticos deste Madeira na vazante. De-noite, na escureza, quando o vaticano sobe, arfando monótono, com o sacolejar binário das caldeiras, o prático sem querer cochila no posto, vem vindo o banco traiçoeiro, e o navio vai encalhar. Porém elas acordam com a bulha do navio chegando e abrem num alarma desgraçado, "Tem praia", "Tem praia!". O prático acorda assustado, dá uma guinada no leme, e o navio se salva. Às nove horas portamos em Três Casas, porto sem porto, barranco de oito metros pra subir quase a pique. Desci, isto é, subi sozinho, porque me falaram ser lugar de índio e de pacovas célebres pelo tamanho. Não vi nem uma coisa nem outra. Só encontrei um velho, recebendo a gente com agrado, mas que os índios estavam não sei onde, no aldeiamento longe, e havia catapora. Desisti do argumento das pacovas e fugi num átimo. Na boca dum Igarapé um pessoal deitava a linha só pelo esforço muscular de tirar a pescada fora d'água. Batiam com as costas do facão na cabeça do peixe e adeus vida. Os botos em quantidade, pulando às vezes dois, três ao mesmo tempo fora d'água, numa festa. 10 e 30 Moanessa, desci. Casas e vacas, vacas! Vida de bordo, Gamão:

— Bichinha, não falha! seis e dois, seis e dois êh... seis e dois!

— Paris a Londres!

— Você sabe que só tiro três, arrisca?

— Questão de coragem, parceiro, arrisco sim.

— Lá vai três!

— Gamão cantado!

— Homem... tem horas que dá vontade da gente pegar nos dados, no taboleiro, pedras, no competidor também e ir jogar tudo n'água! Palavra!

Aqui, falam sempre jogar "n'água". Nós lá no sul falamos jogar "no lixo", jogar "na rua". É natural. Aqui a criançada vive n'água, cada um tem o seu casquinho, todos molhados. No sul, nem bem o filho chega perto do lavatorinho, a mãe logo se assusta:

— Menino! você se molha!

Imagino as mães por aqui, quando os filhos brincam com terra, ao sol, gritando logo:

— Menino! você se enxuga!

Às 18 horas, já escurecendo, Humaitá escuríssima, mas uma simpatia. Porque será que há cidades simpáticas e cidades antipáticas!... Humaitá é logo uma simpatia deliciosa, com o prefeito que traz bondade até na roupa, e uma gente falando com naturalidade, conhecidíssima desde sempre. Tinha quebrado uma peça da eletricidade local e a cidadinha estava às escuras. A recepção foi assim, às escuras, com gente carregando lampiões, uma gostosura de entre ridículo e pândego. Nos levaram até a "biblioteca" e Sérgio Olindense fez um discurso. Bom, já estamos acostumados a discursos, Rainha do café, ilustre dama paulista etc., nem prestávamos atenção. Mas nem bem se dirigiu um minuto pra dona Olívia, eis que o Sérgio: — "É vós, Mário de Andrade..." etc. Tomei um susto. E o Sérgio a deslindar minhas qualidades, meus modernismos e literaturas, com firmeza. Não é humildade não, mas fiquei meio besta, aquele discurso virado pra mim... Tinha impressão de um bruto desrespeito ao protocolo, ao ramerrão da nossa vida amazônica, nem sei, estava muito incomodado. E pela primeira vez não repeti meu improviso de Belém. Depois do discurso fui abraçar o Sérgio, e como via mesmo que estava entre gente cômoda, natural, gostosíssima, que não ia reparar, não fiz discurso nenhum. Depois fomos a casa do fundador da cidadinha, comes e bebes deliciosos. Prepararão um boi-bumbá pra nossa volta. O trapiche de Humaitá é de forma original. Uma escadaria branquinha, feita de cimento desce de um coreto de recepção até o fundo do rio. Pela primeira vez vi boi subindo escada. Empurraram o coitado até a beira do convés da terceira e o fizeram cair no rio. O boi fica nadando por ali, meio angustiado, mas da escadaria, puxando a corda que o prende pelas guampas, dirigem o nado do boi até lá. Pois ele vai subindo, com uma facilidade de gente.

Religiosidade — A Santa de Pedra

É um paroara da 3ª classe que me conta o caso: a Santa de Pedra, perto da cidade de Bonito, no agreste pernambucano. Ninguém a via, toda a gente fazia promessa, ia até lá, davam bezerro, galinha, dinheiro, ninguém não a via, só raríssimos. Um dia foi lá um moço e adorou a santa vários dias. Já se realizavam romarias, e diabo, e o governo temendo uma Joazeiro nova mandou até uma força lá acabar com aquilo. O sargento mandou a santa sair lá do fundo da pedra, ela não saiu, ele mandava, e ela nada. Afinal saiu. Era uma moça e estava grávida. Faz pouco inda morreu uma neta dela na cidade do Recife.

"Puxando cabo pra consertar palheta — 8-VII-27 — Ritmo"
(Foto e legenda M. de A.)

8 de julho — Noite inteira parados por causa duma passagem difícil. Só principiamos navegando ali pelas seis horas. Pois assim mesmo, nem bem hora andada, se quebra a palheta da hélice de boreste. Parada numa praia. Mas não há jeito de consertar aqui, não sei bem porque. Seguimos assim mesmo. Seringal do Mirari (não consigo ler direito minha nota no diário), bem bonito. Por aqui as praias estão fazendo exposição de bacuraus. Se avança com lentidão mesquinha. Gamão:
— Seis e ás, casa faz!
— Dois e quatro, casa no mato!
— Cinco e três, casa fez!
18 horas. Fundeamos num remanso, vaticano bem amarrado, esperar dia seguinte pra consertar a palheta.

O pesadelo de outro dia — Não tem nada de mais, nenhuma originalidade, mas prova que não fui feito pra viajar, meu destino é viver em casa, entre meus livros, sem lidar com muita gente estranha. Estava num hotel que tinha uma enormidade de andares. Estava em baixo, no hol, terrivelmente atacado ora por uma pessoa só (não conseguia distinguir a cara de ninguém), ora por grupos de cinco, seis, ligados contra mim, Era extraordinário o que eu fazia em todas aquelas brigas, proezas formidáveis, batia sempre e vencia, mas não conseguia uma só vez sair vitorioso. Vencia, mas não conseguia a vitória minha nem a minha derrota! E nisso estava o sofrimento horrível do pesadelo. Além de sentir muitas machucaduras, pois que os outros, embora vencidos, conseguiam me bater também. Então mudei de tática e fugi pelas escadarias acima. E o sofrimento ainda foi pior. Havia um elevador que as escadarias circundavam, mas, sem que houvesse razão sonhada pra isso, eu não podia tomar o elevador, tinha mesmo que subir todas aquelas escadarias de centenas de andares. E em cada patamar era aquela mesma coisa: inimigos solistas formidáveis ou aos grupos, e em cada patamar (agora eu tinha um formidável cacete na mão), tinha que lutar, bater, deixava todos derrubados, apanhava também, e era subir, subir. E então o sofrimento se tornou insuportável, porque veio na minha lembrança que quando chegasse lá no fim dos andares, teria que descer de novo e encontrar todos os inimigos levantados, sãos, prontos pra brigar mais, dei um grito. Escutei bem, pra ver se ninguém tinha acordado com o meu grito, acho que ninguém acordou. Só vendo o estado em que eu suava. Pus um chambre e dei umas voltas pelo tombadilho, recebendo o arzinho pra acalmar. Só bem uma meia hora depois, consegui me deitar e ter um sono digno de mim.

9 de julho — Até meio-dia trabalho dos marinheiros pra conserto da palheta partida. Brincadeiras deliciosas de praia. Partida. Pelas quatorze horas passamos sem descer por Calama, quem se lembraria nunca de não descer, que vaticano teria o desaforo de não parar aí, nos tempos da grandeza da borracha!... Calama já bateu recordes de produção de borracha, com os seringais famosos do rio Machado. E ora descendo, ora sem descer, vamos debruando as paradinhas, Retiro S. Francisco, em de mais longe as missões do mesmo nome, à tardinha o barracão Coimbra, onde como boas tangerinas na vista larga, e onde as picotas, já bem quintalejas, fazem barulho por nós. E inda lá pelo meio da noite, chegaremos ao porto de lenha Colhereira, e aí ficaremos o resto da noite. Aliás, tivemos hoje um entardecer estranhíssimo, todo azul e rosa da banda do oriente. E numa língua vasta de praia, bem no meio do rio, a marrecada em fila, nos vendo passar.

10 de julho — Saímos de Colhereira, já dia, seis e quarenta. Paradinha a manhã toda, que rio "alegre"... Pelo almoço, portamos no barracão Monte Carlos, e nem bem levantamos da mesa, desci em terra, ver coisas, eu só. Os bandos de borboletas, milhares de borboletas, uma sozinha, assim amarelo aguado, não tem graça, os bandos são esplêndidos. Pois quando me lembrei de voltar ao vaticano, foi pândego, o *Vitória* já estava o largo, indo-se embora. Gritei ao capitão Jucá, lá na torre de comando, presidindo a manobra:

— E eu capitão!

— Se o senhor não faz questão de andar um pouco a pé, vamos parar logo aí adiante, em Vitória...

— Isso, não faço não!

Virei para as poucas pessoas do lugar, logo arranjei um piá que se prestou a me servir de tapejara, e lá fui, pelo mato claro de beira-rio, num trilho de índio e sombra luminosa, numa ensolarada sensação de aventura. As casinhas enfileiradas, a maioria graciosas, encurtando o quilômetro e pouco que eu tinha de andar. Logo adiante se enxergou o posto importante, xêra do nosso vaticano, *Vitória*, depósito da seringa do Jamari. Aí desceram todos e se deu uma fábula conhecida. Viaja conosco um francês, conosco não, viaja e se acamaradou numa língua de trapo. Estávamos passeando, as moças, ele, eu, quando topamos um rapazinho trepado numa goiabeira, jogando as frutas maduras no chão. As moças quiseram. Então falei ao menino:

— Assim não, escolha só as melhores e em vez de atirar, bote neste paneiro.

E tirando o chapéu fiz com ele um paneiro *ad hoc*. O rapazinho encheu o chapéu até a beirada do meu "basta" e, quando o recebi assim cheio, não podia pagar o rapaz. Passei-o ao francês pra ficar com as mãos livres, e enquanto trocava com o menino um shake-hands de dois mil-réis, o francês lá se foi com chapéu e goiabas, oferecer a dona Olívia, às moças, a outros seus conhecidos de bordo com grande encanto de todos e muito obrigados efusivos. Foi assim.

Faz um calor... O Jamari escancara a boca, largo, do outro lado do rio e boceja lerdo. Pela tarde, parada em Aliança, cujo dono abriu um canal, só ele, pra ligar a propriedade com o Madeira. As tardes estão cada vez mais maravilhosas. Parados noite toda, por causa da passagem difícil do Tamanduá.

Chibé — espécie de pirão feito com farinha-d'água e água fria. Comida quase líquida, diz-que muito alimentar. Nas marchas forçadas os canoeiros, seringueiros vazadores de sertão, com um chibé passam facilmente o dia.

11 de julho — Coisa desagradável... Esta noite, mais um pesadelo, mas de outro gênero. Apenas isto. De-repente, abrem uma porta no meu sonho, aparece parte da figura de Manuel Bandeira e diz: — Telegrafe imediatamente pra sua família. Fecha a porta e desaparece, me deixando acordado numa angústia mãe. Não pude mais dormir e não vejo hora de chegar a Porto Velho pra telegrafar. Aliás já me conheço com esses pressentimentos, não estará acontecendo nada em casa, todos bem. Mas é impossível evitar a sensação de que está sucedendo alguma coisa de mal, doença grave, morte, algum desastre terrível. Vivo cheio de pressentimentos, mas pressentimentos violentíssimos, físicos, fulano morreu, vai suceder isto, etc. Nunca se realizam. Dizem que devo dar graças, mas a verdade é que irrita. E agora, eu nesse desespero pra chegar em Porto Velho e telegrafar.

Saio da cabina e na antemão indecisa o navio se apresta pra tentar essa passagem assombrada do Tamanduá, que é das mais terríveis. Vou para a tolda e o Jucá me chama ao comando. Batem seis horas. O sol se levantou nas horas do costume, tudo está pronto.

— Vamos?...

O capitão apenas faz sinal que sim. E o *Vitória* bate as palhetas no perigo e principia se movendo. A manhã, decerto com inveja dos elogios que fizemos à tarde de ontem, está de um mau gosto exemplar, misturando cores sem piedade. Mas nem posso ver, observando as manobras. O *Vitória* avança manso, apalpando as águas traiçoeiras. "Duas braças!" assustava o praticante a bombordo, alteando a voz. "Duas e meio folgada!" consolava o sondeiro de boreste. Então o comandante dava presto uma guinada no leme e o navio refugava o desastre iminente. A outra margem, inda não pacificada, amontoava pedra em que a água encachoeirava babujando de cólera, querendo pegar o navio. "Duas escassas" se lastimava o sondeiro de bombordo, e o *Vitória*, gingando forte quase entestava com a praia esquerda, boa pra encalhar, taboleiro célebre de tartarugas, onde anos atrás se viravam de oito pra dez mil desses petiscos de Júpiter. Mas as boas das gaivotas logo perceberam a maluquice e abriram numa gritaria danada "Tem praia!" "Tem praia!" nos avisando. "Duas escassas!" pedia socorro o sondeiro de boreste, "Duas escassas!" ameaçava o de bombordo, e o *Vitória* não sabia mais pra que lado virar, e nós trinta minutos nessa angústia, o vaticano ia encalhar! Mas afinal as falsas praias movediças se fatigaram do andar assim boiando e desceram pra dormir no fundo d'água. "Quatro braças!" cantou o clarim de estibordo. "O navio está safo" comentou o imediato helenista. E de-fato, o Vitória conseguira se safar do perigo e nadava gozado por este mundo de águas.

Pelas oito horas chegou-se a Porto Velho, com Sto. Antônio do Mato Grosso, na mesma margem, no outro estado do Brasil, a meia hora de olhar. Recepção oficial. Uma escola pública, com a professora num estado maravilhoso de elegância gorduchinha, coisa linda! acompanhando dona Olívia. Apresentações em penca. Visitas. Mercado sem caráter. Jornal. Almoço a bordo. Enfim posso sair mais livremente, Telegrafo, Fotografias.

— Dr. Mário de Andrade, secretário da Rainha do Café.

Dessa vez arrebentei, porque arrebentei!

— Mas... eu não sou secretário de dona Olívia...

— Mas!... o senhor não veio na companhia dela, então!

— Sim... somos muito amigos, viemos...

— Então o senhor está fazendo a viagem por sua conta!!!

Nem era possível zangar com o homem, tal o pasmo dele, vendo alguém que não era uma rainha enfarada e decerto meia maluca, andar passeando por aquelas paragens. Então expliquei com muita paciência pra ele, espécie de explicação coletiva embora tardia, dada a centenas de pessoas que já tinham privado comigo nessa viagem, expliquei que não, que éramos um grupo de amigos paulistas, curiosos de conhecer outros brasis, viajando cada qual por conta própria, pela vaidade ou ventura de conhecer coisas.

Tarde, autómovel de linha, até Sto. Antônio do Mato Grosso. Delicioso passeio em terra firme, marco de "limites estaduais"! contradizendo o meu improviso de Belém e alhures... E caminhadas pra aqui pra acolá, eu calmo, já telegrafara, o importante era telegrafar, gozando. Um delicioso passeio em suor de que chegamos bons, em pó. O calor é maior que o de Manaus. Mas me falaram aqui, que em Guajará é muito pior. Embora reconheçam que hoje está um calor "excepcional", é sempre a mesma coisa!...

Me esqueci de contar: hoje, na recepção, quando o navio ainda estava atracando, eis que de repente escutei um apito de trem, que saudade! meu coração ficou pequenininho. Também fazem mais de dois meses que não escuto esse tenor sublime...

Sintaxe — Quando íamos em busca do marco de limites, perguntei ao descalcinho que ia a meu lado, cansado de me olhar:

— É longe?

— É não.

— Você mora aqui?

— Moro não.

— Então nasceu no estado do Amazonas?

— Nasci não.
Me deu uma canseira.

12 de julho — Desde seis horas, mastigando estirões poentos numa conta, em plena ex-região da morte, cada dormente um corpo de homem tombado, esta Madeira-Mamoré... Vamos a Guajará-Mirim, S. Carlos, Sto. Antônio, Jaci Paraná, Abuna, Almoço. Casitas caboclas bonitas, com uma invenção arquitetônica adorável. E nos estirões, quando os rodamoinhos nascem no vazio deixado pelo trem que passou, refluem bandos de borboletas agitadas. Provo refresco de vinagreira, vista dias antes num porto de lenha, azedinho sem graça, de criança mijada. Provei graviola, ah, isso sim, gostei muitíssimo, gosto meio selvagem mas dado, leal, simpático, como índio Pacanova que vem rindo, rindo muito, pega o chapéu de palha por detrás e tira da cabeça erguendo muito o braço, enquanto oferece outra mão pra gente num bom-dia de dedos inteiramente abertos. Esta é a primeira calça comprida de Pacanova, que está radiante, o homem maior do mundo.
— Agora que você virou gente, o que você vai ser, Pacanova?
E ele, mas rindo que não acaba, diz que vai ser telegrafista, e quando perguntamos por que, diz que "pra casar com brasileira". E esclarece depois que não quer casar com índia como ele não, basta ele, pacanova cem por cento. Quer é brasileira, as nossas mestiças, de certo com alguma áfrica no sangue. O alemão do *Vitória* que aderiu a essa viagem e estou com raiva dele, vai, fala que índio é "mais brasileiro que as caboclas". Respondi brabo que brasileiro era Líbero Badaró, vovô Taunay pintor, dão João VI, Matarazzo, mais que eu! Trem, misturado com calor e alemão bobo, não se atura.

Às dezoito paramos na Vila Martinho e damos um pulo na Bolívia, no posto aduaneiro, Vila Bela, que bela! Flores, muitas flores plantadas, ar de gostar da vida, galinhas, legumes. Voltemos ao Brasil. O trem lá vai sacolejando. E sou mesmo eu que me sacolejo monótono nesta que é das mais terríveis estrada de ferro do mundo... Não... não se pode dizer que seja bonito não... Chãos péssimos de cerrado, matos fracos, alagadiços, pauis ainda negros, beirando o rio encachoeirado e apenas. Ninguém topa no caminho com Atenas nem com Buenos Aires. Ninguém terá pra ver, depois de se lavar no hotel, alguma catedral de Burgos... Mas esses trilhos foram plantados sem reis do Egito e sem escravos... Sem escravos?... Pelo menos sem escravos matados a relho... Milhares de chins, de portugueses, bolivianos, barbadianos, italianos, árabes, gregos, vindos a troco de libra. Tudo quanto era nariz e pele diferente andou por aqui deitando com uma febrinha na boca da noite pra amanhecer no nunca mais. O que eu vim fazer aqui!.. Hoje o poeta viaja com suas amigas, na Madeira-Mamoré, num limpadinho carro da inspeção, bem sentado em poltronas de cipó-titica, com perdão da palavra, estritamente feitas pelo alemão de Manaus. Vem um garçom fardado lhe trazer um guaraná Simões, de Belém, geladinho, com o gelo mais lindo do mundo que é o de Porto

Velho. Hoje o poeta come peru assado feito por um mestre cook de primo cartello, que subiu no *Vitória*, destinado pela Amazon River pra adoçar nossa vida. Às vezes se para, as paisagens serão codaquizadas, até cinema se traz! pra pegar em nossos orgulhos futuros a palhoça exótica, trançadinha com cuidado e fantasia. E já no início da noite lunar, o poeta manda o trem ficar esperando por ele, embarca no motor, dez minutos de rio cortado, e nasce na Bolívia, pátria dele. E cheiro as flores frescas desta terra abençoada, e escuto os meus patrícios falando em surdina uma língua macia, sem nada das pabulagens peruanas. O que eu vim fazer aqui!... Qual a razão de todos esses mortos internacionais que renascem na bulha da locomotiva e vêm com seus olhinhos de luz fraca me espiar pelas janelinhas do vagão?... É Guajará-Mirim, pouco mais de vinte e uma horas. Recepção. Cansaço. Não há acomodação pra todos. Alimento uma mentalidade de estouro. Falo pouco, fazendo força pra me tornar antipático, recuso coisas. Recuso dormida em casa particular, dormirei no vagão! Não tenho água pra banho. Banho de cachaça. E durmo no vagão, heroicamente, sem medo das maleitas nem dos mortos, com um gosto raivoso de fraternidade nas mãos.

13 de julho — Enfim vêm me buscar! Banho excelente na casa dos engenheiros da Madeira-Mamoré. Passeio matinal, em que o bem disposto do corpo, tira fotografias sem reparar. Depois, vamos a Puerto Sucre, do outro lado do rio, na margem e cidadinha boliviana. É dez vezes menor que Guajará, mas é um mimo. Não tem casa sem seu jardinzinho, muita flor, muito legume, vi repolhos destamanho! Já Bates maldava dos amazonenses pela falta de cuidado em rodear a casa de conforto vegetal. Parece que a presença do mato bravo lhes basta... Aqui na Bolívia, não. O chefe da alfândega é contrabandista. Dona Olívia e o francês (veio pra isso) compram peles caras e lindas. Caras lá na civilização, aqui são baratíssimas. O próprio homem da alfândega é que as vende e, naturalmente, deixa passar. O passeio é delicioso e só chegamos a Guajará quase quatorze horas, almoçar. O passeio da tarde aos Pacaás Novos, gorou. Visitamos de-novo a cidade feia, muito feia. O amontoado de casas cor de terra, de barro cozido, nada de árvores, e várias coisas pretensiosas. O importante foi elevar Guajará-Mirim a cidade pra "poder elevar os impostos" e facilitar uns categorias, vivendo em Cuiabá. Aqui se usa "categoria" no masculino, e melhor ainda "catega" pra indicar indivíduo importantão. Como anteontem o marinheiro contando vantagem com um carregador de terra:

— "Mme. (sic) Penteado é tão rica que o maior catega daqui nem dá pra lhe engraxá os sapatos!"

A cidade está insípida. Janta. Mulher do povo e de chapéu, já sabe, é barbadiana. Porém a minha de Belém, essa guardou tudo o que é de graça, tudo o que é boniteza há quinze dias daqui. Dona Olívia com as moças vão no baile. Me recuso com tanta energia, que dona Olívia me olha como surpreendida. Depois sorri. Depois ri francamente em cima de mim.

— Mário, você não esqueça de adquirir sua liberdade quando quiser...
Desaponto:
— Eu sei, dona Olívia... mas não é isso não!
Ela sorri um "está bom" meio irônico e se transforma numa garça real.

Bom, mas desta vez, francamente já era demais! Resolvo gastar o tempo da noitinha no cinema, e levavam *Não percas tempo* com William Fairbanks!

Felizmente a cama, na casa dos engenheiros, é de ótima suavidade e consigo dormir sem muito esforço.

Anúncio — Na latrina da Guaporé Rubber CO.
ATENÇÃO
Os 5 mandamentos que recomendam a higiene e dão prova eficiente da educação moral dos frequentadores desta sentina são:
1 — não obrar nem urinar a tampa
2 — não obrar de cócoras
3 — puxar a válvula depois de servidos
4 — botar os papéis servidos dentro da lata
5 — demorar pouco tempo para não prejudicar os outros abalizados
Pede-se pois observarem os mandamentos acima.
(A lápis, logo a seguir):
6 — botar criolina aos sábados na sentina!

14 de julho — Partida de Guajará-Mirim, seis horas. Enfim, estamos definitivamente "voltando". Parada às onze pra visitar a cachoeira do Ribeirão. Passeio esplêndido sobre as pedras. Fotos. Almoço no trem. Um bem estar geral que se resolve em cantoria. Canto que não paro mais. Paradinhas. Encontramos o trem "horário", como também aqui se diz. E desce um luar sublime sobre a terra. Tudo em volta do trem é de uma luminosidade encantada, cheia de respeito e de mistério. E eu canto, canto tudo o que sei, desamparado. Canto ao luar, desabaladamente em puro êxtase descontrolado, com a melhor voz que jamais fiz na minha vida, voz sem trato, mas com aquela natureza mesmo, boa, quente, cheia, selvagem, mas sem segunda intenção, generosa. O que eu sinto dentro de mim ! nem eu sei! não poderia saber, nem que pudesse me analisar, estou estourando de luar, tenho esse luar como nunca vi, me... em mim, nos olhos, na boca, no sexo, nas mãos indiscretas. Indiscretas de luar, nada mais. Sou luar! E de-repente me agacho, fico quietinho, pequenino, vibrando, imenso, fulgurando por dentro, sem pensar, sem poder pensar, só.

Chegada a Porto Velho, meia-noite. Sono de pedra.

15 de julho — Recebo telegrama de casa: "Todos bons. Abraços. Carlos". Em Guajará me pareceu mesmo que fazia mais calor lá que aqui, mas é de manhã e já estou querendo me contradizer, que calor! Anoto, de bordo, escritos de marujos nas gaiolas e principalmente no casco do antigo *Aripuanã*, que agora serve de cais flutuante.

"O Rio-Mar
É a flor desta zona
É respeitado o seu talha-mar
No Pará e Amazonas."

Outro:

"Cuiabá, xodó do porto."

Vai, um tripulante do *Madeira-Mamoré*, orgulhoso de seu navio, escreveu sem rivalidade:

"O homem de boa fé
Nunca fala despeitado:
O Madeira-Mamoré
É o barco respeitado."

Ora um marujo do *Curuçá*, valente, responde com arrogância:

"O homem de boa fé
Sempre tem palavra má:
O Madeira-Mamoré
É café pro (sic!) Curuçá."

Delícia, a gente observar esse "café" empregado por gente do norte, onde dizemos "é sopa", "é canja". (Naquele tempo ainda não aparecera aqui no sul, a expressão "café-pequeno", no mesmo sentido. Pelo menos eu não tinha conhecimento dela). Mas outro valente do *Madeira-Mamoré* revidou de tal forma que não teve mais resposta:

"O Madeira-Mamoré
É o pai do Curuçá,
É pesado, de conforça
Como o cabo Corumbá."

Cabo Corumbá diz-que foi uma espécie de revolucionário em ponto pequeno, que andou fazendo estropelias pelo sertão. Curioso, é nas três primeiras quadrinhas copiadas, a rima dupla, erudita. Visitas obrigatórias... Hospital da Candelária. Recepção festiva do Externato Tobias Barreto junto com o Grupo Escolar Barão do Solimões, discursos, recitativos. Ganho estupenda pele de onça, da casa J. G. Araújo. Partimos pouco antes do meio-dia. Vida de bordo. Paradinha pegando borracha, paradinhas. Agora é que estou achando graça em mim... Não sei... aqueles vinte minutos de automóvel de linha, certas visagens de campo, Sto. Antônio, Mato Grosso, um cheiro antigo de capim-gordura, o sol se amansou com a tardinha... E ouço um passarinho de minha terra, o sem-fim. Criei passado outra vez, botei a cara na estrada e lá fui num passo inclinado, comedor de légua. O menino corria, francamente corria pra me poder acompanhar. Mas o pobre do capitão Garcia, afobado, inventava:

— Olhe, Dr. Mário! este pontilhão! O trem passa por baixo!

Como se eu nunca tivesse visto pontilhão com trem passando por baixo! Toca a andar! Afinal ele não pôde, conseguiu correndinho chegar até mim, me segurou firme o braço. Parei. Então ele me olhando com muita seriedade:

— Pra lá não tem mais nada, Dr. Mário!

Voltamos pra junto de todos. Como eu poderia explicar a ele uma repentina reaquisição de passado por vagas semelhanças de mato e um gemer de sem-fim! Caminhadas rápidas pelos trilhos das fazendas, esportes vadios, num sol sempre manso... Batia um cheiro franco de capim-gordura e de quando em quando um gemer de sem-fim...

— Pra lá não tem mais nada!

Olhei fixamente o "lá" do paraense, sombras confusas de mato à tardinha. Não tinha mais nada... lá. O cheiro desaparecera. Sem-fim calara o seu gemer. Mas foi engraçado. Isso da gente, sem querer, sem pensar, assim de sopetão, principiar andando rápido pra frente, sem nem saber onde vai... Parece maluquice.

16 de julho — Amanhecemos num porto de lenha, vida de bordo, paradinhas. Descemos em Coimbra, passeio longo. Balança, o Klein e eu. Ao entardecer Humaitá simpática, ainda sem luz. Fomos à casa da família do fundador, na frente a rua de grandes árvores, assistir ao boi-bumbá. Esse, suas notas, estão nos meus papéis referentes ao Bumba meu Boi. Noitada estupenda, ao luar e à luz dos lampiões. Partimos pela meia-noite.

"Procissão de Nossa Senhora em Porto Velho — 15-VII-27 —
Professorinha e Grupo Escolar Barão de Solimões — Diaf 2 Sol 1"
(Foto e legenda M. de A.)

Os Índios Do-Mi-Sol — É curioso que só tinham concepção de deuses do mal. Um deus bom, não possuíam. A mitologia deles era francamente demonologia perversa como o diabo. Aliás, nesse povo tão cheio de bom-sendo, o conceito do Bem era tão diluído ou indiferente que a bem dizer não existia. Tinham várias frases, com modificações musicais sutis pra designar qualquer noção maléfica, mas pra designar a noção benéfica contrária, quando possuíam, apenas uma frase única, genérica e geral. Assim, por exemplo, contei até quarenta maneiras diferentes de dizer "tenho fome", porém não tinham nenhuma expressão para indicar o "estou satisfeito" ou "já não tenho fome". Ora, essa era justamente uma das causas da grandeza dos índios Do-Mi-Sol, pois tinham feito da vida um mal a conquistar, um demônio a abrandar. Eram, no fundo, mas no fundo apenas ideal, uns incontentados. E disso lhes vinha ao mesmo tempo que uma atividade enormemente progressista, um conformismo a toda prova.

Pra se perceber quanto era sensível essa noção pessimista da existência, basta lembrar a palavra que principiada num determinado som mais grave, por meio do embalanço de um grupetto atingia a quinta superior. Notei logo nas primeiras horas que essa música era repetidíssima e quando lhes perguntei o sentido me responderam que significava "inimigo". Fiquei muito sarapantado, pois então pude realizar que era a música com que todos se tratavam mutuamente, e pus minhas dúvidas ao intérprete. Esse, coitado, não era muito sabido e principiou insistindo forte que o tal fraseio significava "inimigo" sim. Mas o filósofo, que estava ao lado, escutando com paciência, principiou chilreando mansinho e o intérprete escutou, escutou e me esclareceu o caso. É que na língua dos Do-Mi-Sol a intensidade da emissão, os fortes, os pianos, os crescendos e decrescendos não só davam variantes de significados às expressões, como as podiam modificar profundamente. Não fundamentalmente, porém. E esse era o caso da palavra em discussão. Os Do-Mi-Sol, não tinham nenhuma palavra pra indicar o amigo, o companheiro, o chefe, o proprietário, o escravo, nada disso. Só tinham mesmo uma palavra pra designar a interrelação entre os seres humanos do mesmo sexo e não da mesma família, e essa palavra era aquela, "inimigo". Mas se pronunciada em fortíssimo, por exemplo, sem deixar de significar fundamentalmente inimigo, a palavra tomava as nuanças de conceituação do "chefe", ao passo que, em pianíssimo, significava "amigo", sem por isso perder a noção preliminar de "inimigo". A mim, logo de início, desque botei atenção naquela semântica ativa, notei que todos me tratavam num mezzoforte que ia em decrescendo, o que significava, mais ou menos "inimigo curioso, desprezível por ser de raça inferior". Mas no fim das nossas relações já quase todos, com exceção de uns quatro ou cinco, me tratavam em pianíssimo com tendência crescente, o que não deixou de me sensibilizar.

17 de Julho — Vida de bordo. Amanhecemos em Três Casas, mas não desci, por ter saído da cabina, depois da partida do bote. Em Pariri encontramos o gaiola da Amazon River, *Índio do Brasil*, vindo de Belém. Estou meio amolado... Paradinhas sem descer. Com mil bombas! de-repente pus reparos que nessa história de viagem com mulher, afinal as coisas mais úteis que eu poderia ver, não vejo, nessa pajeação sem conta... Por exemplo, ainda não visitei, de-fato, um seringal! Vou reclamar do capitão Jucá, que imagina um bocado e me promete pro dia seguinte uma visita longa num seringal de interesse. Inda que bem. Pelas dezessete a boca do Uruapiara sem descer. Outro caso concludente de maleita nirvanizante. Lá vinha bem no centro do igarapé uma lancha grande, manejada por dois tapuios, completamente carregadinha de peles de borracha. Na proa, de-pé olhando o *Vitória*, vem um rapaz, que idade? não é possível saber, a pele lisa, bem barbeada, boca fina, um risco apenas, olhos fundos, cinzentas olheiras profundas, onde se dispersa um olhar embaçado, que não vê coisa nenhuma, levemente mais claro que as olheiras. O cabelo encardido liso cai finíssimo. Sapatos brancos sem meia. Uma roupa limpíssima, S 120, sobre a pele, apenas calça e paletó. Está claro que todos na amurada, olhando a lancha, comentando o caso, um rapaz novo assim nos cafundós dum seringal vivendo. É simpático. O imediato nos explica que é muito rico, os pais morreram, de maleita, não sei, e ele vive sozinho no seringal.

— Casado?

— Solteiro.

As moças fazem barulho, se desejando desejadas, as perversas. O rapaz nem olha. Pula a bordo, passa por nós sem olhar, vai no camarote do comandante tratar das suas faturas. Quando desce, passa pelo outro lado do navio, evitando a nossa vista. Embarca na lancha, e fica sempre de-pé na proa. E a lancha vai, nos dando as costas para todo o sempre. Sem um olhar! Não se trata de um problema de feli- ou infelicidade... Nem chego a imaginar direito de que problema se trata, mas o fato existe, é verdadeiro, eu vi. Possivelmente se tratará de uma substituição de problemas, uma diluição de problemas dentro da indiferença. Ou dentro da paciência. Ou dentro da monotonia, que tem mais objetividade. São quase sete horas e nos comovemos na passagem diz-que dificílima de Marmelos. A imagem do moço me persegue. Ter uma maleita assim, que me deixasse indiferente.

Anedotinha — Não conto o lugar. Estávamos chegando numa cidadinha. Dona Olívia a meu lado, encostados na amurada, entre outras pessoas, vendo a cidade chegar. Nisto dona Olívia dá um suspiro de se ouvir.

— Que é isso, Rainha! suspirando?

— Ah, Mário... (com ar de enfado) essa história de todos os prefeitos se verem na obrigação de acompanhar a gente, levar na prefeitura, no grupo...

Pois essa cidade visitamos sem prefeito, livres, mandando em nosso passeio. É que o prefeito era exatamente aquele homem que na chegada estava ao lado de dona Olívia, no navio, mostrando que ali era a igreja, acolá a prefeitura etc.

18 de julho — Pelas oito horas chegamos de novo a Vencedor, e o comandante Jucá mandou me dizer que, se estava decidido mesmo, podia penetrar no seringal, que ele ia mesmo tomar lenha e nos esperaria quanto quiséssemos. Dona Olívia refugou a excursão que pretendia ser longa. Fomos as duas meninas, o Klein e eu, tendo como guia o mateiro Eduardo. Vamos seguindo o caminho de um seringueiro, ziguezagueando pelo mato, de uma seringueira pra outra. Torneamos também castanheiras gigantescas, enfim, verdadeira floresta "civilizada" amazônica. O trilho do seringueiro está desimpedido do cipoal e da serrapilheira intransponíveis pra nós. Acabamos nos encontrando com o homem cuja viagem diária estávamos seguindo. O observamos na sua faina, fazendo os lapos na árvore, botando as tigelinhas, partindo em busca da seringueira de em seguida. Feito o caminho todo, ele voltará no mesmo zigue-zague, recolhendo as tigelinhas cheias. Mais de hora de marcha, e topamos com um laguinho fundo. Ninguém não pode imaginar a sensação de paz, de silêncio quase absurdo que se tem nestes lagos pequenos cercados de árvores colossais. Aqui, ainda a sensação é mais intensa que a das proximidades de Manaus. E aqui não há vitórias-régias, não há nada que traga qualquer disfarce de alegria a essa paz invulnerável. Até as moças baixaram a voz. A água, refletindo o verde negro dessas árvores enormes, é de uma profundeza infiel, como se estivesse apodrecendo aos poucos. E o silêncio não deixa de ser um bocado doentio, embora sem tristeza. No meio disso, uma nota mais amarga que engraçada. Uma casinhola de palha numa nesga de praia íngreme, afundando no laguinho. Junto da casa, se arrastando em seus afazeres, uma mulher de seus cinquenta anos, no mínimo. É paralítica e se chama Bernardina. Quando as moças lhe perguntam a idade, conta que tem apenas vinte e nove.

— A senhora vive sozinha!
— Naãum...
— A senhora é casada?
— Sou sim... (e num ar pachorrento:) quer dizer, amigada.

As frases caem mortas n'água. Se afundam. Resolvemos voltar, mas a caminhada custa a se alegrar; só um quarto de hora depois estamos felizes outra vez, rindo, conversando alto. Passeio somando tudo, dos mais admiráveis da viagem, durado quase três horas.

Pelas quatorze horas paradinha no barracão São José. Pertence ao mesmo proprietário de Vencedor, o Carlos Lindoso, que me oferece uma pele de tamanduá-mambira, ou nembira, também chamado tamanduá-colete. Esse, é o pedaço mais bonito de floresta amazônica que vimos. Descemos. Conversinha sobre a possibilidade da gente, sem mateiro, se perder no matagal. Balança, Klein e eu, embora acompanhados de um tapuio, resolvemos exprimentar. Tomamos todas as disposições intelectuais de referência e entramos no mato. Nenhuma originalidade nos escapa, troncos caídos, uma parasita, isto, aquilo. Nem bem andamos uns dez minutos e decidimos voltar, a confusão se estabelece. Que-de tronco? Flor? Pra que lado está o rio? Só com a ajuda do sol nos endireitamos para a margem do rio, chegamos ao rio. Onde está o *Vitória*? Rio acima? Rio abaixo?... Obrigado, tapuio. Vida de bordo, paradinhas. Tarde sublime. Noite fresca.

Os Índios Do-Mi-Sol — Lenda do Aparecimento do homem. Então os índios me levaram ver a tal de embaúva colosso. Era realmente um prodígio. No meio da serrapilheira densa bem mais alta que a altura de um homem, os troncos colossais daquela floresta verdadeiramente virgem se lançavam pro alto com fúria, troncos que sete pessoas de mãos dadas mal conseguiam cercar pela metade. Pois tudo isso era minúsculo, a serrapilheira era grama, os troncos eram roseiras, ao lado da embaúva gigante. Medi a altura dela. Tem pra mais de setecentos metros. E então os índios me contaram que foi na copa imensa dessa embaúva que se deu a famosa briga entre guaribas e preguiças, ninguém nunca soube por quê. O caso é que um dia o pessoal se engalfinhou lá em cima num chinfrim fabuloso, e teve tantas mortes como as folhas da embaúva. Era um chão novo que tomava léguas, montes e montões de cadáveres se abraçando na paz forçada da morte. Me causou estranheza ter havido uma guerra, coisa de tanta atividade, em que os preguiças entrassem, mas os Do-Mi-Sol se riram. A verdade é que corre muito exagero a respeito da preguiça dos preguiças, é calúnia. Existem até preguiças apressadíssimos. O que dá-se realmente entre esses animais sagrados é um conhecimento muito mais íntimo da vida e da relatividade da afobação. Por isso que eles são tão vagarentos. Entre os exegetas do-mi-solenses apenas uma dúvida pairava. Uns, a minoria, pertencentes à escola dos animalistas, julgavam que a lentidão dos preguiças derivava desses animais edificarem com o pensamento voltado para o futuro, só cuidando, menos de si, que dos filhos e da raça. Já os da escola, que em nossos conhecimentos científicos, diríamos, "totêmica", afirmavam que não era nada disso, nem os preguiças se preocupavam de qualquer futuro. Apenas tinham adquirido aquele andar da sabedoria em que o pensamento reconhece que o que faz a felicidade não é o gozo dos prazeres do mundo, porém a consciência plena e integral do movimento. E de fato creio que ninguém contestará que os preguiças se movem com bastante consciência. Cada gesto que fazem pode durar sete horas, como observei muitas vezes, mas é feito com uma intensidade profunda, um ato em verticalidade, como agora se diz. É enfim o que, no sermo vulgaris, diríamos um gesto "gozado". Adotei imediatamente a exegese da escola totêmica e fiquei com a maioria, o que me deu enorme prazer. E quando contei a eles que de-certo os preguiças também já punham em prática uma doutrina dum grande filósofo da minha terra, Machado de

Assis, que dizia que "também a dor tem suas volúpias", os índios principiaram com grandes gargalhadas lá do jeito deles, e soltavam firmatas agudíssimas que queriam dizer "É isso mesmo!", "É isso mesmo!"

E é por basear toda a vida no princípio essencial da consciência do movimento que os preguiças são tão felizes, vivem sempre muito bem dispostos e na tal guerra com os guaribas, receberam a palma da vitória. Então dividiram o mundo. Obrigaram os guaribas a ficar em terra, ao passo que eles, preguiças ficavam nos ramos da embaúva. Os índios Do-Mi-Sol se dizem descendentes dos preguiças; ao passo que os guaribas, obrigados a andar em terra foram se transformando nos outros índios e em mim. E quando perguntei como é que eles tinham descendidos dos preguiças que não estavam obrigados a andar em terra, os Do-Mi-Sol ficaram muito admirados da minha pergunta e responderam que não sabiam.

19 de julho — Madrugamos em Borba, cujo perfil, no alto do barranco, pude ver em sonho. Depois Caiçara do Madeira, última tarde neste rio, quente, mas lindíssima. E um milagre: brisou forte, me enchendo de volúpias desejadas, um cheiro de mato em flor, cheiro selvagem, quente, uma delícia. E a noite cai. Tenho, nessa viagem pelo Madeira, tomado muito o costume de, após a janta, descer na terceira, conversar. "Não sei que fim levou... Uma vez encontrei ele no Pará, de gravata, todo formalizado".

— Mas você... prefere o Espírito Santo ou o Acre?...

— Nem num sei!...

Sorri manso. Por que foi pro Acre? Eu sabia, coisa de brincadeira com o irmão. Não dava mesmo pra estudar, então o irmão, já no segundo ano do ginásio, falou que ele só dava pra seringueiro no Acre. Só de pique, ele falou que era mesmo ("eu num sabia...") e fugiu de casa pra ir ser seringueiro no Acre. Teve que andar escondido por causa do retratinho nos jornais, até arrancou aquele dente da frente pra disfarçar mais, foi pra Minas, e de lá pra Bahia, servindo de tudo. Levou cinco anos nisso, mas que pensar em voltar pra casa! quando viu tinha vinte e um anos, não tinha papéis, não tinha nada. Mas a vontade era embarcar, pra chegar no Acre. Afinal conseguiu embarcar, trabalhando. Em Fortaleza conheceu um moço que ia embarcar pro Amazonas, ficou com vontade outra vez. Estava empregado, mas largou o emprego, quando viu, não tinha papéis. Afinal conseguiu arranjar papéis falsos com um padre bom, porque não queria envergonhar os pais lá do Espírito Santo. Até (e puxava uma carteira que já nem era carteira mais, de velha) guardava uma carta que recebeu do padre, quando estava em Manaus. Então se empregou pra trabalhar num seringal do Acre, e quando chegou lá e pisou no firme, "tive um orgulho, sim, sinhô". Pais, não tinha: quem havia de querer ser pai dele agora! estava com trinta e cinco, sim sinhô. O Espírito Santo, nem se lembrava direito. O

Acre, é aquilo que o senhor já sabe... E no silêncio entre nós dois, escutei a voz de Trombeta, linda, cantando lá em cima, no tombadilho.

20 de julho — Manaus pelas dez horas, num calor famoso. Não: aqui é mais quente que Porto Velho. Mas temos que esperar até treze horas, permissão para desembarcar. Afinal rua, fazendo compras. Visita ao presidente no seu Rio Negro. De lá partimos, em automóveis de pó, trinta quilômetros, inaugurar a parada Olívia Penteado, na estrada de rodagem que irá ter ao Rio Branco. Tapuias de encarnado, a cor nacional das mulheres rurais. De-repente me dá um beijo na boca um cheiro paulista de capim-gordura. Os tucanos nos vaiam com gargalhadas de dois quilômetros. Janta com presidente e prefeito, no melhor restaurante. Muito bom. Estes filés de tartaruga vão me deixar com saudades. Visita ao teatro, mistura agressiva de riqueza falsa e desleixos de acabamento. Bonita mobília no camarote presidencial. Noitada com Raimundo de Morais e Da Costa e Silva. Durmo, em dia comigo mesmo.

21 de julho — Levanto cedinho, comprar peles de onça. Às dez horas, visita à Prefeitura, e em seguida ao Campo de Demonstração, ver o corte "racional" da borracha, com a fabulosa faca Amazonas. Bonito, as folhinhas novas das seringueiras! são prateadas. Almoço no palácio Rio Negro. Francamente esta hospitalidade baré está delicadíssima, generosíssima, agradabilíssima. Depois delicioso passeio e respectivo lanche, no bosque da cachoeira de Tarumã. O Chevalier foi. E o mineirinho inteligente, como é mesmo o nome dele!... Enfim, a bordo. Visitas, visitas, visitas de despedida. Partimos às vinte horas. Bom: agora sim, estamos de fato de volta pra São Paulo. Qualquer passo viajante que fizermos a mais, nos aproximará de São Paulo. Digo isso, aliás, sem prazer. É certo que não sou de psicologia tipo turista, isso já não tenho mais dúvida, mas também só umas três vezes terei sentido alguma saudade de São Paulo e dos meus. Nunca soube sentir saudades, será uma falha minha... Noite péssima, não consigo dormir, agitado, angustiado.

Índios Do-Mi-Sol — É curioso constatar como, mesmo entre concepções tão diferentes de existência que nem as da gente e desses índios Do-Mi-Sol, certas formas coincidem. É assim que também esses índios usam se enfeitar com flores e cultivam grandes jardins trabalhados por jardineiros sapientíssimos. As cunhãs, que sempre foram muito mais sexuais que os homens, se enfeitavam, atraindo a atenção dos machos para as partes mais escandalosas delas, que como já sabemos, são cara e cabeça. E assim, enfeitavam o pescoço com mururés e vitórias-régias. Tempo houve mesmo que lançaram a moda de enfeitar diretamente a cabeça, apesar dessa continuar coberta. Mas foi tal o escândalo, os próprios homens se sentiram repugnados com tamanha sem-vergonhice. E a moda se acabou, não, aliás, sem terem sido devoradas na praça pública umas quatro ou cinco senhoras mais audazes que, de cabeças floridas, tinham resolvido enfrentar a opinião pública. As outras se acomodaram logo, se reservando o direito de enfeitar o pescoço. Já os rapazes, porém, se floriam sem a menor sexualidade. Preferiam uma espécie de lírio sarapintado de roxo e amarelo que dava na beira dos brejos, e tinha uma haste muito fina e comprida. Cortavam a flor com haste e tudo e a enfiavam no... no assento — o que lhes dava um certo ar meditabundo.

22 de julho — Itacoatiara pela manhãzinha. Dona Olívia não quer ser acordada e nem penso nas meninas. Desço só com o prefeito amável e o jornalista do Pará. Passeio de carro! Presente de castanhas. Pelas quinze horas Silves, com as curiosas ruínas da igreja, onde moram todos os cachorros do mundo. Moças bonitas nas janelas. Se ergue uma ventania e o navio principia jogando. Chuvinha. À noitinha Urucará. O navio joga. Jogo gamão com dona Olívia. Esses alemães são uns ingênuos. As meninas, sobretudo Trombeta, estão tomando grandes liberdades com o alemão Klein. Trombeta já se deitou. Nisso Balança se dirige para a cabine, conversando com o Klein. Ela entra na cabina e deixa a porta aberta. O Klein senta ali perto e fica conversando com as duas. Isso tudo pela porta da cabina que dá pro salão interno. Dona Olívia ali, jogando comigo. Principia se mexendo na cadeira incomodada. Joga uns olhares que não disfarçam mais a irritação, ao Klein. Ele nem sonha. Eu, só na gozadura. Afinal dona Olívia não aguenta mais, se levanta. Vai até a cabina das moças, pede um vidro de não sei o que e ostensivamente, fecha a porta da cabina, olhando bem o Klein. Mas o marmanjão não malicia nada. O gramofoninho está ali mesmo na mesa. Klein põe a máquina em movimento. Aparece a carinha de Trombeta, só a carinha, lá no alto da parede da cabina, parte que é só telada. Evidente que ela trepou na cama, pra chegar com o rosto àquela altura. E o Klein conversa com ela. Dona Olívia erra gamão que é um despropósito: dois mais dois são trinta e cinco. Mas neste momento o Klein se aproxima da cabina das moças e bate na porta, chamando por Balança. Dona Olívia não pode mais: levanta, para o gramofone com aspereza e toda tremula de raiva, grita pro alemão:

— "Elles n'ont plus besoin de musique, Mr.! Elles sont allées se coucher!"

Trombeta desaparece. Balança nem pio. Estarão rindo lá dentro, juro. Eu não sei o que mexer, mexo o indicador da mão esquerda? O pobre do Klein está com os olhos esgazeados, completamente besta, com aquele francês que ele não compreende. Dona Olívia, de pé, junto ao gamão, arranjando pedras em qualquer lugar.

Dia 22 de julho — Fazer uma digressão sobre a segurança "moral" e consequentemente fisiológica com que agem Musset, Klein, e já o suíço Schaeffer na ida a Iquitos. Se sente que eles têm uma tradição multimilenar por detrás que os leva a agir "sem dor" diante da irresolução moral das meninas e da minha. Os próprios norte-americanos de Iquitos que segurança por terem uma "civilização" por detrás. Nós é esta irresolução, esta incapacidade, que uma "capacidade" adotada, uma religião que seja, não evita. Daí uma dor permanente, a infelicidade do acaso pela frente. Dizer então que me lembrei de uma amiga judia francesa comunista que me *crible de lèttres* sobre a infelicidade social dela, dos operários etc. Me lembrei de escrever pra ela uma carta amazônica, contando essa "dor" sul-americana do indivíduo. Sim eles têm a dor teórica, social, mas ninguém não imagina o que é esta dor miúda, de incapacidade realizadora do ser moral, que me deslumbre e afeta. E dar o fim dessa carta.

"A vossa impiedade é uma impiedade perfeitamente de bico de pássaro, essa parte dura, irresistível e desacomodada que torna os pássaros menos pássaros. Mas com essa única exceção da vossa impiedosa curiosidade, a Senhora é pluma, é pena de ave. Eu me imaginava de ver a Senhora um desses altos *oiseaux de passage*... Agora os vossos olhos estão salvos e é tão feliz de vos saber assim, alta, nas alturas, vendo com a vossa fria acuidade europeia nos "gentilles âmes imparfaites". N'avez vous pas senti nos peurs américaines, et nos impossibles?" O que é Hitler, Deladier, a impotência, a clarividência criminosa. Os vossos operários europeus? Eles não sofrem não, eles teorizam sobre o sofrimento. A dor, a imensa e sagrada dor do irreconciliável humano, sempre imaginei que ela viajara na primeira vela de Colombo e vive aqui. Essa dor não é de ser operário, que não é de ser intelectual, que independe de classes e de políticas, de aventureiros Hitlers e de covardes Chamberlains, a dor dos irreconciliáveis vive aqui. E se a Senhora não sente senão *liens* muito frágeis com esta América em que a Senhora desviveu três anos, é que lhe falta a "puissance des valeurs éternelles". "Vous n'avez que pensée, pensée grecque, pensée latine, clarté, soleil et pauvre nettété. Je ne peux pas avoir pitié de vous, parce que vous êtes la plus forte. Je ne peux que vous insulter tràs doucement, vous plaçant du côté de la Minerve d'aurain. Moi, je m'enfous les vertes nébuleuses forestiàres. Mais je me danse plus au chant rustique de Pan. Je me débats sous les mains encore trop puissantes de Diane. Mais, vraiment, elle exagàre sa vertu.

"Très doucement"

23 de julho — Parintins pela madrugada, vista em sonhos. Às cinco horas paramos pra pegar lenha em Desaperta. Embarcamos numa barca de remo e entramos pelo lago do Joseaçu, lindíssimo hibridismo, pra visitar a usina Vitória, de óleo de pau-rosa, fixativo de perfumes, propriedade de um francês, já se sabe, Ernest Hauradou. Maravilha de passeio. A manhã é tão clara que tiro excelentes fotografias nem são ainda seis horas! O francesinho da fábrica é uma delícia de linguística:

— "Moi, je fus mordu par une jararaque, mais je ne me suis assusté, je nini rien fait, bon, si j'avais un canivàte, enton j'aurais coupé, mais je n'avais même pas un canivàte!..."

Nos oferece óleo de pau-rosa, aliás cheiro gostoso, um pouco enjoativo.

Vida de bordo outra vez. Estamos ajustados de embebedar o Klein, e uma hora antes do almoço o francês de bordo, por sinal que se chama Musset, convida o Klein, as moças e eu pra um uísque. Bebedeira famosa. Desacostumados de beber (tínhamos evitado o álcool a bordo) e muito gastos pelo calor, sei que com quatro doses fiquei arrazado, bebedíssimo. As moças, eu as tinha poupado. O Klein e o Musset também bastante chumbados, mas desaparecem. Eu, descontrolado, em vez de fugir do almoço que a sineta anunciava, não: me sento no meu lugar, em frente de dona Olívia e à esquerda do comandante. As meninas, inda por cima, ao lado de dona Olívia me faziam caretas, me observando. Eu consciente de que estava muito bêbado, resolvo, como sempre acontece, provar a todos que não estou bêbado, e elogio o primeiro prato. Me dirijo muito sério ao comandante, nunca estive tão sério nem tão circunspecto em minha vida e faço perguntas sobre a tonelagem dos vaticanos da Amazon River. Dona Olívia me olha, um bocado inquieta, sem saber ao certo o que está sucedendo. Eu reconheço que estou falando sobre coisas que não a podem interessar e manifesto ao comandante e aos outros nortistas da mesa, nosso desejo ardente de que a Amazônia se erga rápido e possa de novo seguir o ritmo de progresso das outras unidades da Federação. Dona Olívia está estupefata. As meninas furando os pratos com o nariz, não podem mais, se se mexerem, estouram. O capitão Jucá não entende. O médico quer disfarçar, fala não sei o que que me leva a pegar no assunto e a propor a industrialização em grande das "sementes oleaginosas" porque a Alemanha... Então dona Olívia ri. Ri muito, compreendeu tudo, e as meninas estouram. O comandante Jucá sorri. Eu, que que hei-de fazer! eu rio. E fico bêbado à vontade. Sono ilustre. As moças me acordam a noitinha, porque estamos chegando em Óbidos. Compro pele de cobra enorme. Tem prefeito, Paradinha na fazenda Imperial, perto, pra embarcar dois bois. E como estou perfeitamente de acordo comigo, durmo sono angelical.

24 de julho — Pela noite, passamos Alenquer, vista em sonhos. Amanhecemos em Barreiro do Tapará tomando lenha. Um rapazinho, tapuio esperto, carregando achas, brinca, ri mais que ninguém. Bulo com ele. Ele sorri, não responde. Traz mais achas. Bulo com ele. Sorri, não responde. Traz mais achas. Bulo com ele, não responde. Mas ao descer do navio pra ir buscar mais achas, se vira, me encara fito:

— Moço! quer me levar pra Belém!

Há desejo e angústia no pedido. Agora sou eu que sorrio e não tenho o que responder. Desço de bordo. O trabalho já terminou. Me aproximo do rapaz, puxo conversa com ele. Imagino deixar uns níqueis pra consolo.

— Você já sabe ler?

— Sei não!
— E você queria aprender a ler?
— Ih... mais que dinheiro!...
Não tive coragem de dar os níqueis de consolo,
Fui pra bordo com o coração cortado. Só depois que o vaticano partiu é que me lembrei que devia ter dado os níqueis. Pois se eram de consolo! Onze e bastante, Santarém no sol. Compra de cuias. Uma delas, Balança me oferece irônica. Traz o escrito: "Sonhei contigo em viagem". Com a música da "O Rose Marie, I love You", faz-se uma cantiga:

>"Sonhei contigo em viagem
>Entre os piracurus,
>E os já-carés, e os já-camins e os já-cus,
>Cajás, maracajás e tracajás..."

Fotamos a maracajá mansinha. Vida de bordo. Pela tardinha, entrada emocionante pelo paraná de Monte Alegre e rio de Urubatuba. A passagem é tão estreita que os galhos das árvores se quebram contra o navio. Em Monte Alegre não tem prefeito. Mas tem a chuva e nhã Marta que aprende o meu nome e não para mais de o repetir cantando, parece os índios Do-Mi-Sol, que já não estão me interessando muito não. Compro chapéu de timbó-açu. Vou desistir de escrever o livro que imaginei. Vogando.

25 de julho — Outra coisa não sucedesse ontem, tinha ganhado bem o dia com a reflexão de um caboclo atapuiado, com sua idade, mas rico e frequentador de Belém. Estava-se na mesa do lanche, a Rainha não, e vai, as moças principiaram com brincadeirinhas de subentendidos, bastante perigosas e mesmo às vezes francamente apimentadas. O caboclo bem quieto ali do lado. Nisso alguém, não lembro quem, provavelmente o jornalista, sim, foi ele sim, me lembro, meio ameaçou, mas se rindo:
— Estas borboletas atraídas pela luz, vocês se queimam!
Foi então que o velho falou, bem calmo:
— Queimam não, moço. Queimavam quando a luz era de fogo, mas hoje em dia nem luz queima, é eletricidade. Barboleta bate na luz e continua vivendo no meio das outras. Disfarcei, mas querendo escrever o nome dele aqui, depois de um tempo perguntei. Ele me olhou desconfiado, levantou e respondeu partindo:
— Moço, sou homem dos três vinte: vinte solteiro, vinte casado, vinte viúvo.
Às seis horas Almeirim, não desço. Me preparo pra descer em Arumanduba que está pra chegar, a formidável propriedade, que vale, dizem, um milhão de dólares ouro. Dona Olívia não quer descer e as meninas já não se interessam mais pela viagem, nem convido. Desço só e visito toda a propriedade com Manuel Pinto Nemo, cunhado do senador José Júlio de Andrade. Arumanduba é o centro. Jari e Cajari

maiores produtores de borracha e castanha. Paru, castanha e balata. No fundo, léguas além, se enxerga formando horizonte os castanhais sem fim. Morros de castanha, tapetes de balata pra atapetar o oceano, peles de borracha brotando dos armazéns lacustres... Arumanduba com cinco gaiolas grandes navegando só pra ela e dela só... O chefe grande com casa telada e vasta na fazenda, casa em Belém, casa no Rio de Janeiro... Criação de búfalos nojentos, esses porcos de chifre...

O vaticano vai partindo já. Alguém não viu as manobras, ficou a bordo. O pessoalzinho encarapitado no trapiche caçoa:

— Cai n'água, Baltazar!

— Boa viagem, Baltazar!

— Dá lembrança pros xodós de Belém, Baltazar!

Só vendo que risadas boas nascem do trapiche. Afinal um pula no casquinho, vem dar auxílio a Baltazar.

O senhor Nemo me deu duas bonitas peles de guaribas, macho e fêmea. E um caixote de castanhas distribuíveis. Às quatorze horas Gurupá. Visita ao forte tradicional, igreja, intendência em ruínas. Dezenove horas tempestade rápida, e entrada magistral de drama e tragédia pelos estreitos de Breves. E logo depois, parada em Arraiolos, tudo é nome portuga por aqui, tomar lenha.

26 de julho — Paradinhas do *Vitória* toda a noite pra abraçar conhecidos. Risadas, pagodas, caceteando o sono da gente. Pela manhã, inda os estreitos de Breves. Fazer malas pra chegar em Belém amanhã. Pela tardinha, Cocal, porto de lenha com cestos e chapéus de jupati. Às dezenove horas Jararaca, engenho importante no furo das Jararacas. Chuvada grossa. Só partimos lá pelo meio da noite, quando a chuva acabou.

Me esqueci de contar. Aqui, vaticano é bonde, embarcam num seringal pra descer logo adiante noutro, e assim. Pouco depois de partidos de Porto Velho, na volta, vieram perguntar a dona Olívia se ela garantira mesmo pagar a passagem até Manaus, da mulher da terceira classe. O que é, o que não é? Quando foram pedir a passagem da velha, passageira nova da terceira, ela respondeu muito sossegada:

— A Rainha do Café paga.

Dona Olívia não sabia de nada, mas pagou, está claro.

27 de julho — Amanhecemos atravessando o ar enfarruscado da baía de Marajó, imensa, criando horizontes à vontade. Belém pelas treze horas. Ventura de Belém. Mas que calor... excepcional. Automóvel até o Sousa, buscar os trabalhos de tartaruga encomendados ao Antônio do Rosário. O meu berço de mata-borrão, honra me seja feita, desenhado por mim e com as proporções dadas por mim, é o mais bonito berço que já vi. Tarde no terraço do Grande Hotel, mas é mesmo uma maravilha de bem-estar... Mais um banho e jantar. Minhas companheiras vão ao cinema, onde não levam mais *Não percas tempo*. Eu me deixo ficar nestas calçadas largas, chupitando um guaranazinho gelado e a conversa faladíssima do Clóvis Barbosa.

Variante — A tal lenda ou anedota do padre com a brincadeira do "Quero que vá e venha e me traga isto", tem variante anticlerical. É o padre Julião, dizem, que quando estava-se construindo o Hospital da Beneficência Portuguesa, usou dessa brincadeira pra tirar as coisas do hospital e construir a própria casa dele...

Belém, 27 de julho — São Tomás e jacaré

Na visita de hoje ao museu Goeldi, o diretor do museu que nos acompanhava, nos proporcionou o espetáculo do almoço do jacare-açu, Que bote agélico!...

O bicho monstruoso estava imóvel, espiando pra nós, entre dormindo. O empregado atirou o pato mais de meio metro por cima da água, jacaré só fez nhoque! Abocanhou o pato e afundou no tanque raso. A gente percebia bem, na clareza da água, o pato atravessado na bocarra verde. Nem jacaré nem pato se mexiam. Não houve efusão de sangue, não houve gritos nem ferocidade. Foi um nhoque simples, e "o espírito de Deus voltou a se mover sobre a face das águas".

Aquele bote do jacaré me deixou num estado de religiosidade muito sério. Palavra de honra que senti Deus no bote do jacaré. Que presteza! Que eternidade incomensurável naquele gesto! e, sobretudo, que impossibilidade de errar! Ninguém não errará um bote daqueles, e, com efeito, o pato lá estava, sem grito, sem sangue, creio mesmo que sem sofrimento, na boca do bicho. Uma surpresa grande e um delíquio, do qual passara pra morte sem saber. E da morte pra barriga do jacaré.

E o jacare-açu tão quieto, com os olhos docinhos, longe e puro, tinha um ar de anjo. Não se imagine que chego à iniciativa de povoar os pagos celestes com jacarés alados. Não é questão de parecença, é questão de "ar": o jacaré tinha ar de anjo. Percebi no nhoque, invisível de tão rápido, aquele conhecimento imediato, aquela intelecção metafísica, atribuída aos anjos por São Tomás. Eh, seres humanos, a superioridade dos irracionais sobre nós, reside nessa integridade absolutamente angeliforme do conhecimento deles. É fácil de falar: jacaré intuiu pato e por isso comeu pato. Está certo, porém nós seccionamos em nós mesmos a sensação, a abstração, a consciência e, em seguida a vontade que deseja ou não deseja e age afinal. Nos falta aquela imediateza absoluta que jacaré possui; e que o angeliza. O bicho ficou, por assim dizer, pra fora do tempo naquele nhoque temível. Ver pato, saber pato, desejar pato, abocanhar pato, foi tudo um. O nhoque nem foi um reflexo, foi de deveras uma concomitância, fez parte do próprio conhecimento. Por isso é que percebi o ar de anjo do jacare-açu.

Passou um quarto de hora assim. Então, com dois ou três arrancos seguidos, o jacaré ajeitou a comida na bocarra, pra começar o almoço. A água se roseou um bocado, era sangue. Isso me fez voltar daquele contato com a Divindade, a que me levara o bote do bicho. Senti precisão de me ajeitar também dentro do real, e, como era no museu Goeldi, fui examinar a cerâmica marajoara.

Nossa vingança terrestre é que o jacaré, com a intuição extemporânea, não gozara nada. Só mesmo quando a água principiou roseando é que possivelmente o jacaré terá sentido o gosto na comida. Gostou pato. Gostou de pato, como também a gente abre os olhos e enxerga um desperdício de potes coloridos. A gente exclama "Que boniteza!" com a mesma fatalidade com que o jacareaçu... conheceu "É pato" e nhoque. Com a mesma fatalidade, mas não da mesma forma porém. Nossa racionalidade humana permitiu abstrair dentro do tempo e dos conhecimentos adquiridos, e designar a boniteza da cerâmica marajoara. Mas essa boniteza será para cada qual, uma, e para cada qual diversa e opípara. O jacaré jamais gozará pato nesta vida. O que pra nós é Verdade, Verdade vária e difícil, pra ele não passará nunca de Essencialidade, sempre a mesma e irredutível. Falta princípio de contradição pra jacaré, e eles serão eternamente e fatalizadamente... panteístas. Só em nós, além de gosto, bate o gozo do sangue na língua. E a vida principia a ser gozada.

28 de julho — Belém gostosíssima, a melhor coisa do mundo, com mercado e a rua João Alfredo (a Quinze de Novembro daqui), manhã toda, em compras e brincadeiras. Dia no Museu Goeldi com o Dr. Rodolfo. Tarde nas calçadas do Grande Hotel, chupitando açaí. Noite com Gastão Vieira mais um poeta. Leio "Noturno de Belo Horizonte" esbalordindo os dois. Gastão, uma comodidade sem mistura, delícia de companheiro.

Frescal: "pirarucu frescal", "pato frescal" de Marajó, é a carne-seca ao sol, porém de pouco tempo, vinte, máximo trinta dias.

Perdidos:
— Eu, palavra de honra que não me lembro de ter passado por aqui! — Ora vocês!... Então vocês não são capazes de se orientar num mato, puxa, que fazendeiras! O navio fica pra cá.

E apontei pra um lado, tinha certeza.

— Não senhor! é pra cá! e o Klein apontava, angulando comigo uns sessenta graus.

Então se levantou uma discussão inútil, cada um apontando um lado, só o francês Musset não apontava coisíssima nenhuma. As moças estavam muito inquietas e resolvi agir com calma. O fato era que estávamos perdidos duma vez, cada um de nós cinco imaginando que os outros estavam prestando atenção no caminho que fazíamos. Fiz um esforço enorme de memória sensitiva pra ver se me lembrava de que lado do navio batia o sol, quando descemos em terra. Pelo menos assim, guiados pelo sol, poderíamos chegar até o rio, era a primeira solução. Não queria falar no que estava pensando aos outros, pra que não me atrapalhassem com sugestões, mas o certo é que todos tinham se lembrado do mesmo alvitre, de forma que, quando ia apontar pra um lado dizendo que era pra lá: Balança apontando o lado oposto, Trombeta o ângulo reto à esquerda e Klein o ângulo reto à direita, disseram, firmes, *una voce*:

— É do lado de cá!

O francês Musset não apontava coisíssima nenhuma. Também que diabo de nome pra uma ocasião dessas!... Propus muita calma e nos sentamos pra resolver. Alguém alvitrou voltarmos ao tapiri do lago, pra indagar da paralítica, mas de que lado ficava o lago? E a discussão se repetiu, como fazer? Foi então que expus a situação tal como era mesmo: ficar ali feito bestas, esperando a morte, duas moças bonitas, o francês Musset, o alemão Klein e um poeta, é que não podia ser. Era já manhã alta, e fazia muito calor. Uma pequena fome nasceu. Foi nesse instante que passou por nós uma tracajazinha muito graciosa, passou, virou a cabeça nos olhando e continuou na sua reta. Todos logo percebemos que aquilo era um sinal divino e resolvemos seguir a tracajá. No fim de uma hora mais ou menos, tínhamos dado uns oito passos e ainda enxergávamos ali mesmo as sapopembas onde tínhamos sentado pra resolver. Nisso passou uma cobrinha d'água muito rápida, em sentido justamente contrário ao da tracajá, e tivemos a impressão de que era também um sinal divino, mas os dois sinais divinos eram incontestavelmente contraditórios. Então percebemos que, sim, eram sinais divinos, não se podia negar, apenas os sinais divinos eram muito importantes pra estarem se preocupando com a nossa salvação terrestre. Em vez: vinham, justo no instante do nosso próximo falecimento, nos indicar os dois caminhos da salvação post-mortem, as estradas do Bem e do Mal. E tivemos um frio na barriga. Este frio, nos faz lembrar que estávamos principiando a sentir fome e que o melhor era primeiro a gente comer alguma coisa, alguma fruta silvestre, ou desenterrar alguma raiz de mandioca e assá-la. Este alvitre logo nos deixou em condição de muita fome e resolvemos logo procurar o maior mandiocão que houvesse por ali, que pudesse de-fato matar a nossa fome. E todos principiamos procurando a árvore da mandioca, mas no fim de uns seis minutos, com a exceção do francês Musset que não estava procurando coisíssima nenhuma, reparei que todos andávamos de mãos dadas, quando um mudava um passo, os outros mudavam também, todos nos entreolhando, em vez de olhar as árvores. Me veio uma luz:

— Quem conhece a árvore da mandioca?

Era mesmo o que eu supunha: gente de cidade, fazendeirinhas chiques, ninguém não conhecia a árvore da mandioca ali. Mas nisto, a fome era tamanha que, vendo uma árvore colossal, de uns três metros de diâmetro e com fabulosas sapopembas, imaginei que era a árvore da mandioca, pra ser capaz de matar a nossa fome. Todos concordaram depressa, porque já estávamos fatigadíssimos de tanto discutir e pusemos mão à obra. Como não tínhamos nenhuma arma, o francês Musset e eu, com os nossos fura-bolos, principiamos cavando a terra pra desentulhar as maiores e mais tenras raízes da mandioca. O Klein, por ali, estava ajuntando folhas secas, dificílimas de encontrar naquelas terras tão úmidas, para fazer fogo e fritar mandioca, pois que sempre gostamos muito de mandioca frita. Enquanto isso, as moças, cantando suaves melodias para descansar os nossos membros fatigados, munidas de seus alfinetes, se preparavam para descascar as raízes de mandioca. O Klein já conseguira reunir umas trinta folhas bem sequinhas e alguns troncos mortos mais ou menos secos, mas lembrei a tempo que tínhamos poucos fósforos, uns vinte palitos ao todo, e deveríamos economizar fósforo até o fim. Num acesso de raiva passei uma descompostura no alemão e guardei todos os fósforos no meu bolso. O alemão e o francês, subitamente aliados, trocaram um olho de conivência e quiseram me invadir, mas Trombeta, percebendo tudo, salvou a situação. Tirou os fósforos do meu bolso e os enfiou na abertura do decote, dizendo cheia de pudor:

— Quem for capaz, venha buscar fósforos!

Aí os estrangeiros recuaram. Mas nisto o francês Musset teve uma ideia providencial e exclamou:

— Mas assim não poderemos assar a mandioca!

— Ora que arara! pois se a mandioca vai ser fritada e não assada!

Então Balança me acalmou, me fazendo ver que o francês não estava mais com vontade de brigar, e que mandioca, tanto frita como assada, precisa de fogo. Reconheci que todos tinham razão contra mim e pedi os fósforos a Trombeta, que os entregou de má vontade. Depois que os vinte palitos de fósforos se acabaram o alemão Klein se lembrou que com o vidro dos meus óculos e qualquer raio de sol, seria mais fácil fazer fogo, foi a nossa salvação. Emprestei meus óculos ao Klein, e enquanto ele olhava pra cima procurando um raio de sol, recomecei cavando a terra. Que trabalheira! porém o que doía mesmo fundo na minha alma cavalheiresca era ver aquelas duas flores gentis da estufa paulistana, ali, serenas, heroicas, de alfinetes em punho, esperando mandioca pra descascar. Olhava pra elas, recobrava ânimo e o fura-bolo enterrava no chão com energia.

Cavamos, cavamos, e quando ali pela boca da noite já tínhamos posto pra fora do chão mais de metro e meio de mandioca. Mas como cortar aquela raiz possante? A fome já estava me escurecendo a vista, não pude resistir, dei uma mordida na raiz, porém ela era tão amarga que sorri amargamente.

— Não é mandioca não, meus amigos...

Todos vieram imediatamente provar a raiz e resolvemos de comum acordo que aquilo não era mandioca. O alemão não conseguira fazer fogo com os meus óculos e estava feito pamonha, na minha frente, examinando uma borboletinha muito bonita que ele pegara. Aquilo me encheu tanto de ódio que dei um empurrão nele:

— Sai daí, imprestável!

Ele deu um pulo pra trás, com o meu empurrão, largando a borboletinha, Mas que acaso feliz! Com o pulo, Klein pisara numa lagartixa, e a pobrezinha estava ali, sem poder andar, com a espinha quebrada. Tratamos logo de limpá-la o mais possível com os alfinetes, e depois de bem repartida, devoramos aquela refeição crua e precária. Com o alimento me voltou a vista escurecida e divisei a madrugada que já vinha pingando da ramaria. Criamos todos alma nova com o dia, e resolvemos de comum acordo que, antes de partir em busca das margens do rio, o melhor era matar a fome duma vez. Daí principiamos dando enormes empurrões uns nos outros pra ver se conseguíamos por acaso pisar em mais lagartixas. Só então é que compreendi aquele admirável provérbio nortista que diz que "Necessidade faz sapo pular". E foi num desses empurrões que o francês Musset pisou numa correição de formiga e saiu dançando um minuete de Rameau. Fui examinar as formigas, e como já tinha experiência, diagnostiquei triunfante:

— Temos fogo!

Era a famosa formiga-de-fogo. Depois de esfoladas as cinco lagartixas que tínhamos caçado por acaso com os nossos empurrões, depositei as ditas na correição. As formigas morderam a carne que ficou logo regularmente moqueada. Já nos dispúnhamos a comer essa nossa frugal refeição, quando o alemão Klein, examinando as pernas do francês Musset, que estava inconsolável com as mordidas, reparou que em cada mordida estava uma bolhinha d'água. Foi imediatamente buscar mais uma formiga-de-fogo, botou na perna do francês e a formiga mordeu. Klein examinou a mordida e deu um grito. Acorremos em grande aflição, mas Klein sorria e falou enigmaticamente:

— Nada mais temos a fazer que seguir esta correição, dando sempre a nossa frente para a frente das formigas, que toparemos com o rio.

E seguiu na frente. Pois nem bem marcháramos um quarto de hora e já se escutava a brincadeira dos tapuios carregando acha de lenha pro *Vitória*. E como toda a gente estava muito se divertindo, ninguém pusera reparo em nossa ausência. Choramos de alegria, salvos da morte próxima, e felicitamos muito o francês Musset por ter descoberto o caminho. É que a formiga-de-fogo usa muito buscar água do rio pra evitar incêndio no formigueiro.

29 de julho — Vamos a Marajó. Às cinco e muito tomamos a lancha *Ernestina* pra atravessar a baía. Pelas oito, tomamos a *Tucunaré* menorzinha, e entramos pela boca do rio Arari. Marchas e paradinhas. Santana. Cachoeira. Paraíso com seus búfalos. S. Joaquim, com seus búfalos. Só brasileiro mesmo, além do zebu, se lembrava de criar búfalo africano; cruzamento de carneiro e porco... Enfim estamos noutra espécie de paisagem amazônica. O Arari principiou com um matinho ralos dos lados e uns igarapezóides de uma simpatia incomparável. As ingazeiras cobrem inteiramente as margens, folhudas, rechonchudas, lavando os galhos n'água do rio. Uns macaquinhos voam de galho em galho. As aningas floridas. De vez em quando o voo baixo das ciganas, parecem pesar toneladas. E uma abundância de trepadeirinha lilá, de que ninguém sabe o nome, cobrindo as margens folhudas. E a vista se abre em novos horizontes. São campos imensos, de um verde-claro, intenso, com ilhas de mato ao longe, nítidas, de um verde-escuro que recorta céu e campo. Balança lembra a Escócia. Concordo com erudição, meio irritado. É Marajó, gente! A Escócia tem jaçanãs também? tem garças? E tem este rio Arari, que não acaba e vai se estreitando cada vez mais, deixando imagens voluptuosas na sensação completamente descontrolada?... E a Escócia tem este inferno de gado orelhudo, estes zebus e estes búfalos, rebaixando estes campos de beleza sublime!... Garças, garças, garças, uma colhereira dum rosa vivo no ar! E enfim passamos num primeiro pouso de pássaros que me destrói de comoção. Não se descreve, não se pode imaginar. São milhares de guarás encarnados, de colhereiras cor-de-rosa, de garças brancas, de tuiuiús, de mauaris, branco, negro, cinza, nas árvores altas, no chão de relva verde-claro. E quando a gente faz um barulho de propósito, um tiro no ar, tudo voa em revoadas doidas, sem fuga, voa, baila no ar, vermelhos, rosas, brancos mesclados batidos de sol nítido. Caí no chão da lanchinha. Foram ver, era simplesmente isso, caí no chão! O estado emotivo foi tão forte que me faltaram as pernas, caí no chão. Pra contrabalançar a poesia deste tombo: me lembro, em rapazinho, quando torcia por futebol, num jogo entre o meu adorado Paulistano e o São Paulo Atletic, quando esse fez o gol que me roubou a taça de campeonato, caí no chão. Mas agora, sempre sou homem, desbastado pelas experiências e prazeres. E a beleza de Marajó com sua passarada me derrubou no chão. Os outros riem. Dona Olívia acha uma graça enorme no meu tombo. Mas imagino que ela está rindo um pouco forçada. Também ela queria cair no chão, nesta felicidade que ela nunca viu. Os olhos bonitos dela estão lindíssimos. Arapapás, mauaris, pavõezinhos. Guará misturado com frango d'água. Um jacaré envernizado, foge, se deixa cair n'água. Uma colhereira no meio de um, dois, três, treze tuiuiús. O mergulhão, nadando corpo inteirinho dentro d'água, só o pescocinho fino e a cabecita de fora, vira pra aqui, vira pr'acolá, fugindo de nós. Porém a lancha é mais rápida, ele abriu num voo molhado, foi se esconder longe. Malhada é o lugar em que, de costume, os rebanhos se reúnem diariamente, olhe a malhada! Campos de uma chateza esportiva, drenados de seu natural... Iritauá amarelo vivo e preto, outro de costa encarnada, asa e cabeça preta. A tracajazinha em cima do pau, cai n'água. E lá no longe, o fundo das queimadas...

Parada em Tuiuiú, onde passaremos a noite. É um desespero. Bilhões, bilhões de carapanãs. Pela primeira vez, não resisto e me emporcalho da tal pomada inglesa, feita com citronela de Java, bom cheirinho aliás. Tenho pelotes de pomada na cara. Mas os carapanãs vêm feitos sobre a cara, atravessam a graxa, mordem, e morrem grudados na pomadaria. É pavoroso. Janta: ovos e pato seco. Tem um pixezinho desagradável quando não sabem tratá-lo bem, como agora. E cantamos! Cantamos assim mesmo, engolindo mosquito.

30 de julho — Barulho e carapanãs, às quatro horas e meia acordo. Limpeza à Água Florida, comprada em Iquitos e que desde a infância nunca mais vira nem cheirara. Fico inteiramente enjoativo. O barulho aumenta e lá pelas seis, dia clareado, principiam embarcando gado noutra lancha, pra Belém. Os vaqueiros me repõem, depois de dois meses, numa normalidade mais afro-brasileira, no geral mulatos. Troncudos, alegres, fazendo festa do trabalho, como em geral por todo norte.

— Eh, búu! êh, búu!
— Veeeênha, bôi!...
— Pega, ermão!
— É pro barco ou pra lancha?
— Desça o cabo, ermão!
— Venha, boi! veeênha, boi!
— Êh, dia!...
— Êiaaaa...
E os bois desembocam do cercadinho na caiçara.
— Êh, búu!
— Pra lancha, companheiro!
— Venha boi!

O guindaste grita mais que todos, suspendendo o boi pela armadura. O boi revira os olhos abertíssimos, pescoço duplicado, estiradíssimo, desce na lancha, se apruma. Não se move porém, estarrecido ainda de pavor.

— Mande esse boi!
— Nóis queremo boi!
— Este é pra lancha, ermão!

Enquanto o administrador de Tuiuiú, "queira desculpar" nos oferece um leite mirradinho, "leite da vazante" ainda.

Partimos. Já são mais de dez horas quando entramos pela boca do lago Arari, centro da ilha. À esquerda, inerte, duplicada na água imóvel do lago a povoação lacustre de Jenipapo. Está fazendo um "excepcional" pavoroso. Damos um passeio de baleeira pelo lago. Remo eu, num desajeitamento mãe. O calor sobe. Diz-que vai ser ruim se ele nos pegar, na força do dia, dentro ainda do lago. Nos chamam da lancha pra partir, encurtamos caminho pelas ruas aquáticas do vilejo e pouco depois de onze a *Tucunaré* parte buscando o rio e a volta pra Belém, fugindo do calor. Oscilamos todos, uma sensação de enjoo de mar, são exatamente onze horas e cinquenta minutos, a *Tucunaré* encalhou! E principia, principiam os funcionários da lancha, os trabalhos de desencalhe. Esvaziam as caldeiras pra ver se a lancha boia, nada. E assim. O calor vai subindo, vai subindo. O céu está branco e reflete numa água totalmente branca, um branco feroz, desesperante, luminosíssimo, absurdo, que penetra pelos olhos, pelas narinas, poros, não se resiste, sinto que vou morrer, misericórdia! O melhor é ficar imóvel, nem falar. E a gente vai vivendo de uma outra vida, uma vida metálica, dura, sem entranhas. Não existo. Até que capto no ar uma esperança de brisa, é brisa sim. O céu branco se escurenta em cinzas pesados de nuvens. Em cinco

"Traja Boi! Traja Boi! Tuiuiú, Marajó — 30-VII-27"
(Foto e legenda M. de A.)

minutos o céu está completamente cinzento escuro e venta forte um vento agradável nascido das águas fundas. Não consegue chover, mas o calor desapareceu, já são dezesseis horas. Diante da inutilidade dos esforços mandam montaria rio abaixo, em busca de socorro. Mas já estamos vivendo melhor essa vida equatoriale. Não tem dúvida nenhuma que ela é mais objetiva que a nossa vida no sul. Não é exatamente uma questão de maior ou menor espiritualidade nossa, mas espiritualidade das coisas. Não sei, mas uma paisagem dos arredores de São Paulo, uma cidadinha, um rio mineiro, uma fazenda paulista, uma laranjeira, uma peroba do sul, não sei...

sinto quando os contemplo, que há qualquer coisa neles que eu não compreendo, uma como vida interior deles, que se resguarda, é misteriosa a alma das coisas. Isso: a alma das coisas. Desde as dunas do Nordeste a alma das coisas desapareceu. Tudo aparece revestido de uma epiderme violenta, perfeitamente delimitada, que não guarda mistérios. Mais franqueza, uma certa brutalidade leal de "coisa" mesmo. E disso vem uma sensualidade de contato em que a gente se contagia de uma violenta vida sensorial, embriaga. Não posso jantar direito com esta ironia sobrando no meu pensamento. O primeiro que viu, chamou todos. E ficamos muito tempo vendo as piranhas n'água, relâmpagos vorazes de cinzento e encarnado, comendo carne. Como elas comem carne! Agora, tenho a impressão que as piranhas todas estão nos espiando d'água, impressionadas, comentando que nós comemos carne...

E a noite chega. Trombeta canta ao violão. Ventura, delícia de deitar na tolda do vento forte que varre os carapanãs. Delícia de se estender na tolda sob um céu errado em que as nuvens é que são a noite e o firmamento atrás é claro, claro, de um verde esmaecido e luminoso... Ventura da gente se deixar viver sem mais nada, sem amanhã, sem ontem, molhando a língua sem economia nos últimos guaranás gelados... Ventura da noite de vento forte que varre os pensamentos, na boca do lago Arari...

31 de julho — Amanhece e eis que de-repente a *Tucunaré* se safa por si mesma, sem esforço, Partimos. Pelas oito horas encontramos a *Flecha*, mandada em socorro. É mais esbelta, faz um volteado elegante e lá vai na nossa frente, numa elegância de garça, com a esteira trançada de cores solares indicando caminho ao bobo do *Tucunaré*. Deixamos o "prático" em Tuiuiú. Ainda na manhã alta passamos a fazenda Arari. À tarde passeamos em Santana. Banho com medo de arraia. À noitinha, embarcamos de novo na *Ernestina*, em busca de Belém. Às vinte horas e cinquenta e cinco minutos exatamente, encalhamos em plena baía de Guajará, com Belém pela frente. Encalhe de poucos incômodos: quinze minutos depois, a lancha está "safa" como diriam no *Vitória*. Uma hora depois, Belém. Arranjar malas, que amanhã com despedidas e tanta coisa, não terei tempo.

1º de agosto — Último dia de Belém, me sinto comovido. Nunca na minha vida encontrei uma cidade que me agradasse tanto, com que eu simpatizasse tanto. Como enchimento de gostosura, passei em Belém os melhores dias de minha vida, inesquecíveis. Manhã de compras, passagens, cacetações, peles de lontra, mercado, como sempre, essa maior ventura de Belém... Coisas de índios... Enfim compro algumas, é meio besta. A falta brasileira de organização é tamanha que tudo o que vendem dos índios, no mercado de Belém, é legítimo. É tudo bastante feio, sem valor, usado. Inda não teve quem se lembrasse que é falsificando que a gente consegue tornar essas coisas de mais valor, não só fazendo mais bonito e mais bem feito que os índios, como valorizando as coisas deles, por torná-las legítimas e mais raras. É o documento falso que torna o verdadeiro, legítimo. Ora o valor nunca está propriamente na verdade, e sim na legitimidade, não acha mesmo? Eu não sei bem se acho, mas como já escrevi, que fique. Vai por conta da desorganização nacional. Almoço. Fujo, vou visitar as duas magníficas igrejas barrocas, magníficas. Visita ao presidente. Despedida. E... e, como sempre acontece quando chega o momento de uma viagem preparada, ainda é de tarde, um apenas começo de tarde, o *Baependi* partirá às vinte e... e nada! Um vazio na vida. Não temos o que fazer. Mas existe esta calçada do Grande Hotel, a praça com as enormes árvores folhudas, e o sorvete de açaí, será que gostei mesmo do açaí? Não é propriamente gostar, mas em Belém fica divertido tomar açaí. É dessas comidas "locais" que, mesmo quando não são gostosas, participam de tal forma da entidade local, que fica um muro na frente a gente não usar. E é indelicadeza não gostar. O açaí não chega a ser ruim... Pousa macio na boca da gente, é um gosto de mato pisado, não gosto de fruta, de folha. E logo vira moleza, quentinha na boca, levemente saudoso, um amarguinho longínquo que não chega a ser amargo e agrada. Bebida encorpada que, por mais gelo que se ponha, é de um quentezinho amável, humilde, prestimoso. É um encanto bem curioso o do açaí... A gente principia gostando por amabilidade e depois continua gostando porque tem dó dele. Isso, falo de nós, gente que não precisa se alimentar com açaí, leite dos pobres, e o bebe pra encher tempo nos passeios por aí. O açaí não chega a ser ruim, longe disso, mas está longe de ser bom, como é bom um pato com tucupi, um casquinho de caranguejo e quatorze outros comes e bebes destas amazonas. E dá psicologia pra gente. Me sinto intensamente local, bem localizado, tomando sorvete de açaí. Jantar enfim. Está na hora da partida, e temos duas anedotas. Uma: entreguei de-manhã ao repórter a entrevista que ele pedira pra telegrafar pro Rio de Janeiro. Estou jantando e vejo o rapaz, seus vinte e poucos lá na porta do salão me olhando. Quando me dirijo ao meu quarto, tinha resolvido mudar de roupa, muito amarfanhada com o dia, o mundo oficial vai no cais, o rapaz me interrompe o caminho, cheio de dedos. Pergunto o que é, meio impaciente. Ele, bastante comovido, gaguejando:

— O senhor sabe naquele lugar tal da sua entrevista?...

— Sei, o que há?...

— Aí, pra não ficar monótono eu acrescentei que então o senhor sorriu e tirou uma fumaça do cigarro, não faz mal?... Havia angústia nos olhos dele, pedindo aprovação.

— Ficou ótimo, me'rmão!

Ganhei um admirador. Talvez um amigo...

A segunda anedota, bem podia se chamar "O preço da Amazônia". Parto, apenas com quatorze mil-réis no bolso, o dinheiro evaporou. Além dos meus gastos, andei emprestando às meninas, que já estão com vergonha de pedir mais dinheiro a dona

Olívia, e o resultado é esse, gorjetas dadas, tudo pago, estou com quatorze mil-réis apenas. Trocava com afobação a roupa, já de cuecas, quando batem na porta do quarto. Era um embrulho.

— Tem resposta.

Abro o embrulho infernizado: é um opúsculo tratando da Amazônia, com enorme abundância de retratos políticos. Um cartão junto descrevia assim os sentimentos do autor:

"Dr. Mário de Andrade. Confiado no vosso espírito de observação e no vosso alto descortino sobre o grandioso futuro que se abre à Amazônia, recomendamos a V. S. a leitura deste livro, esperando a aceitação deste exemplar pelo preço que julgar merecedor o assunto, podendo entregar ao portador a respectiva importância. Do am.º ob.º Fulano dos Anzóis Carapuça."

E agora? Quanto valerá a Amazônia? Inda mais pra um viajor cheio de gratidão e paixão como eu!... Vale vinte mil-réis, me falei. Então fiquei danado. Não tinha vinte mil-réis comigo e o livro ia me cacetear, as malas já todas fechadas e abarrotadíssimas de Amazônia. Tinha duas notas de cinco e o resto moedas. Abri uma nesga da porta (questão dos trajes menores) pus cinco mil-réis para fora:

— Serve assim?

Me arrancaram o dinheiro da mão, sem nem muito obrigado. O ajudante de ordens do presidente nos conduz a bordo no carro oficial. O prefeito Crespo de Castro, Bebê Costa, Dr. Caper, Srta. MacDowell, Gastão Vieira que me dá de presente um chapéu-chile. E o nosso criado Raimundo, o providencial Raimundo que nos seguiu toda a viagem, trazendo refrescos na hora apropriada. Está com lágrimas nos olhos, nos acenando o nosso Raimundo. O *Baependi* se afasta lerdo do cais, nesses protocolos desagradáveis da partida. Digo adeus e mais adeuses. O Clóvis Barbosa também. Fiquei muito amigo do Gastão Vieira. Gente boa. Gente boa, lá longe. Mais longe. O vapor cria força numa brisa macia que vem do largo. A noite é escura, profunda. Belém brilha lá longe. Estávamos todos trêmulos...

— Mário...

Até me assustei.

— O que é, Rainha!

— Com as despedidas, não pude tirar dinheiro no banco. Você pode me emprestar algum pra viagem?...

Tomo como um soco na boca do estômago: fico inteiramente desorientado. Ela inteirada da situação, apenas sorri, viajadíssima. Terá uns vinte ou trinta mil-réis consigo. Faremos dívidas, pagáveis no Rio de Janeiro. Mas não me conformo com o vexame. Vou dormir sem graça nenhuma.

O Poema nasce — Exatamente no dia 23 de novembro deste ano de 1927, já ia entrar na máquina para a impressão o *Clã do Jaboti*, quando mexendo nas provas lá na tipografia, tive um susto. No título da "Moda da cadeia de Porto Alegre" estava, e me escapara: "Moda da Cadeia do Alegre Porto"! Antes mesmo de fazer a correção, nasceu a resposta dentro de mim: "Alegre Porto" não é Porto Alegre, é Belém... E saí pela rua impressionado, "alegre porto" é Belém... revivendo as lembranças próximas, andando maquinalmente, sorrindo, em felicidade, caminhando, nasciam ritmos dentro de mim, nasciam frases inteiras... Nem bem cheguei em casa, quase sem a menor correção, as estrofes na ordem, o refrão no lugar certo, me nasceu esta cantiga:

MODA DO ALEGRE PORTO

Velas encarnadas de pescadores,
Velas coloridas de todas as cores,
Águas barrosas de rios-mares,
Mangueiras, mangueiras, palmares, palmares,
E a barbadianinha que ficou por lá!...

  Que alegre porto,
  Belém do Pará!

Que porto alegre, Belém do Pará!
Vamos no mercado, tem munguzá!
Vamos na baía, tem barco veleiro!
Vamos nas estradas que tem mangueiras!
Vamos ao terraço beber guaraná!

  Oh, alegre porto,
  Belém do Pará!

O sol molengo no pouso ameno,
Calorão batendo que nem um remo,
Que gostosura de dormir de dia!
Que luz! que alegria! que malinconia!
E a barbadianinha que ficou por lá!

  Que alegre porto,
  Belém do Pará!

A barbadianinha que ficou por lá
Relando no branco dos moços de linho
Passeando no Souza, que lindo caminho!

À sombra de enorme frondosa mangueira,
Depois que choveu a chuva para-já!...
Oh, barbadianinha,
Belém do Pará!

Lá se goza mais que em New York ou Viena!
Só cada olhar roxo de cada morena
De tipo mexido, cocktail brasileiro,
Alimenta mais que um açaizeiro,
Nosso gosto doce de homem com mulher!
No Pará se para, nada mais se quer!
Prova tucupi! Prova tacacá!

Que alegre porto,
Belém do Pará!

2 de agosto — Água salgada levando pro sul... Me acordo às cinco e levo uma hora tomando um banho de água branca. Já os tomara em Belém, não devo ser injusto, mas permanecia aquela sensação irreprimível das águas barrosas do rio e dos banhos de bordo. Me sinto novo. Aguento bem o marzinho picado, sem enjoo algum. O *Baependi* é cargueiro. Comemos no camarim de dona Olívia. Depois tenho altas conversas com Cholito. Quem é Cholito? Não vale a pena. Veio de Iquitos na viagem do *São Salvador*, conosco. A temperatura desce com a ventania e as sombras das nuvens. Depois do banho da tarde, visto roupa do sul, casemira depois de dois meses de ausência. Fiquei compassado, arre! Sinto desejos de ficar só, de ficar triste... Fujo do salão, das moças, vou ficar só, vou ficar triste, na proa sem ninguém, desta noite feia. Fico vagamente tristonho. Me sinto completamente sozinho. Meu corpo canta vibrado pela ventania.

3 de agosto — Amanhecemos espiando a terra de Graça Aranha. São Luís ali na frente, não se pode descer, a parada é pequena, um volume compacto de telhados e copas verdes. Não há sinal de vida. O sol está queimando. São Luís está completamente integrada no Todo Brasileiro, numa pasmaceira mãe. Às dez partimos. Vou fazer alguma ginástica pra consertar o corpo, que se deformou bastante em dois meses de bordo e gelados de hora em hora. A curica engole uma pérola do colar de dona Olívia e toma uns ares estomagados de Cleópatra. Mar ora azul, ora verde-claro, com manchas escuras. Recebo telegrama de meu amigo natalense Luís da

Câmara Cascudo, que jamais vi na vida e gosto tanto. "Prefere recepção com discurso? Abraços." Respondo: "Sem. Abraços". Ventanias esplêndidas.

Dia 3 de agosto: Sátira (Graça Aranha)
O gosto da quadrinha pegou. Encontro outra, no dia de hoje bem melhor que a de ontem. Foi de-certo as idas pras nossas terras internacionais do Centro, São Paulo, Rio, trabalhos, lutas artísticas, que me botou pensando em Graça Aranha. Saiu esta quadra:

> *Sei dum escritor que é guia*
> *Da poesia guarani;*
> *Nós vivemos lhe dizendo:*
> *— O caminho é por aqui.*

Especialmente no Rio são numerosos os modernistas brasileiros que têm a erudição do Modernismo. Porém a gente pode bem ter a erudição duma coisa sem que ela se torne pra nós um objeto de conhecimento...

4 de agosto — Vida de bordo numa ventania formidável. Só vento. Dona Olívia não se levanta. Fico admiravelmente só, rasgado pela ventania. Continuo ginástica. O navio corcoveia. Dois banhos salgados diários. A boreste a monotonia alva das dunas. Nada.

José Albano Agosto, dia 5. — Estou me lembrando do que Paulo Prado e o filho me contaram de José Albano. José Albano era cearense.
Era cearense.
Falava muitas línguas vivas, todas as principais e o árabe e correntemente o latim e o grego clássicos.
Era alto, pálido, usava barba, duma maravilhosa beleza física.
Sempre com uma enorme faca no colete e que jogava como ninguém.
Dizia que na Espanha fizera uma conferência e os críticos garantiram que depois de Cervantes, ninguém escrevera tão lindo e perfeito espanhol.
Dizia na sua loucura que não pudera viver em França porque a Academia Francesa, vendo que ele escrevia melhor que todos, e dispunha melhor que todos dos segredos do bem escrever, o tinham indisposto com Clemenceau e esse o expulsara do seu convívio e da França.

Um dia foi visitar Paulo Prado no hotel em Londres.
Paulo Caio:
— Meu pai está no banho.
José Albano:

— Que grego!

Chegou no escritório de Paulo Caio em Londres, tirou serenamente a capa (vivia sempre envolto numa capa grande), e com um manejo rápido fez a faca saltar e espetar-se na mesa. Acariciou o cabo dela e falou:

— Vou à França matar o Clemenceau. Os únicos meus protetores, Paulo Caio, são você e o cônsul. Mas agora Clemenceau que tem ódio de mim porque lhe conheço todos os segredos, está me indispondo com Jorge V e isso não quero mais suportar. Guardou a faca, envolveu-se na capa, sentou num canto do escritório e aí ficou tempo. Depois saiu mansamente.

O cônsul arranjou pra que quatro sonetos dele fossem publicados no *Times*. No próprio suplemento do *Times* um crítico dizia que se todos os sonetos de Shakespeare não fossem conhecidos, certamente se lhe atribuiria mais aqueles quatro.

Contava: Vocês pensam que a Inquisição acabou no Brasil? Não acabou não. Existe ainda num convento do Recife, muito escondido do mundo. (Aqui uma descrição sucinta do Convento, da paisagem, da vida medieval brasileira dos frades e descrição dos suplícios que sofrera. Mas sabem por que pude aguentar? Foi então que aprendi a ubiquidade (é "ubiquidade" mesmo que se diz?), Quando pela segunda vez vieram me torturar, sai do meu corpo, deixei que ele sofresse, que horrores divisei no meu pobre rosto! com que melancolia contemplei meus membros torturados e os esgares! Acabada a tortura entrei no meu corpo outra vez.

Foi essa também a razão porque não morri quando tive meu duelo com o barão do Rio Branco. A bala entrou-me pelo sacro, furou 18 vezes meus intestinos e depois de atravessar-me o coração, desviada pela massa pulmonar, penetrou-me a espinha e percorrendo ascendentemente veio alojar-se na massa encefálica no lobo (tal). Tombei de borco enquanto meu adversário, nervosamente enxugando as camarinhas, murmurava, "foi um grande latinista". Mas eu saíra do meu corpo e andei pervagando pela manhã rupestre. Depois tornei a entrar nele quando tudo sossegou.

Mas o que se dizia é que o barão do Rio Branco notando a inteligência prodigiosa de José Albano, o fizera trabalhar demais. E daí a loucura do moço.

Também a Inquisição do Recife era explicável. Lá o poeta estivera internado num hospício e de-certo bateram nele, por tantos tratamentos da inconsciência de que são capazes enfermeiros e os homens no geral.

5 de agosto — Fortaleza em frente. Descemos às dez. Automóvel de cá pra lá no ar de limpeza. Mercado, onde compro esteira de carnaúba e goiabada deliciosa. Igrejas sem interesse e o bonito parque da Liberdade. Almoço na Rotisserie com vatapá com leite de coco, maravilha! Tomo nota conscienciosamente das pesas pagas a dinheiro de não sei quem, barman de bordo? O capitão? que dona Olívia me passa? Reparto as despesas comuns, com uma honestidade irritadiça de mais pobre — o que não vai sem graves inconvenientes pra mim. Dona Olívia bem que me censura, se inquieta, eu também me censuro: sei que é bobagem, mas quando chega a hora das contas, não me aguento por debaixo! sou uma besta. Estrada de Maranguape, leite de coco no Balneário, praia de Iracema. Cometo a sem-vergonhice incrível de colher conchinhas da praia de Iracema, me sinto vil como a virgindade. Estrada de ferro do Baturité?

— É.

— Muito obrigado.

— Não por isso.

E o embarque difícil, mar grosso. Em Manaus tinha a igreja do Pobre Diabo, em Fortaleza a igreja do Pequeno Grande...

6 de agosto — Em Areia Branca, porto de Mossoró. Quatro vapores cargueiros, barcaças... Trinta e duas jangadas revoando branquinhas, pousando de pouco em pouco na água picada. Não se desce, estamos muito longe da praia. Trabalho penosíssimo das barcaças veleiras neste mar bravo, atracando com habilidades incríveis no *Baependi*, com cargas de algodão, sal, caolim.

— Seu Artus, sua mala já veio, não já?

— Arreia, Chico!

— Não foi você que trouxe uma mala, não?

— Foi sim.

— Você não pode dá uma mão pra passar ela do outro lado?

— Posso.

— Larga essa espinha de bagageiro d'aí!

— Larga essa espinha de bagageiro!

Içaram então, entre umas velhas decadentes, uma criança de seus quatro anos, cinco, com uma expressão tão inconcebível de terror que ninguém conseguia olhar para ela, virávamos os rostos.

Já são quase dezenove horas na tarde tempestuosa e vamos partir.

— Êh, Chico Chagas!

— Que foi?

— Ficou três volumes seus!

— Ficou não! Ficou?

O outro cai na risada e abre as asas da barcaça. Chico Chagas cai na risada também. É negro, bonito, dentadura inteira. E a barcaça dele se chama *Liberty*. Se chama *Liberty*.

7 de agosto — E a entrada linda de Natal pelas doze horas. Manso o Potenji. Forte dos Reis Magos a bombordo. Estamos enfim no Rio Grande do Norte, propriedade do meu amigo Luís da Câmara Cascudo, quem será? São dezenas de barquinhos aproximando do *Baependi*. Nisso vejo um rapaz gesticulando imensamente, exatíssimo no estilo das cartas do Cascudinho, era ele. E era mesmo. Em terra, apresentações, o simpático prefeito O'Grady, o Secretário-Geral de Estado. Autos. A praia maravilhosa de Areia Preta, Petrópolis, Refoles, Reservatório. Encontro o poeta Jorge Fernandes na casa dele, encorujado. Cerveja no restaurantinho. E o jantar na Escola Doméstica, Butantã de Natal. Sem discurso. Partimos já era bem dentro da noite. Vida de bordo se preparando pra dormir.

8 de agosto — Pelas sete horas Cabedelo numa invasão de mendigos. Não dá tempo pra se ir até Paraíba capital. Ninguém quer descer. Eu desço e passeio só acompanhado de um piloto do *Baependi*. Fotos, redezinha para bonecas, água de coco, coco verde, bananas magníficas, jangadinhas de brinquedo. Partimos duas horas depois. Vida de bordo. Desde Fortaleza viaja conosco esse curioso fenômeno social, muito conhecido dos viajantes, que se chama "Família Brasileira". Oh, quem não conhece esse estranho fenômeno das navegações, chamado "Família Brasileira"!... É assim: um homem de bom parecer, mas com ar de cansado, bem lento nos gestos que terminam coçando o cabelo meio crespo. Ele vem ao chamado de uma cunhã encardida e magruça, vestida na penúltima moda, com muita segurança. Só os cabelos, ela os tem mais ou menos indecisos, querendo escorrer pela cara, onde existem uns bonitos olhos parados e um "Meu Deus! estas crianças!" muito desolado. Então ela se agacha ali mesmo, pra apartar a briga dos dois filhos menorzinhos, ambos berrando por causa da bala que o Zezé roubou da Arlindinha e chupa numa conta, sujando o tombadilho com a baba alvar. A encardida enfia o indicador, tão comprido que não para mais, na boca berrante do Zezé, parece que estão matando o menino, remexe o dedo lá dentro e afinal acaba descobrindo a bala, retira a dita e bota nas mãos da Arlindinha. Essa só de pique atira a bala que é de goma, no chão limpinho do tombadilho. A cunhã, desolada, chama o marido outra vez e pede o lenço, ao mesmo tempo que muito pachorrenta mostra a bala de goma grudada no chão. O marido empresta o lenço pra dona que enxuga malemal a mão suja de goma açucarada do Zezé. Então o marido que é mais cerimonioso, olha de um lado e do outro, mas que há-de fazer, nós estamos ali mesmo, se agacha, agarra a bala de goma com o lenço e vai jogá-la no mar. Arlindinha, porém, tinha jogado a bala de goma no chão só de pique, de forma que quando viu o pai jogar a bala fora, desaperta em gritos tão lancinantes que até vem mais gente pra ver. A mãe que está sentada na minha cadeira, alugada por mim, balanceando o Zezé no colo, diz com ar muito sossegado:

— Não faz mal, Arlindinha, depois tua mãe compra mais goma pra ti.

Mas Arlindinha não para o choro e a mãe com o pai se embalançam no choro conhecido, sentados em nossas cadeiras do deque de bombordo, que é o lado da fresca do mar. Se alguém se incomoda com aquele choro tão angustiado das crianças, a mãe e o pai sorriem, falando que é assim mesmo. E pela quadragésima sétima vez a cunhã fala mole "Cala a boca, Zezé", e o marido fala sem jeito "Chora não, Arlindinha"... e é só. E os dois, com as crianças nos colos, ficam cochilando nas nossas cadeiras, depois da cunhã examinar bastante as nossas roupas e lançar um olho de censura ao marido. Se percebe que ela diz por dentro: "Está vendo! desta roupa é que eu quis comprar, você achou indecente!" As crianças estão parando o choro e é melhor a gente esperar aqui mesmo. No deque de estibordo não se pode ir, que estão os três filhos mais velhos da Família Brasileira, três machinhos já taludos, de calças curtas, já fumam, brincando de atirar uma bola de borracha dura, que não acerta neles, são tão espertinhos que desviam: acerta nos outros. No salão a herdeira mais velha com ares lânguidos, faz muxoxo se você entra lá e atrapalha o namoro dela com o taifeiro. Pelas quatorze horas conseguimos nos distrair com o Recife num sol esplêndido. Tinha telegrafado ao Ascenso Ferreira, pedindo dinheiro. Nada de Ascenso no cais. Então fomos ver o peixe-boi.

Peixe-boi — O que valeu mesmo a pena foi ver o peixe-boi. Come erva com muita educação, sem fazer bulha nenhuma e só entreabrindo a boca. Se falasse, eu mandava ensinar italiano a ele, e o punha num restaurante obrigatório em São Paulo, pra ensinar aos meus patrícios a comer. Infelizmente não fala não. O peixe-boi é uma baleia que só por desânimo deixou de crescer mais. Tem uma cara parecida com a do hipopótamo e traz os olhos sempre debaixo d'água, com pudor. As nadadeiras são uma espécie de metal prateado, da família das platinas, e delas se extrai uma graxa boa pra curar doenças do fígado, congestões, mordeduras de mosquito e espinhela caída. Para contusões é tiro e queda. O peixe-boi bota ovos róseos que são chocados ao sol pela Municipalidade. Os filhotes saem munidos de asas pequeninas (que logo perdem) com as quais atingem as correntes do Amazonas e vão crescer no lago Lauricocha, até a idade da razão. Apreciamos muito o peixe-boi.

Jantar no Leite — Está chovendinho um ar tristonho na noite. Os meus companheiros vão pra bordo, enquanto busco Inojosa. Não está no Recife, me respondem no jornal. Vou pra bordo, nada de Ascenso. Chuvisca fino e frio. Saio à procura do Ascenso. De repente dou com o rio. Volto em sentido contrário e de-repente dou com o rio de novo. Chove fraco agora. O centro comercial está deserto. Não sei pra que lado hei-de ir. Lembro tomar um auto, não tenho dinheiro. Nem sei direito o novo endereço do Ascenso. Estou completamente molhado. Sinto frio. Passam homens retardatários na rua completamente deserta. Penso que vêm me prender. Não, vêm me roubar. Dou uma risada alta. Os homens me olham meio assustados.

— Os srs. podem me dizer pra que lado fica o cais?

Com grande gentileza me indicam tudo.
— Muito obrigado.
— Não por isso.
Chego a bordo destroçado, é meia-noite.

9 de agosto — Vida de bordo. Na "Família Brasileira" ainda existe a chamada exceção loura, descendente de holandeses, pelo que dizem os pernambucanos. Não a nomeei ontem porque estava doentinha, a mãe nos conta, com os intestinos desarranjados. Se chama Gracette, palavra, e terá seus seis anos, mais velha que o Zezé e a Arlindinha, mais nova que os três guris taludos. O pai chega e diz:
— Gracette, quem é a menina mais bonita de bordo?
— Sou êêêeu.
— Gracette, olha, o doutor está falando que você é feia.
Gracette fica desapontada, os beicinhos tremem, se agarra na mão do pai:
— Pode mentir que eu sou feia, pode!
E desata a chorar. Então o pai empresta o lenço à mãe e etc. Maceió está à vista, são quinze horas. Descemos no de vela. Auto. Vamos ao Bebedouro, bem no alto, contemplar as alagoas, Butantã de Maceió. Não, o Butantã de Maceió, é o sururu, provado numa tigelada, a bordo, mais sublime do mundo. Que suavidade meiga no açucarado da carne rija e sadia. Maceió, feiosinha...

10 de agosto — Vida de bordo esperando a Bahia que só aparece pela tarde. Sou o primeiro a ver Tarsila e Osvaldo no cais, nos esperando de surpresa. Alegria sem limites mais. Passeios às gargalhadas. Jantar na Petisqueira Baiana, jantar mais pesado do mundo, com vatapá, moqueca de peixe e efó. O efó, assim preparado, é o único prato masoquista que conheço. Você come e tem a sensação convulsionante de estar sendo comido por dentro. É terrível, mas gostosíssimo. A bordo. Que pensar em dormir nem nada! conversas paulistas, blagues, artes. Osvaldo aparece num paletó mirabolante, amarelo, pardo e preto, numa completa ausência de malícia.

11 de agosto — Não houve onze de agosto de 1927.
12 de agosto — Pouco depois do almoço entramos sensacionalmente em Vitória, baía de Guanabara *ad usum delphini*. É uma maravilha! Tocamos tudo com a mão. Porém, depois de tanto nordeste, ao descermos no cais logo principiamos a ver homens *grandeur nature*. Mercado. Compro um boi zebu de barro cozido. Manias do Osvaldo: embarcamos em dois automóveis de trote e subimos até a cidadinha de Serra, indignados com a facilidade dos desenhos da montanha. E por causa dessa perda de tempo, não pudemos ir visitar o Grande Lama do Tibé, que mora no convento da Penha, no monte Atos. Janta no José Portuga. Péssima. Visita à praia

Comprida ao luar. Sempre é luar e sempre é praia, delícia. Chegaremos a bordo pela meia-noite.

13 de agosto — Às seis e quinze exatamente partimos de Vitória entre cores sensacionais. Vida desagradável de bordo, vencendo a última etapa marítima da viagem, já não é viagem mais, e estamos não chegados, coisa idiota. Pelas vinte e três horas o farol do Cabo Frio à vista. É melhor ir fazer minhas malas e ver se consigo dormir. A tempestade cai e avança pela madrugada, atrasando o navio.

14 de agosto — E eis que se chega enfim na imensa baía de Guanabara onde o sol mora. Chuvisca. Descemos às nove. Jaime Ovalle, Dante Milano, Manu, Antônio Bento, deliro. Mas corro ao Copacabana Palace, emprestar dinheiro do Paulo Prado pra pagar minhas dívidas. E não descanso enquanto não pago tudo, até minhas passagens do noturno pra São Paulo. Almoço na Minhota, com Osvaldo, Tarsila, Dolur. Depois uísque com água de coco (aqui já não é a mesma coisa) na Casa Simpatia, Antônio Bento, Mary, Manu, o grupo. Janta-se num frege. Na estação, Prudentinho e Iná, Sérgio Buarque de Holanda, Gallet, Luísa, Mary, Manu, Ovalle, Dante Milano, Dodô. Partimos dona Olívia, Gofredo da Silva Telles, Clóvis Camargo e eu.

15 de agosto — São Paulo, gozo amargo de infelizes... Trem desencarrilado na nossa frente, nos para em Luís Carlos pouco antes de Moji. Dona Olívia e companheiros partem de automóvel chegado. Não aceito lugar, esperando os meus. Besteira, desespero. Mando buscar auto em Moji pra mim, e na bruta contrariedade em que estou, ainda sou obrigado a compartilhá-lo com um desconhecido, o Senhor Doutor Abelardo César, que se oferece pra vir comigo e racharmos despesa. Aceito a companhia, que hei-de fazer! recuso a rachação, o auto já estava alugado mesmo, seria uma indelicadeza pra comigo mesmo aceitar. E o pior é que desencontro meus manos e amigos, que tinham tomado automóvel e ido me buscar. Bolas! Enfim, pelas quatorze horas, são exatamente quatorze horas e onze minutos e doze segundos, na "minha" casa, com os "meus", com a "minha" gente. Fecha bem a porta, Bastiana! Fecha a porta com chave, Bastiana! atira a chave na rua!

O turista aprendiz:
Viagem etnográfica

S. Paulo, 27 de novembro, 21 horas — Se repetiu a mesma sensação desagradável do ano passado quando parti pro Amazonas. Está provado que não fui feito pra viajar.

Faz já uns seis dias que vivo em dois homens. E o novo, ajuntado agora a mim, é um desconhecido até desagradável capaz de enfrentar a onda enorme do oceano. Vai viajar, vai pro nordeste. Os amigos abraçam esse viajador, perguntam coisas, e o viajante fala por quanta junta tem, mais projetos que pernilongos na capital luxuosa do gênio Pires do Rio. Não tive a culpa, outro dia. Estava esperando o meu bonde, e no automóvel passando um homem se desbarretou com uma largueza mãe. Respondi ao cumprimento, está claro, enquanto punha reparo na pessoa cumprimentadeira. Não tive a culpa, era Pires do Rio. Senti não estar prevenido, ah... seria tão fácil estar olhando pro céu que todos aceitam sem antipatias nem imposições das classes opressoras. Juro que não tive a culpa.

Mas é isso mesmo. Barulho afobado de estação, o trem de ferro vai partir, todos esses amigos, alunos, me cercando... Tarsila, Osvaldo de Andrade, está na hora, abraços. Subi no vagão. Sem saber direito o que fazia, percorri o corredor inteirinho. Me lembrei que é costume a gente ficar na porta do vagão, nalguma janela, dizendo adeuses pros que ficam, fiz.

Que sensação desagradável!

— Adeus, gente!

— Boa viagem, Mário!

— Divirta bastante!

— Não se esqueça da gente!...

Minha impressão é que está tudo errado. Tive ímpeto de botar toda aquela gentarada no vagão, ficar na plataforma eternamente paulistana e berrar contente pros amigos partindo:

— Adeus, gente! Boa viagem! Divirtam bastante!... Boa viagem!

E voltava pra minha rua Lopes Chaves, portava num cinema, coisas assim...

Rio de Janeiro, 28 de novembro, 21 horas — O que o Rio de Janeiro tem de principal pra mostrar que é cidade grande são as anormalidades normais. O que me espanta principalmente são certas escadas. Às vezes nem é tanto pela angústia do terreno, o terreno dava bem: é mesmo já essa doença da adaptação, do aproveitamento — a maior força propulsora da chamada invenção humana...

É por uma escada assim que entrei na casa da cantora Julieta Telles de Menezes. O ambiente é gostoso e dá bom-dia pra gente. Censuro apenas a permanência inquietante daquelas duas portas gêmeas, dando lá pra dentro. Não sei, mas isso prejudica um bocado esse estado de alma de visita em que a gente não carece de lembrar a fatalidade familiar, da possibilidade de existência, por exemplo, da dúzia de pratos. Está claro que as portas estavam distintamente fechadas porém jamais uma porta esteve fechada pra uma sensibilidade aguda. E desconfio que a minha é, porque aquelas duas portas me inquietaram bem.

Felizmente que Julieta Telles de Menezes recebendo, sabe ter essa finalidade da cesta de flor, disfarça a manchinha da parede. Logo principiou vivendo com a alegria morena dela e as portas deixaram de funcionar como fatores de nossa vida.

O compositor Luciano Gallet estava também, e principiamos estudando os três. Julieta Telles de Menezes e ele preparam atualmente uma "tournée" de concertos de música brasileira. Os dois programas já organizados são interessantíssimos e sinto pena de não estar em S. Paulo pra escutá-los e elogiá-los aí.

Principiamos repassando uma obra nova que Luciano Gallet compôs sobre os versos da minha "Toada do Pai do Mato". É uma peça muito importante e dos momentos mais felizes e integrais do compositor. Isso de indicar que o acompanhamento pianístico é muito importante já não tem muita novidade mais. Depois de Schubert, e já faz um século pois, acompanhamento de canção até virou às vezes mais importante que a própria canção. Porém o que gostei especialmente na parte pianística desse "Pai do Mato" de Luciano Gallet é a maneira com que ela se integraliza na canção pra formar um todo expressivo complexo, à maneira de certo "lieder" do próprio Schubert. Lembra mesmo pelo valor e eficiência dramática, o "Rei dos olmos". É mesmo uma criação fortemente dramática, essa obra nova de Luciano Gallet, atinge uma intensidade fascinadora a que os dois temas ameríndios empregados pelo compositor ajuntam uma estranheza melódica admirável. A terceira estrofe é fortíssima.

Mas o que eu estava mais apreciando por dentro era a probidade artística com que Julieta Telles de Menezes e Luciano Gallet trabalhavam. Não se deixava nada pro acaso.

Os acentos, as cores de voz, a nitidez rítmica, a dicção, os elementos constitutivos da obra, tudo era comentado, bem discutido, repetido até alcançar aquela verdade artística a que o povo no geral chama de ardor. Fulana canta apaixonadamente... Sicrano toca piano com ardor... Não tem dúvida que essas frases são verdadeiras, porém, ardor, paixão e outras veemências irregulares da vida, não estão no que o público pensa. A paixão do artista é pela arte dele. O ardor se manifesta no carinho, na paciência, na piedade com que busca dar pro público a arte que esse chamará de apaixonada. Mas, pro artista verdadeiro o que na manifestação dele o público chama de "paixão" não passa das friezas bem calculadinhas que a paixão conquistadora determina e organiza uma por uma pra conquistar com certeza. Não acredito que vivamos de aparências apenas, porém, a arte de verdade incontestavelmente é o mundo de aparências mais completo que o homem soube inventar...

Não tenho dúvidas que os concertos de Julieta Telles de Menezes e Luciano Gallet serão admiráveis. O que escutei foi tudo esplendidamente realizado. Mas é quase uma hora e reachei a indiscrição das duas portas. Torna a aparecer em mim, como convite pra partir, a dúzia dos pratos. Mas quebrei todos, descendo esta escada por onde, que nem a minha, juro que todas as sensibilidades provincianas cairão.

Rio de Janeiro, 29 de novembro, 10 horas — Estou lavando o rosto depois da barba e Cícero Dias entra no meu quarto. Achei graça na timidez dele. "Venha logo pro Rio que preciso dar um grande abraço em você"... Assim ele escrevia repetido em várias cartas. Porém o abraço nosso foi difícil. A influência do cinema norte-americano sobre o abraço brasileiro é uma coisa muito séria. Séria, e nem sou capaz de determinar se boa ou ruim, porque de fato o abraço tanto tem de inconveniências como de prazeres. Mas brasileiro gosta de abraçar mesmo e sob esse ponto de vista a ignorância do abraço camarada que há nos filmes norte-americanos está desraçando uma expressão da gente.

Cícero Dias entrou, ficou muito desapontado. Afinal nos abraçamos e retomamos a existência das nossas cartas. Inteiramente está claro que inda não, porque o Cícero Dias das cartas era um bocado mais magro e mais alto. Lembro-me também que sentava duma só vez. Esse Cícero Dias sem cartas é diferente sobretudo nisto: anda e senta aos pedaços. Todo ele é aos pedaços aliás, menos a arte. Por enquanto há mesmo um contraste orgânico entre a arte e o ser Cícero Dias. É quase ainda o que a gente chama de "meninão". Nem sei se passou da casa dos vinte. E como entidade ele exprime bem essa curteza de anos vividos. Mas na arte não. E apresenta essa experiência antiga que é a fatalidade individualista.

A aquarela de Cícero Dias é ingênua como expressão, bem sei. Até a comparam com os desenhos das crianças, comparação que acho falsa, não tem nada que afaste mais a sensação de infantilidade que a parecença com criança. Aqui mesmo no hotel estão uns anõezinhos incompreensíveis, grande sucesso do dia no quarteirão dos cinemas... E não há nada menos criança do que eles. Criança é vida, da mesma forma que manga ou tico-tico. Anão é "fenômeno" no sentido popular da palavra. É esse contraste insubstituível na comoção da gente perversa entre os desenhos de criança e os desenhos de Cícero Dias. Aqueles trazem essa equidade justiceira com que a vida vulgariza as coisas. Já falei uma feita e repito: se uma vez por outra a criança desenha uma obra-prima isso é acaso raro. No geral os desenhos infantis sob o ponto de vista de arte são perfeitamente idiotas e nos interessam por valores que nada têm de plásticos e estéticos. Ora, Cícero Dias é justamente o contrário disso. Possui uma personalidade surpreendente. Possui uma fatalidade de expressão formidável cujos valores psicológicos principais são sexualidade, sarcasmo e misticismo. Justamente as coisas que a criança menos possui.

Mesmo nas obras sem representação nenhuma, puros jogos de valores plásticos, ele não tem nada daquela inquietação assombrada com que a criança treme um risco torto no papel e chama o risco de jacaré. Se é certo que muitos dos desenhos de Cícero Dias já são obras magníficas, o que eu admiro principalmente nesse artista novo é a fatalidade quase trágica com que se exprime. Ele não possui nada de normal. Essa inquietação com que os artistas vão de evolução em evolução, campeando entre influências e expressões originais, a integralidade deles, o... destino, isso o aquarelista não tem. Que pesquisa nobre comove a gente, seguindo a obra de Tarsila do Amaral, Ismael Neri, Anita Malfatti, Manuel Bandeira, por exemplo... Em Cícero Dias nada disso. Não falo que ele não pesquise que nem os outros, pesquisa sim. Mas na obra dele falta bandeirismo: o longe vago buscado. Nasceu com trem à vista e passagem comprada: vai até, suponhamos, Santa Rita do Passa Quatro. Entre obras excelentes e outras menos importantes, não existe evolução propriamente. A primeira aquarela que fez na vida já podia ter sido uma obra-prima. E apesar de novo já tem algumas... Saímos do hotel, vamos pela rua sem procurar assunto, amigos, gozando essa compreensão mútua, sublime que não obriga a conversar... Rio de Janeiro sempre foi bom pra mim.

Rio de Janeiro, 30 de novembro, 22 horas. Não posso mais... Três dias de amigos, gente que quero bem particularizadamente, um por um... O prazer e as preocupações da vida se realizando por sessões... E essa obrigação ininterrupta de ser inteligente e culto, falar de pintura um momento, depois de música, depois de poesia, e lembrar por exemplo a existência de Chirico... Chirico!... De-fato os homens indivíduos são que nem as palavras. Se a gente matuta um bocado mais autopsiadamente num deles esmiúça a significação vital dele: Chirico. Um nome de batismo, uma convenção desprezível, servindo de estandarte vaidoso dum objeto fisicamente isolado. Da mesma forma que a panela, cujo perfil, cuja função pessoal e mirim, nós reconhecemos pela palavra "panela". Não posso mais, estou fatigadíssimo de três dias que não faço outra cousa senão distinguir "Chiricos" de "Panelas".

Felizmente que agora não careço de ser inteligente e posso pensar com mais liberdade e escureza. José estava me esperando na esquina fronteira ao hotel e agora caminhamos no meio dos homens, na rua. É até possível que esta rua se particularize com o título de "Avenida" porém pra nós dois é "rua" sem mais nada. Da mesma forma que José, operário...

Me sinto muito humilde porque José está querendo ser bom pra mim. Já me esperou só lá na esquina temendo de certo que as luzes do hotel sarapantassem de me ver abraçando um indivíduo pobre. Agora me arrasta pros lugares de menos gente e menos luz. E vamos lembrando a gripe espanhola, naquele tempo em que defendido pela piedade de S. Vicente de Paulo eu rondava pelas adjacências da rua de S. Caetano, ajudando os pobres a sofrer. Então conheci José.

Agora ele é comunista com razão. Comunista e comoventemente religioso. Porque não tem mesmo nada de mais comovente que essa religião de todos. Se o desastre é mais prolongado e vai chegando aos poucos, só mesmo indivíduo cabeçudo é que não quer saber de Deus. José imagina que vai me agradar e conta que outro dia entrou na igreja do Rosário passando. Em vez, me comove profundamente. E detesta os padres. Sem dúvida que já terá exclamado em grupo que a religião é uma bobagem que carece acabar. Mas não pergunto isso pra ele não. Negará porque não quer me fazer mal.

E não posso mais outra vez. Porém agora é de comoção. Paramos junto ao parapeito e uma onda geme de prazer nos vendo, recém-chegada da Rússia. Meu pensamento está confuso e muito rico... José fala que houve um princípio de ressaca na boca da noite. Escuto a bulha viva da cidade, desindividualizada, bulha comum de cidade grande, que o pisca-pisca das luzes ressalta mais. Tenho um medo pequeno dos símbolos... Lembro confusamente aquele arranha-céu visto do quarto de Graça Aranha, com aquelas não sei quantas janelas cada uma encortinada com uma cor, vermelho, verde, rosa, amarelo, azul, todas as cores, branco... Todas janelas, afinal. José, bem percebi, quis me perguntar alguma coisa sobre as eleições de S. Paulo... Teve dó, não perguntou.

— Aqui no Rio foram eleitos dois intendentes comunistas...

— Já sei, José.

José não sabe o que se passa dentro de mim. Nem eu também, aliás. Um caos temível. Lutas, iluminações, contradições, uma vontade tamanha de amar intransitivamente... Voltamos tardonhos pras bandas do hotel. Por trás do meu pensamento a lua se desembaraça das nuvens desorizontalizado a abóbada celeste. "Abóbada celeste"... Prazer amargoso de pronunciar lugares-comuns, felicidade, que nem todas, feita de mil infelicidadinhas... Se a Sra. Coolidge fizesse as mesmas doações que faz, sem chamá-los de "Prêmio Coolidge", "Concerto Coolidge", não sei que lá Coolidge, era mais justo. Vaidosa Sra. Coolidge. E esses... indivíduos, os músicos agradecem... Também os pintores pra vender quadros pro governo viram governistas... Não posso mais outra vez!...

Rio de Janeiro, 1º de dezembro, 16 horas — Moças cariocas, cariocas vivas, que falta de distinção...

A mulher carioca é uma transposição humana da arquitetura de Copacabana. A diferença é que o que essa possui de horrorosa, a carioca possui de brasileira.

Lá na minha São Paulo monótona as mulheres passam desaparecidas, numa igualdade tão gêmea que a gente não consegue distinguir umas das outras pela boniteza, pela elegância ou pela graça. É só o desejo sensual que consegue estabelecer nossa preferência. Gosto de ti porque gosto.

A carioca não é apagada assim não. Tem uma fantasia semostradeira no vestido e na carne, um mau gosto de oficleide que chama a atenção. As cariocas em tudo são uma por uma. As paulistas são em geral.

E inda por cima o geral da paulista é um geral de importação muito europeu na discrição do gesto e do traje.

A carioca refugou essa boa educação europeia. Não se pode dizer que ela seja maleducada porém ela inventou pelas circunstâncias da terra e da psicologia uma outra boa educação. Isso é que torna a carioca cem vezes mais brasileira que a paulista. A mulher de S. Paulo apesar da ascendência ítalo-hispano-bandeirante é um tipo raçado, cultivado numa tradição genealógica fatal. A carioca, muito mais uniforme na genealogia, é no entanto muito mais cosmopolita. Esse cosmopolitismo sei bem que deriva muito da coexistência do mar que falta pra paulista, porém o cosmopolitismo da carioca não provém apenas da Cosmópolis em que ela para. Provém muito mais duma acomodação criadora com a nação que ela representa.

Da mesma forma com que os ianques são bem-educados à norte-americana, a carioca é uma boa educação nova, à brasileira. Por mais que ela se cubra está sempre nua. Não discuto a pureza dela porque a pureza não depende do mundo exterior e a colocação dela em certas partes do corpo não passa duma simbologia escravocrata que o patriarcado inventou. A carioca é tão pura ou impura que nem todas as mulheres deste mundo. O que ela tem de mais brasileiro é o tropicalismo da nudez. Os norte-americanos com praias de banho, lagos artificiais, natações dançantes e esporte tentaram sistematizar a nudez. Não conseguiram. A nudez pra eles continua uma questão de moda, um manequim epidérmico. A nudez da carioca é íntima, é, desculpável o exagero, psicológica.

E toda essa maravilha semostradeira que é a mulher carioca reflete um país novo da América, uma civilização que andam chamando de bárbara porque contrasta com a civilização europeia. Mas isso que chamam de barbárie os deserdados da nossa terra, não passa duma reeducação. Sintoma capitoso de Brasil.

Rio de Janeiro, 2 de dezembro, 23 horas — O pernambucano maravilhoso conta o que sucedeu pra ele.

— Eu estava meio tocado e quis conhecer aquela mulher da pensão Monte Carlo. Pensei: se escapou de ser assassinada é porque deve ser uma coisa extraordinária. Vai, entrei na pensão e perguntei por ela. Estavam dançando e o garçom me respondeu que dai a pouco ela aparecia. Então sentei numa das mesas, esperando. O garçom veio e falou:

— O Sr. não pode sentar aí porque a mesa está ocupada.

— Eu sei! — respondi. É só pra descansar um bocado enquanto estão dançando.

— É, mas o Sr. não pode estar sentado nesta mesa.

Então me levantei. Eu tinha aprendido uma palavra alemã que não sabia o que era nem me lembro mais. Disse ela pro garçom que era alemão. O homem virou indignado, gritando:

— É a sua!

— Minha não! é a sua!

Logo formou um ajuntamento danado, o garçom contou o que eu falara, uma coisa medonha, toda a gente estava contra mim. A dona da pensão gritou pra me prenderem e eu fugi. Meti o punho na porta de vidro que, olhe aí, tomei este golpe fundo, num instante fiquei todo ensanguentado.

Sai correndo pra rua. As mulheres apitavam. Nas janelas das outras casas vizinhas mulheres gritando também, passou um táxi. Tomei ele porém tanto que gritavam:

— Não leve esse cachorro! Paga o vidro?

O chofer parou logo, falando pra eu descer. Passava um automóvel particular, fiquei na frente dele, o moço parou. Eu mostrava a mão ensanguentada pra ele, gritando:

— Me leve que sou filho do Guinle! me leve que sou filho do Guinle...

O moço nem hesitou, trepei no automóvel andando e disparamos por aquelas ruas, cada esquina virávamos, o moço estava mais branco do que eu, um guarda apitou, eu indicava o caminho, o guarda deu um tiro...

Entramos na rua Correia Dutra, desci do automóvel andando, nunca mais vi o moço nem pra agradecer, a porta custou pra abrir...

Levou tempo pra sarar, olhe o lapo que ficou.

Dias, depois, inda estava com o pulso enrolado, quis espairecer, passei disfarçado pela pensão Monte Carlo e entrei no número 20. Era cedo, eu estava bem distraído, sentei numa das mesas vazias.

De-repente escutei que murmuravam:

— É ele!

— É ele, sim!

Todos olhavam pra mim. Era eu. Olhei pra porta, então reconheci o vidro quebrado, que susto! Fui saindo com aparência de calma... O outro dia, eu não entrara na pensão Monte Carlo não, mas no número 20.

E são assim os casos desse pernambucano que ainda não conseguiu se carioquizar. No carnaval desse ano ele ia tomar éter passeando sozinho na praia de Copacabana. Falava pra onda:

— Você não me molha não?

A onda vinha e o molhava.

— Molhou porque eu deixei...

E mais éter nos rodamoinhos do cérebro.

Guanabara, 3 de dezembro, 19 horas — Os amigos pouco a pouco se confundiram com o cais, o cais se confundiu com a cidade, o *Manaus* partiu. A noite vai cinzando água e ar. Entre os dois, quase negra, a língua crequenta e áspera da terra de Guanabara.

As luzes salpicam o negrume dos morros amarrotados. Quando senão quando acorda mais uma. Junto do Hotel Glória e no quarteirão Serrador, os reflexos formam braseiros exatos. De-repente as praias se colarizam de luzes, uma por uma praia, puf! puf! puf!... A noite é definitiva e chega até mim.

Estou meio desapontado. Tudo a gente desconhece neste primeiro contacto com a viagem, pessoas, corredores, decorações... Além do mais, me sinto muito urbano, chapéu de palha na cabeça, gravata longa embandeirando no vento... Vou pra cabina, abro a mala, tiro o boné...

É extraordinário como as convenções gesticulam por nós. E inda falam que o hábito não faz o monge... Bastou botar o boné na cabeça, olhei no espelho e era eu viajando. Fiquei fácil. Andei com certeza pelos deques, pude compreender o sabor das passadeiras e as colorações de bordo. Os outros viajantes inda não conheço não, porém viraram companheiros.

Facilitou enormemente a conversa futura o aparecimento duma grande mariposa. Era um exemplar lindíssimo, por sinal, toda em pelúcia parda com aplicações de renda de Veneza. Dessas eu já conhecia, aliás, porque uma senhora, vizinha nossa na rua Lopes Chaves, possui um casal no jardim. E nas correrias pra pegar a mariposa ela nos apresentou uns aos outros e depois da janta nos ofereceu uma reunião ao ar livre.

Agora viajam comigo várias donas e cavalheiros. A todos distingo pelo estilo e sensaboria, um homem feito em casa, particularmente familiável. Possui uma honestidade e uma estupidez de lar.

Atlântico, 4 de dezembro, 15 horas — Me entrego a essa delícia angustiosa do semienjoo. Enjoar, não estou enjoado não, tenho fome e autoridade, porém o *Manaus* com as duas mil toneladinhas dele é um barco de cenografia e balanga por demais. As sacudidelas dele ultrapassam a naturalidade e se tornaram uma expressão.

Pelo menos foi essa a impressão que tive desde que ele principiou saltando. Falei pra mim: este vapor navega com literatura. Isso me amolou bem porque esta viagem eu queria que fosse bem antibrasileira, bem longe da literatura. Paciência.

Mas de tanto mexe que mexe o fato é que me bateu uma tonteira engraçada, cuja manifestação mais verídica é a repugnância da vertical. Minha cabeça triplicou a lei da atração e ondula no ar buscando no vento resistências que a almofadem. Não acha e acaba descansando no meu braço sobre a mesa. Agora posso matutar melhor.

E que delícia! Uma indiferença vasta pelo mundo justifica eu ter vestido o mesmo brim de ontem, mais amarrotado que um morro de Guanabara. Perdoa até minha barba que ficou por fazer e está me enquizilando a consciência. Tudo se humilha numa unanimidade perrepista. A personalidade se dissolve, perco caráter e penso com o corpo todo, que vastidão! ...

Não tem dúvida que estou um bocado com vergonha de me entregar assim às delícias refinadas da tonteira. Isto me desumaniza, e principalmente me desoperariza. Perco essa parte de operário que tem em mim, tão vasta e muito nobre — a melhor parte de mim. Fico eu, elegantizado pelo tédio, capaz até de wildismos sutis. Comprei duas maçãs e cheiro-as com lerdeza, que delícia... O cheiro desagregado pela ventania não consegue reagir contra a minha despersonalização refinadíssima, só consegue elegantizá-la inda mais. Estou numa bebedeira grave, sedol, álcool, maçãs. E imagino voluptuariamente, no melhor dos paraísos artificiais. O som de chuva das ondas me dá vontade de caminhar sem milagre por sobre a superfície do mar... No Rio chamam de "azeredo" o último banco dos ônibus, porque joga muito... Atinjo venturas aritméticas sublimes combinando a velocidade do meu pensamento com a velocidade do navio... Agora estou dormindo.

Atlântico, 5 de dezembro, 17 horas — Nem Abrolhos inda passamos neste *Manaus* tardonho. O dia está feio, o mar balança mais que nós, cinzento. Um senhor do Pará conviveu muito com Delmiro Gouveia e conversamos sobre o grande cearense.

Delmiro Gouveia chegou ainda em Pernambuco curumim, se empregou na Great Western. Um ano depois era faroleiro. Costumava falar que jamais a consciência da responsabilidade não se evidenciara tanto pra ele como nesse posto. Aliás é assim mesmo com todos... Quando botam nas mãos da gente uma bandeja com cristais, só vendo o cuidado com que transportamos aquilo até a mesa. Mas uma hora depois a gente afirma tal verdade num jornal, assina um contrato, faz um filho com a mesma decisão bastarda com que almoça...

Pelo menos Delmiro Gouveia conservou no espelho dos atos a imagem do faroleiro rapaz. Foi um dramático movimentador de luzes, luzes verdes, luzes vermelhas dentro do caráter noturno no Brasil. Por isso teve o fim que merecia: assassinaram-no. Nós não podíamos suportar esse farol que feria os nossos olhos gostadores de ilusões: a cidade da Pedra, em Alagoas.

Falaram que Delmiro Gouveia era perverso. Não era não. Meu companheiro me afirma que nunca esse Antônio Conselheiro do trabalho não mandou matar ninguém. O que ele era, mas, era duma energia masculina, preestabelecida e não ocasional como entre nós inda é costume herdado do calor solar. Delmiro Gouveia costumava falar que brasileiro não andava sem sova e por sinal que sovou e mandou sovar gente sem conta.

Era um gênio da disciplina. Pedra chegou a um esplendor de mecanismo urbano como jamais não teve outro nesta nossa terra. Delmiro Gouveia coronelava tudo com a mesma severidade. Se um menino falhava a aula, mandava chamar o pai pra saber o porquê. Chegou a despedir os pais que tiravam um dia de estudo dos filhos pra qualquer servicinho. Às vezes com os meninos mandriões, reunia cinco ou seis e mandava um negrão chegar africanamente a palmatória na bunda dos tais.

Dentro de casa não permitia ninguém com chapéu na cabeça. Ia pra casa e mandava multar o malcriado. Chapéu comum: duzentos réis; chapéu de couro, quatrocentos.

A arma dele era principalmente o chicote que manejava como o que a gente aplaude no circo. E tinha birra de mulher fumante. Uma feita, uma dessas cachimbava na porta da rua, muito cismando Delmiro Gouveia não se incomodou, seguiu no trotinho descansado uns trinta metros mais, virou o animal de sopetão, veio na galopada e com um golpe justo do chicote arrancou o cachimbo da boca da dona. Que nunca mais fumou.

Tinha a religião da higiene e o ateísmo das esmolas religiosas. Não posso repetir os nomes com que brindava as operárias da fiação que iam pro trabalho sem lavar a cara, e os padres que apareciam em Pedra tirando esmolas pra coisas longínquas. Não recebia mal ninguém. Só uma feita, depois duma experiência inda viva e dolorosa, expulsou um bem chegado, um padre sírio que apareceu em Pedra com intenção de tirar esmolas pra Terra Santa.

Entre nomes feios, Delmiro Gouveia gritava pro padre:

— Terra Santa é esta, seu!...

Se enganava. Agora Pedra vai morrendo pouco a pouco. Santo era ele, o grande cearense.

Atlântico, 6 de dezembro, 10 horas — Água salgada que vai pra Bahia. Água salgada que vai pra Bahia... A frase vai se repetindo em mim, lenta, feito um acalanto de africana... me sinto prodigiosamente feliz, neste tédio matinal... Lassitude gostosa de bordo... Companheiros inexistentes, incomparavelmente discretos, não gostando de mim. Deito no banco do deque ao queimar ventado do mormaço, num estado prodigioso de musicalidade, mi, lá, lá, sol... Fermata no sol. Esse tema está me absorvendo, se repete monótono entre frases mais longas, coleantes, executado por dois trombones. Me sugere indígenas numa vida vasta de mato. O cacique está de pé, nu e verdadeiro, e vai haver uma briga de morte com tribo vizinha, mi, lá, lá, soool!... Fermata apreensiva no sol. Como a música é boa!

Só a música dispara as cismas com inconcebível aceitação. Já estou a cem léguas dos indígenas e de novo deitado no deque do *Manaus*. Me agradam a bordo unicamente duas senhoras sozinhas. Talvez por estarem sozinhas... É possível porque uma delas é bem feia até. É inglesa ou norte-americana.

É um tipo bastante curioso e fatigante. Imagine-se uma senhora que principia pelos pés, é ela. Isso já fatiga bem porque o olhar é sempre descendente. Iniciada pelos pés, essa dona obriga a gente a uma ascensão contínua do olhar e mostra assim a pouca amabilidade da raça, pouco se amolando com a lassitude em que a gente está. Uns pés de gênese, longos, indecisos, lentos, levando pra se formar dias que parecem séculos... Afinal as meias brancas se arredondam lisas e perfilam curvas no ar, segurando o bote salva-vida n.º 6.

Daí pra cima ignoro a geografia da Inglaterra, confundo Edimburgo com Hindemburgo, e percebo no colo da moça, doirada pelo sol, uma esperança da Bahia. Me sinto bem como um beijo aceito e as minhas narinas arfam colhendo os cheiros do vento, mi, lá, lá, soool... Fermata molenga e bem sensual no sol. Fecho os olhos porque não vale a pena subir mais na inspeção. Já sei de cor o que vem.

O curioso é que essa dona principia inglesa como já vimos e acaba norte-americana.

É fato: depois do pescoço magrinho aparece a protagonista, uma carinha "girl etê", muito fotogênica e com açúcar de Pernambuco: uma colherinha, pronto, açucarou demais nossa bebida. Aliás o que salva o mundo é isso mesmo: inda está pra nascer uma norte-americana sem açúcar. Se nascesse uma, sem mel, "extra dry", meu Deus, isso é que é amor e desse amor se morre!...

Atirei os violinos fatigantes no mar. As trompas com surdina retomam o tema de novo: mi, lá, lá, lá, sol... Água salgada que vai pra Bahia... Água salgada que vai pra Bahia... Amanhã chego lá.

Agora estou dormindo.

S. Salvador, 7 de dezembro — Da vista de S. Salvador que a gente enxerga de bordo tem um pedaço bem no centro em que as casas se amontoam num estardalhaço de janelas, andares, telhados, parece mentira... não é mentira não, é estardalhaço.

Gosto de banzar ao atá pelas ruas das cidades ignoradas... aqui a impressão de estardalhaço continua. Parece incrível que se tivesse construído uma cidade assim... Ruas que tombam, que trepam, casas apinhadas e com tanto enfeite que parecem estar cheias de gente nas janelas, o barulho nem é tamanho assim, porém, dá impressão de enorme, um enorme grito.

A sensação de simultaneidade é feroz, lembra cinema alemão. Os bondes pra desembarcar num plano, tombam de banda e passam por cima da cabeça da gente. Vêm cheios com moços de branco dependurados até nas torres curtas das igrejas. Torcem por cantos inconcebíveis como pontes dos suspiros, fachadas paradas na porta da rua, atravancando o trânsito. Um largo e três igrejas de-repente. Pra chegar na cidade alta a gente dá de cara com mais outra igreja de teatro, num trânsito vivo de gente irregular, todos os matizes, gente de enfeite, gente posta ali pra gente ver.

S. Salvador me atordoa vivida assim a pé num isolamento de inadaptação que dá vontade de chorar, é uma gostosura. É uma cidade justamente o contrário do Rio de Janeiro que se goza mais de automóvel. S. Salvador, não. E nem é tanto questão de apreciar os detalhes churriguerescos dela, é questão mesmo do sabor físico que dá passeada a pé. O automóvel isola o observador do estardalhaço ambiente. Passear a pé em S. Salvador é fazer parte dum quitute magnificiente e ser devorado por um gigantesco deus Ogum, volúpia quase sádica, até.

E agora o *Manaus* vai se embora me levando. Tenho essa lassitude aberta de quem gozou como não era possível mais o dia de férias. Não é injustiça ser feliz e a tarde cai. Os ventos varrem o Recôncavo chispando água e mar. O céu cinzado é uma nuvem só e a lâmina espetaculosa da cidade se aconchega numa palidez indiferente. Eis que um sol antigeográfico tropicaliza a boca-da-noite, bate na chapa da cidade. S. Salvador se torce toda, gozando a luz que é dela, com muita mansidão. Nem palheta de Utrillo!... Ninguém jamais não conseguirá esses rosas doirados, esses azuis de Virgem Maria, esses amarelos de areia esturricada e os verdes dos mangueirais. Cor dos anos, cor de séculos montados uns sobre os outros... Por riba do farol de Amaralina, trepa no paredão do morro um magote de coqueiros brincalhões num estardalhaço em que a distância põe surdina, gritando:

— Olha o navio!
— Olha o navio!

Atlântico, 8 de dezembro, 13 horas — Positivamente isto não se atura mais, que monotonia!... Não é que a monotonia seja desagradável, tem monotonias deliciosas, essa do *Manaus* é que virou intolerável. Paulo Prado costuma repetir que uma das sensações mais gostosas que há, é a gente, lavado, barbeado etc. sentar numa cadeira de deque viajando, e lembrar que não tem nada pra fazer, nenhuma obrigação, nem de ler, nem de ser inteligente, nem de dormir, nem de nada... Está certo. Isso é um gozo vasto, vegetal. Chupitar a inexistência própria feito um martelo de pinga, é delicioso.

Porém já gozei isso à farta nos primeiros dias e esta lesma de vapor vai num atraso brasileiro que chega a irritar até a epiderme. Quatro dias pra chegar na Bahia, dois pra ir dela até o poeta Jorge de Lima em Maceió, não se atura! E já me acostumei com o balanço da nau. Não tem dúvida que apesar do mar de rosas, a nau sacoleja talqualmente a mão do barman, porém, até já passou aquele semienjoo de alma que me fascinou tanto nos primeiros dias... Estou completamente a pé.

Dos companheiros não tiro nada. Nem mesmo da senhora piauiense, a segunda das duas apontadas outro dia. Estava cantarolando ontem de noite, aproveitei o assunto pra entabolar conversação com ela hoje de manhã... Laura Moura me recebeu com duas pedras na mão, se então eu imaginava que no Piauí nem tinha canções populares, que em toda a parte do mundo morre boi e não é só no Piauí que o meu boi morreu... Meu Deus, eu não caçoara nem perguntara nada disso não! só perguntara se ela podia me cantarolar alguma canção típica da terra dela. Sebo! Me calei. Felizmente que chegou o filhinho dela, um piá saci temível, que me chama de retratista por causa da codaque.

— Como é seu nome, heim?
— José Camargo Machado.
— Como é o nome de sua mãe?
— Laura Moura.
— Oh, que nome bonito... E o de seu pai?
— Coronel Antonino Camargo Machado.
— Fique quieto, José!

O filho de Laura Moura jamais não saberá porque não estava quieto no único momento de quietude que tivera a bordo...

Que monotonia... Mar de rosas... Que fatigância! — como falará o mulato... Nenhum navio ao menos pra disfarçar a vista...

Nenhum tubarão, nenhum naufrágio, nem pelo menos um incêndio a bordo...

Agora estou dormindo.

Maceió, 9 de dezembro — No longe estão os trapiches compridos chamando, são apenas cinco horas e Maceió já está inteirinha acordada de sol. O mar tem uma riqueza de verde, maior que Copacabana. E então quando vistos de terra os verdes seccionam-se retos com essa liberdade plástica da natureza que os pintores dela tem vergonha de imitar porque... não é natural.

Um nadador aproveita o domingo, vem lá da praia longe bordejar o navio. O corpo dele é um jacarandá claro movendo por debaixo d'água com a volúpia cinemática dum ralenti. Como é bonita a raça humana!

Depois do ajuntamento dos trapiches impertinentes, chamando que mais chamando, Maceió se estende pra esquerda duma fila de casas praieiras. Uma procissão de casas que a velhice já tornou boas. No meio delas o mal chama a atenção, como sempre... É uma, creio, Associação Comercial em grego, absolutamente intraduzível. Mais pra diante surge outra boniteza uma espécie de casa enfeitada, com ar de rica, onde mora naturalmente algum senhor, a família dele e um zimbório. É uma pena.

Não tive tempo no passeio pra examinar a arquitetura da cidade. Me pareceu comum, porém, sincera. Distingue-se muito, no meio dela, pela graça discreta, a ausência do empetecamento e um corpo manso, bem equilibrado, a casa nova de Jorge de Lima, poeta da "Negra Fulô". "Negra Fulô", Jorge de Lima, a casa dele, o amigo nosso Lins do Rego, ponche de maracujá, o sururu das alagoas, são tesouros de Maceió.

No fim da viagem, inda passarei uns dias aqui, hei-de contar melhor como é Maceió por dentro. Hoje quase que não vi nada. Fui levado no embalanço dos amigos, por praias, no gradeado dos coqueiros, por morretes colhendo sururu na aba das alagoas, por estradas de rodagem mansas, que não chamam atenção... Fui levado num ritmo dançado de lembranças, de conversas, de olhar feliz deslizando pela boniteza dominical daqueles lugares sem nome inda pra mim...

"Alagoas — Fernão Velho — Barca de Barro que estavam construindo pra Chegança — 9-XII-28"
(Foto e legenda M. de A.)

— Como se chama aqui?
— É Fernão Velho.
Tem feira de domingo em Fernão Velho. O pessoal se espraia na areia clara vendendo coisinhas mansas, cornimboques, cerâmicas recém-nascidas, frutas, e os guaiamuns do azul mais lindo que jamais não vi. Um azul sem céu, feito de vários azuis, azuis humanos, natureza-morta, aliás viva, pra desgraçar o melhor colorista. Em de mais longe, pessoal que veio talvez da banda de lá da alagoa, desce dos cavalinhos de presepe, vai comprar. Maceió é terra de moça bonita. Passam algumas dum sabor popular que sai fogo, alargando o critério da feira até o amor.

E está chegando o tempo de festar. Junto de árvores negras de sol, com paus e barro estão esculpindo uma barcaça de alto-mar. Aí dançarão cantando o fado eterno da Nau Catarineta, é a Chegança... — Sobe, sobe, meu gajeiro... E a cabocla-da brasileira há-de repisar mais uma feita sem consciência de heranças, brasileira como alagoana, aqueles portugas do fastígio que pra voltar das aventuras passava ano e mais ano buscando terra de Espanha, areias de Portugal...

Tudo isso enche meu peito que nem posso respirar.

Atlântico, 10 de dezembro, 4 horas — Hoje com alguma probabilidade chegaremos a Recife e o mar se acaba. Isso me enquizila bem porque estou principiando a gostar frequentemente de Laura Moura. Ela afinal resolveu ser um bocado mais amável comigo e mesmo na janta de anteontem conversamos com fartura e se deu entre nós dois a semelhança de um prazer. Semelhança apenas porque depois do desentendimento, eu inda muito paulista e ela pra se justificar, da aspereza passada, botara na fala a prudência das insensíveis. A conversação me lembro que correu principalmente sobre bananas. Afinal a amabilidade fez o resto e já no fim da comida tomei a liberdade de dizer bem nos olhos de Laura Moura o desejo sincero de ir comer bananas em Teresina. Ela ficou bem quietinha e não nos arrependemos.

Laura Moura afinal é uma dona regularmente vulgar e sou obrigado a reconhecer que se de primeiro a distingui dentro das cunhãs de bordo foi por uma simples questão topográfica. Ela senta a meu lado na mesa e estou com vontade de falar que senta a meus pés, tanto a acarinho agora e ela é mirim junto a meu corpo grande. E além de sentar a meus pés, os vizinhos próximos de mesa tiveram a discrição de se conservarem enjoados pra nunca mais. Não vêm à mesa, que nem ela nos primeiros dias, e Laura Moura mais eu vogamos sozinhos numa jangada desoladamente insubmersível pelos mares.

Porém agora o mar se acaba, Laura Moura vai-se embora, eu sofro. Nada mais razoável que esta precisão de esvaziar o desejo nalgum verso... Porque Laura Moura deixou de ser vulgar, é rápida, é admiravelmente central — coisa rara nestes tempos de ambição e ganância. E no rostinho piauiense as linhas todas convergem pra boca nova, tão vertiginosamente nova que é justo a gente se enganar tendo a impressão de que ensina pra ela... de novo a abertura do beijo. Laura Moura...

Quando as casas baixarem de preço
Lá na cidade, Laura Moura,
Uma delas será sua sem favor.
Será num bairro bem central
Pra que o nosso mistério engane mais.

Quando as casas baixarem de preço
Você há-de ter a vossa, Laura Moura,
Lá na cidade em que trabalho...
Há-de ser bom, pousando o rosto em vosso colo,
Prenda minha,
Me entediar como um dono,
Mal escutando as máguas de você.

Laura Moura viverá bem sossegada,

Me servindo,
Toda puxada pelo Piauí.
Num longing quase bom,
Comendo alimentos comprados
Laura Moura falará de Teresina
E das boiadas dos boiadeiros
E da polvadeira seca do Piauí.

Quando as casas baixarem de preço,
Laura Moura, prenda minha,
Uma delas será sua sem favor.
Lá fora a bulha vasta da cidade
Disfarçará nosso prazer,
E a gente numa rede maranhense
Ao som dum gramofone blue,
Balancearemos no calor da noite
Sonhando com o sertão...

Igaraçu, 11 de dezembro, de manhã — A estrada de Recife para Igaraçu é bem boa porque afinal das contas, com polvadeira S. Paulo já me acostumou. Por sinal que passamos por um bairro chamado Paulista onde tem uma fábrica e gesticulação. Trilhos, um largo com gente e o coretinho preparado pro Pastoril.

Aliás a estrada vive bem, passa que passa automóvel, gente, caminhão e os cargueirinhos nos cavalos de meio metro. Na beira, as casinhas não param, mais novas, evolução do mocambo. Nos frontões delas sempre com instinto de agradar pintam rosetas, florões, quando senão um passarinho, variadas e iguais, boas da gente estudar com descanso. Algumas são bonitas.

Depois da boca do caminho levando pro engenho de Monjope, os habitantes rareiam, as casinhas inda mais, súbito a estrada balança, torna a subir e chega em Igaraçu, cidade morta.

A gente desemboca, num passado evocador e segue mais ou menos assustado por aquelas ladeiras, ruas tortas, praças ocasionais, nascidas duma fantasia de arruamento, bem de gente com vagar. Aliás é, não pra rir, mas irritante essa preocupação dos colonos, de construir as vilas em lugares acidentados facilitando defesa. Bahia, Olinda, Piratininga, tudo emboscado pelos derrame dos morros... Igaraçu também. As igrejas em degraus de planos formam conjuntos deliciosos de ver.

A matriz velhíssima, de S. Cosme e S. Damião vale pouco, é pobrinha, a gente perde tempo nela quase que só por delicadeza. As imagens são antigas, porém, comuns.

A maravilha é mesmo o convento de S. Francisco, principiando pela velha guardiã, mulata gasta e aprendida, falando que nem whisky com água de coco.

— O coro eu mostro, sim senhor, mas a igreja... O senhor sabe, não é? Lá tem santo, se quiser, tem de pagar. E pagar bem pago, pelo menos cinco mirréis!...

A voz dela canta como ladeira. Aceito os cinco mirréis que ela propôs entre risos, pra enganar a timidez, porém decidida. E principia uma visita forte, sem história porque o vigário graças a Deus que anda em Itamaracá. Visita muda, quase trágica: felicidade de arte boa, arruada entre assombrações de gente antiga, as festas que houve aqui, música religiosa, pensamentos dispersivos...

O claustro é um carinho, a estante e os próprios móveis do coro, com o jacarandá pretejado, são coisas sem preço. Os azulejos da igreja contam em bom estado os milagres de São Francisco. Aliás tenho uma incapacidade vasta de observar o trabalho propriamente artístico no azulejo. O desenho, o caso que ele conta, careço de fazer esforço pra observá-lo. O que vejo é mesmo o valor decorativo da matéria: uma coisa refletidamente festiva, rica, sóbria, solene.

"Igaraçu — Convento de São Francisco — 11-XII-28"
(Foto e legenda M. de A.)

A gente enxerga, mas é o azulejo, o conjunto e isso é um encanto. Está claro que assim, decorando o baixo das paredes, se o azulejo não fosse historiado perdia noventa por cento do poder plástico, porém, aqueles cavalos, gentes, castelos, paisagens, passam dum quadro pra outro, movimentam o conjunto numa procissão estourada de festa, golpes de sino dentro da sensação. Azulejo pra mim é isso. Duma pra outra igreja não sei contar qual o artisticamente melhor.

Mas a principal riqueza desse convento são as pinturas, das melhores que conheço da Colônia. Aliás estou notando isso: já ontem na Ordem Terceira de São Francisco, em Recife, as pinturas me entusiasmaram. E agora me entusiasmam as de Igaraçu... Os pintores que andaram por aqui eram bem bons... Com exceção do Velasco e do Teófilo de Jesus, baianos, talvez os melhores da Colônia...

Saio do convento abatido de prazeres. A mulata sente remorsos e diz pra gente dar quanto quiser, que estava brincando. Talvez uma esperança de mais que os cinco da combinação...

Mas fiquei neles por escrúpulo, imaginando nos futuros visitantes... Saio como brasileiro que pode falar pros manos que já visitou Igaraçu. Questão de esporte nacional honroso... Estou ganhando por um a zero.

Recife, 12 de dezembro, 20 horas — Vamos indo pela noite em busca da praia da Boa Vista, onde o coqueiro nasceu... O auto vai tungão, lerdo, auxiliando as vistas da noite. É zona mocambo, e na água parada, encapuçada de mangue, as casinhas balançam feito luzes de canoas abicadas na praia. São luzes paradas da janelinha de frente, da porta de frente, luzes dum amarelento improvisado, que a água encomprida pra baixo, que nem fachos revirados. A imagem ficou ruim... Não são fachos não, é mais a água doente chupando tudo, chupando a vida da luz, chupando o sangue das gentes habitando aquilo, como quem se aboleta no socavão da morte... pra viver. É triste, bem triste...

Foi a atração da cidade, foi essa coisa infeliz, a festança aparente da cidade grande que fez aquilo... Recife, a praça linda do Nordeste abicada no entresseio do Capibaribe e Beberibe, contavam tanta coisa dela!... Tinha cada igreja, Deus! era ouro só... Com santos tão bonitos, música tão cantadeira da gente chorar... As casas eram mais altas que morro de vertigem, com tanta moça na rua, se pegava nelas, íamos beber a monjopina pra depois dormir no amor. E os teatros, então!... Tudo fácil, médico, dinheiro, tudo fácil. Eles vieram então, de bem longe até, da zona do mato, os matutos, da zona do sertão, os sertanejos, vieram comboiando as famílias, chegaram. Dinheiro não é fácil na cidade grande não. Porém a cidade à vista, chamando com luz, com boniteza, aventura, torres, o diabo! Não puderam voltar mais pra querência. Foram se aboletando na barra da cidade, em casas que seriam pra dois meses e ficaram anos, de barro feio, cobertas com a própria folha caída dos coqueiros, brigando por causa dos terrenos com o rebento verde-claro do mangue.

Hoje os mocambos são tão numerosos como os coqueiros. Alastram o tamanho da cidade grande, formando na barra dela, um babado de barro e folhas secas. Babado crespo não tem dúvida, mas babado bem triste, sujo de lama, sujo de gente do mangue... É triste de se ver... Nem é pitoresco não, é triste...

Toda cidade grande possui gente que vive assim, chamada pela aventura, acostumada na desventura. Porém no Rio, na Pauliceia, se disfarçam morando nos cortiços invisíveis, nas casas de aparência clara... Recife é mais sincera, conta a tristura de tantos desiludidos, com uma força que me queima agora o prazer divino de rolar pela Boa Vista, na fresca do ventarrão.

Great Western, 13 de dezembro — Podem falar o que quiserem desta Great Western of Brasil (com s) Railway Company Limited, porém, o certo é que ela anda no horário. Fiz hoje de Recife a Guarabira, viagem de 11 horas quentes, no princípio divertido, depois vendo sem pensar, depois interessado outra vez quando a fresca da tardinha me renovou.

Parte-se na hora, já falei, e logo o trem cai nessa espécie de acampamento de cigano que são as zonas dos mocambos. E quando Recife se acaba principia uma terra neutra. Os próprios coqueiros afinal, afinal rareados por aqui, não caracterizam a vista passando. Isolados assim eles perdem a fisionomia mais eficiente deles que é o alarme faceiro do conjunto. A paisagem chega a ficar paulista por completo. Quase... matinhos episódicos como a virtude, trepando em morretes e coxilhas domésticas, algumas culturas pequenas de cana e macaxeira... Mesmo quando se esparrama o primeiro canavial: é São Paulo, a gente inda fala. Porém a associação de ideias torna a paisagem incompatível com S. Paulo no sufragrante. Canaviais... Engenhos... A ideia do engenho apaga S. Paulo duma vez. S. Paulo também possui um ou outro engenho, como dois cochinchineses, porém, tudo isso em nossa fisionomia é que nem um corte leve de gilete, não caracteriza nada.

E de fato a imagem alva dum engenho substitui a ideia do mesmo, e estamos no Nordeste. Poeira. Toneladas de poeira clara, menos feroz por isso que a da rodovia de Itu.

O trem para mais uma feita. As paradas são numerosíssimas, toda a viagem. Gente que sai, gente que entra, uma gritaria! Nordestino, em geral, não só fala cantando, como dá concerto. Estudo as conversas, sem interesse, com paciência, porque elas não falam nada. Pau d'Alho surge revertida à Colônia por causa das muitas igrejas. Na rua principal avança lento um boi puxando um carro de água. A ideia da seca encena a minha impressão, a princípio vendo tudo seco. De-fato há muita pouca presença de água, as vistas passam desprovidas de gado, só canaviais amarelentos e, nem bem Timbaúba passa, algodoais, algodoais sem imponência. Se por aqui a seca não é forte, ela existe porém... Depois de Pilar, junto duma aguinha no fundo, descubro afinal uma ponta de gado. Minha alegria foi tamanha! Mas falta gado mesmo por aqui... Que poeira! Os passageiros, é raro nordestino sossegado, se movem, quase todos bancando fantasmas, com enormes guarda-pós, justificáveis e coloniais, com perdão do exagero.

Estamos pra chegar na baldeação do Entroncamento. Bordeja-se, e me alarma, a carcaça dum rio, em cujos ossos no fundo, junto ao gole de água os verdinhos, cavalos, uma vaca se assanham feito urubu.

Me esqueci de contar que já estamos na Paraíba. O xique-xique frequenta abundantemente a janelinha do vagão e aumenta a impressão de seca, arrogante, brigando com ele. E os marmeleiros. Morros e morros eriçados de arvinhas desfolhadas, desgalhadas, só ramos, ramos fininhos espetados, duma cor branca cinzada, quase branca... Caatinga!... Um dos maiores prazeres da fadiga rodoviária é mesmo esse estado associativo em que a gente fica.

A estrada piora sensivelmente por causa da fadiga. Este trem de ferro é insuportável! Se tem azias de polvadeira. O habitante, é certo que na Paraíba ficou mais feioso. Os homens, é extraordinário, desde madrugada, todos sentados, encostados no galpão das casinholas de taipa: os homens agora são mais magros, sem aqueles muques bronzeados do pernambucano...

Agora estou em Guarabira, depois do banho, jantado, esperando Richard Dix, às vinte e 30 no *Caixeiro Viajante*.

Great Western, 14 de dezembro — A dormida em Guarabira traz o coração nas mãos. Às quatro horas inaugura a vida um canto passando. O trem torna a partir no horário e acorda a polvadeira do Universo. Franqueza: neste passo de estrada o pó é uma coisa realmente deslumbrante. Um passageiro se queixa alto pro empregado. E esse:

— Ah... e quando chegar mais pra diante então, danou-se! Eu até já tenho uma olaria por dentro, é tijolo, telha, jarro!... se poeira se exportasse, Nordeste não tinha crise não! era S. Paulo!

Aliás o pitoresco, o bem-falante da conversa do nordestino geral, é extraordinário. Sem esforço, falam quase como os índios de José de Alencar. Com mais realismo, está claro. Gostam de apalpar o assunto em imagens quotidianas dum inesperado de susto, é admirável.

Itamataí... Duas Estradas... A frequência de urubu exagera a seca, afinal das contas não muito grande por aqui. Vacas isoladas, bezerros, até cabras, presas por uma cordinha nalgum toco do chão... Pra não partirem por esse mundo campeando água. Uma associação me comove, lembrando aquele boi mansinho duma estrofe de "coco"...

"Por trás da serra,
        ôh mana,
Tem um boi morto,
        ôh mana,
Quando era vivo
        ôh mana,
Comia sorto
        ôh mana!..."

Perto de Caiçara o terreno se torna pedrento, grandes pedras. No meio delas o xique-xique brota gozado, homogêneo, artístico e nordestinamente acaçapado. Bromélias cor de morango e uma ramaria branquiçada, não sei se marmeleiro ou jurema, branquiçada, desfolhada, escorraçando o verde ilhado cada vez mais raro na paisagem infiel.

Pouco a pouco se tornou bem mais frequente a presença do gado. Já estou no Rio Grande do Norte, pertencente ao meu amigo Luís da Câmara Cascudo, e o prazer vai enfeitando o presepe. Bois acaracuzados, bonitos e reconhecíveis como letra de amigo. Também o habitante se embonita de novo, mais cor da terra. Os pançudinhos nus, espiando o trem de ferro. Na latada das casas minúsculas as mulheres sempre de vermelho, florescem artificialmente.

Ali pelas 10 horas a vista reverdece com facilidade. Um ventão bate na gente, saído das moitas, mãos úmidas. O horizonte, que Pernambuco passado, se afastou do trem, toma um ar de reta, que, ajuntado às primeiras conversas sobre sal, nos aproximam do mar.

Junto de Goianinha os engenhos reaparecem. Por detrás da usina estão encordoando a bagaceira. Ar viril de vida por tudo. Só algum guia de cargueiro quando senão quando passa no passo da égua, encarapitado quase na anca do animal e me amulenga a sensação. Em Papari almoço cajus e cocos verdes. O horizonte de-repente encurta bem pra direita e cai da banda de lá. Na barra dele o matinho ralo, certas feitas desaparece numa careca de duna. São as praias, e o mar de punga, ou lê-lê-lê, é o verde mar de navegar!... E por hora e meia assim, ventada, despoeirada, o trem de ferro que vem de Pernambuco, vai fazendo "vuco, vuco" e entra em Natal. Pontualmente. Quatorze horas.

Natal, 15 de dezembro, 22 horas — Me deito depois desse primeiro dia de Natal. Estou que nem posso dormir de felicidade. Me estiro na cama e o vento vem, bate em mim cantando feito coqueiro. Por aqui chamam de "coqueiro" o cantador de "cocos". Não se trata de vegetal, não, se trata do homem mais cantador deste mundo: nordestino.

O vento de Natal é mano dele. Moro no bairro alto do Tirol, ruas largas, abertas... A erudição me lembra as praças da primeira Florença renascente, destinadas aos "cantastorie", onde eles dedilhavam o alaúde, a trompa marinha cantando sem mais fim. Aqui também. O vento canta, os passarinhos, a gente do povo passando. O homem que leva e traz as vacas daqui de perto, não trabalha sem aboiar... Aqui em casa também. Todos cantamos, cocos, embolados, sambas, dobrados, modinhas... A famanada "Praieira"... "A palmilhar estradas longas, de longe veio pra te ver", Natal...

No meu Ensaio sobre Música Brasileira botei "A palmilhar longas estradas"... Porém *O trovador potiguar*, cuja existência só descubro agora, me corrige pra mais brasileiro a colocação do qualificativos. É: "estradas longas". Aliás já reparei que o meu livro, na parte segunda, está com um bom número de informações inexatas. Uma delas, importa diretamente à Música, me desgostou bem. A moda gaúcha "Prenda minha", está completamente errada como ritmo, me afirmou alguém que a conhecia... grafei certo, como escutei, porém, a pessoa

"Great Western — R. G. do Norte — 14-XII-28.
Pessoal do trem numa parada onde tem água, se atira para beber."
(Foto e legenda M. de A.)

que a cantou pra mim, é que deformava o ritmo. Erro mesmo de importância grande só descobri esse e Deus queira que não tenha mais nenhum.

Já afirmei que não sou folclorista. O folclore hoje é uma ciência, dizem... Me interesso pela ciência, porém não tenho capacidade pra ser cientista. Minha intenção é fornecer documentação pra músico e não, passar vinte anos escrevendo três volumes sobre a expressão fisionômica do lagarto...

Porém me sinto desgostoso... É triste a gente viver ao léu das informações, praceando da sua rua calçada, bonde lapa, escrevendo, trabalhando, querendo ser útil, dando por paus e por pedras e a vaidade. Nem posso neste momento realizar a sensação completa deste Natal gostoso que amo como a minha mão direita...

Natal, 16 de dezembro — Natal era o destino do meu descanso e estou descansando. Gosto de Natal demais. Com os seus 35 mil habitantes, é um encanto de cidadinha clara, moderna, cheia de ruas conhecidas encostadas na sombra de árvores formidáveis. De todas estas capitais do norte é a mais democraticamente capital, honesta, sem curiosidade excepcional nenhuma, Não possui um mercado que nem o Ver-o-peso de Belém, uma praia da Boa Vista como a do Recife, coisas extraordinárias. Não transportam a gente pra Colônia que nem as vielas, os becos, as igrejas de Recife, Igaraçu, S. Salvador... Todas essas coisas são encantos, não tem dúvida, porém encantos um bocado egoísticos. Coisa pra viajante visitar e gostar, originalidades que tornam essas cidades exóticas até mesmo pra brasileiro.

Natal não é assim não. O pitoresco dela é um encanto honesto, uma delícia familiar pra nós, um ar de chacra que a torna tão brasileiramente humana e quotidiana como nenhuma outra capital brasileira, das que conheço. Esse é o encanto psicológico de Natal. É capital, se sente que é capital o que firma bem a sensação de conforto praciano, tudo à mão, e ao mesmo tempo tem ar de chacra, um descanso frutecente, bolido de ventos incansáveis.

É bem construída. O Potenji de proporções largas, fluvialmente, verde sexuado, sem gigantismo nenhum, verde profundo, é duma boniteza crespa e tão mansa que a gente não percebe logo a simpatia incomparável dele. É, pra explicar bem: uma boniteza que a gente descobre... depois. Na beira dele nascem armazéns e casas humildes, sem aquela presença forte de tristura dos mocambos recifenses. Casinhas de proletários pobres, não tirando a gente do bem-estar. É possível se viver nelas.

Os vapores entram na boca do rio, depois de mostrar na esquerda o forte dos Reis Magos, marca chata de passado que o embocadouro apaga logo. Natal conservou isso das cidadinhas de beira-mar, Areia Branca, Cabedelo etc.: mal a barca traz a gente de bordo pra escadinha do cais, sobe-se a escadinha e se está em plena "city". O centro é ali, Hotel Internacional, restaurantes, barbearias, redações, bancos, casas de comércio, telégrafo. É tudo ali mesmo, na rua que a escadinha abriu no meio do arvoredo, com todos os bondes e ônibus da cidade passando.

É bom não andar muito a pé, logo principiam ladeiras preguiçosas, mansas e compridas, as ruas se alargam, avenidas magníficas cheias de ar, nenhuma nota de novo-rico. As casas têm aquela humanidade feliz de certos bairros burgueses de S. Paulo, não chamam a atenção. Os largos são cheios de folhagem. A praça Padre João Maria, com o busto do bom no centro, é uma ventura de quase pátio, um dos melhores encantos de Natal. Noutra praça vasta senta a Escola Doméstica, orgulho do ensino profissional norte-rio-grandense. Vem o Palácio do Governo, familiar, aberto, casa excelente. A Prefeitura, um bocado pretenciosa se enfeita acolá. Os espaços vão se tornando cada vez mais largos. No bairro alto de Petrópolis a avenida Atlântica se acaba no dó de peito dum belveder e mostra lá embaixo, Areia Preta, uma das praias mais encantadoras que conheço. E, se o rumo foi outro, chegamos ao Tirol, altura onde moro hospedado pela ventania. Eh! ventos, ventos de Natal, me atravessando como se eu fosse um véu. Sou véu. Não atravanco a paisagem, não tenho obrigação de ver coisas exóticas... Estou vivendo a vida de meu país...

Natal, 17 de dezembro, 21 horas — Eis um caso brasileiro sucedido com norte-rio-grandense.

No município de Penha, suponhamos que Antônio de Oliveira Bretas era senhor de engenho, homem já de seus trinta e cinco anos, casado com dona Clotildes, homem atarracado, falando alto. Dona Clotildes chamava ele "seu Antônio". A mana dela também morava na fazenda que não era grande não, produção curta mas de aguardente famosa no bairro.

Na véspera de Ano-Bom, dançavam um Pastoril muito preparado na vila da Boa Vista, ficada a umas três léguas do engenho e dona Clotildes quis ver. Estava no quarto costurando um laço de vestido, chamou a negrinha:

— Vá dizer pro seu Antônio que eu quero que ele me leve na Boa Vista, ver o Pastoril.

A negrinha foi.

— Fale pra dona Clotildes que não quero ir na Boa Vista hoje.

A negrinha foi e voltou falando que dona Clotildes mandava dizer que queria mesmo ir ver o Pastoril. O senhor de engenho embrabeceu.

— Pois se ela quiser ir que vá sozinha! Não levo ninguém não!

Dona Clotildes teve raiva.

— Clotildes! ôh Clotildes!...

Que Clotildes nada! O vestido caseiro estava atirado na cama. O sapato caseiro junto da cama. Dona Clotildes tinha partido com a mana.

Dia 3 de janeiro, um vizinho portou no engenho, chamou Antônio de Oliveira Bretas e deu o recado.

Dona Clotildes mandava pedir pra ele ir buscá-la, passado Reis.

— Foi sozinha! Pois que venha sozinha! Não vou buscar ninguém não!

E não foi mesmo. Dona Clotildes de certo achou desaforo aquilo e ficou esperando na vila. E um mês passou.

E agora? O senhor de engenho careceu de ir na vila por amor duns negócios. Ir lá?... Parecia por causa da mulher... Mandou um amigo. Dona Clotildes soube, se moeu de raiva, agora é que não voltava sem seu Antônio ir buscá-la!

Dois meses passaram, três... Passou um ano, passaram dois anos, rapazes!... No engenho, seu Antônio vivia sozinho, não mostrava tristeza, mandava limpar o quarto de casados, sem que mudassem nada do lugar. O sapato direito, um pouco mais pra lá, com a ponta beijando a mancha do assoalho. O vestido caseiro de dona Clotildes dormia de atravessado na cama os dias inativos daqueles anos. Quantos passaram? Parece incrível mas é absolutamente verdadeiro: passaram nove anos.

Numa noite de Luna dona Clotildes voltou. Era ali pelas 20 horas, Antônio de Oliveira Bretas fumava na sala de entrada, conversando com um amigo, portado no engenho pra comprar aguardente. Esse chegou na porta da casa, de-repente se calou, aprumou a vista:

— Compadre!

— Que foi?

— Homem, parece que é dona Clotildes que vem lá na estrada!...

— Hum.

Era dona Clotildes com a mana dela. Apeou do cavalo e chegou na porta.

— Dá licença, seu Antônio!...

— A senhora não carece de pedir licença nesta casa.

Não houve uma explicação, uma recriminação, nada. Dona Clotildes entrou meia ressabiada. Foi até o quarto. O vestido caseiro dela, aquele, meu Deus! fazia nove anos, estava até jogado com raiva de atravessado na cama. Os sapatos, mesma coisa, no chão, sem alinhamento. Quarto o mesmo. Ar, o mesmo. E nove anos passados.

Dona Clotildes trocou de roupa, era momento de comer, mandou agora a moça-feita da negrinha botar tudo na mesa. Ceiaram. Trocaram as palavras quotidianas, quer isto? Quer aquilo? Quero, não quero não, dormiram, se levantaram etc.

Natal, 18 de dezembro, 21 horas — Rocas é um bairro antigo da cidade. Quando a gente desemboca no lugar chamado Coqueiros a iluminação acaba, o pé assustado principia andando vagaroso na areia mole e um farrancho de coqueiros na esquerda assombra a claridade ambiente produzida por todas as estrelinhas do universo...

Se estivéssemos em 1906 por exemplo, passar por ali é que não passávamos. Por debaixo desses coqueiros havia naquele tempo um dilúvio de casinhas de palha, valhacouto dos facinorosos de Natal. Quem se aventurava por ali, 19 horas passadas, saindo vivo, saía pelo menos sem uma orelha, ficada nas mãos de Dois de Paus, de Cancão de Fogo e outros salteadores pracianos que a tradição exasperou no medo. Coqueiros era, em plena cidade de Natal, uma espécie de ninho de cangaceiro que nem os socavões de Riacho do Navio, faz pouco, em Pernambuco.

Mas agora a gente caminha descansado por ali, na direção do Areal. Alguém cruzando com a gente, é indivíduo humilde, bem manso, dos nossos. Saúda sempre:

— Boa...

A gente secunda:

— Boa noite.

Pouco adiante a areia empina numa duna secular, já fixa. É o Areal chamado, um morro cheio de casas proletárias alinhadas numa rua bem larga rodamoinhando no vento. Por ali moram embarcadiços, catraieiros, operários das docas. Duma ou doutra casa o candieiro vem na porta ver a gente passar. A rua está viva. Sons de pandeiro, pessoal se chamando, um tambor mais pra longe e na porta da venda um ajuntamento.

Vão ensaiar a Chegança pra Natal. Gente boa. Se entusiasmam com a nossa curiosidade. — "Ninguém mais não entra não! só os moços!" Vão buscar cadeiras pra nós e na saleta cimentada que o candieiro ventado alumeia de sombras, cantam, dançam, representam duas horas, sem parada.

E fico maravilhado. Está claro que não se trata duma obra de arte perfeita como técnica, porém desde muito já que percebi o ridículo e a vacuidade da perfeição. Postas em foco inda mais, pela monotonia e vulgaridade do conjunto, surgem coisas dum valor sublime que me comovem até à exaltação.

Todas essas danças dramáticas inda permanecidas tão vivas na parte Norte e Nordeste do país, andam muito misturadas, umas trazem elementos de outras, influências novas penetram nelas; junto duma lição camoniana brota um brasileirismo danado, contando fatos de agora, tão impossíveis que a Turquia chega a conhecer a força do "braço brasileiro" na presença do imperador Guilherme II. Essa Chegança afinal descreve os fatos quotidianos da *Nau Fragata*, navio de guerra. O episódio principal é ainda a luta da maruja cristã dela com os turcos. Isso entremeiado de episódios diários, baldeação de bordo, uma revolta, contrabando de dois guardas-marinhas, trabalhos do médico e do capelão. A luta entre cristãos e mouros é simplesmente prodigiosa. Dança dura. Os dois dançarinos da nossa frente são formidáveis como ritmo, as espadas se chocam de com força, até quando as meninotas é que combatem; o rei mouro, uma figura de opereta formidavelmente cômica, vai minando a fraqueza gradativa com expressão forte. E a dança violenta segue mais de 30 minutos, saltada, cantada aos berros, numa resistência de nordestino, sem que ninguém não arreie. E a Chegança inda continua depois quase uma hora! Alguns dos cantos são lindos. Surgem quadras tão puras, dum sentimento ingênuo digno de alemão... Meu prazer está compacto como o vento... Os paulistas não conhecem nada disso. *Vado a pranzare con Ruth... Wie get's ihnen... Merci...*

Natal, 19 de dezembro, 19 horas — Jorge Fernandes apeia do auto e fica entre nós. Abraço-o. Jorge Fernandes ri meio desapontado. É simples que nem a seca. A princípio parece árido, monótono, mas que nem a seca mesmo, vai pouco a pouco mostrando aspectos interessantes, conta casos, curiosidades desta zona tão cheia de coisas maravilhosas.

Jorge Fernandes já é homem feito e vivido. Fala grave, ri discreto com uma experiência contadeira do Nordeste. Viveu tudo isto por aqui e viveu de verdade, ficou tudo impresso na carne dele que é memória mais viva e menos literária.

O admirável *Livro de poemas* que publicou no ano passado é isto: uma memória guardada nos músculos, nos nervos, no estômago, nos olhos, das coisas que viveu. O livro pode ser um bocado irregular pelos tiques de poética antiga inda sobrados nele, porém possui coisas esplêndidas, das mais nítidas, das mais humanamente brasileiras da poesia contemporânea. São os poemas, como falei, em que a memória do corpo abandonou a memória literalista da inteligência. Então Jorge Fernandes apresenta coisas puras, fortes, apenas a vida essencial, coincidindo com o lirismo popular que nem neste:

MANUEL SIMPLÍCIO

> *"Manuel Simplício é como todos:*
> *Brando no olhar e no sorrir...*
> *No trote do alazão tardio e manso...*
> *Olhar miúdo investigando as serras...*
> *Gestos lentos indicando tudo...*
> *Voz pausada retumbante... forte...*
> *Mão pesada de sincero aperto...*
> *Manuel Simplício é como todos eles:*
> *Alma de imburana: — pau de abelha...*
> *Fúria de joazeiro: — pau de espinho..."*

Mesmo sob o ponto de vista técnico um poeminho desses é comovente. Se percebe pela naturalidade da concepção e da dicção a ausência da literatice. Se tem a impressão do nascimento da Poesia. As fórmulas técnicas surgem, aqui fatais e necessárias, que nem nos dois versos finais — fórmulas de que depois os poetas literários haviam de abusar.

Quando Jorge Fernandes está livre assim, a Poesia nasce pra ele. E com uma força vivida, com a esquematização essencial da memória física. É excelente.

Ultimamente no alto sertão do Rio Grande do Norte, e muito no Ceará também, a emigração pra S. Paulo está grassando. Centenas de homens, do dia pra noite resolvem partir. Partem, sem se despedir, sem contar pra ninguém, partem buscando o eldorado falso que nenhum deles sabe o que é... Vão-se embora, rumando pra sul... Isso Jorge Fernandes está vivendo agora. E isso flor resce em poemas de dor, que nem esta marchada.

CANÇÃO DA SECA

"Entrou janeiro e o verão danoso
Sempre aflitivo pelo sertão...
As cacimbas secas nem merejavam...
E o moço triste disperançado
Fez uma trouxa de seus trens...
De madrugada — sem despedida —
Foi pra cidade...
"Foi pra S. Paulo... pras bandas do sul...

"E a moça dele
Se amurrinhou
Ficou biqueira
Virou espeto
— Ela que era um mulherão...

"Até que um dia já derrubada
De madrugada
"Foi pra S. Paulo... foi pra um S. Paulo
[que ninguém sabe não..."

Jorge Fernandes realiza coisas dessa força — e... "ninguém sabe não"...
O livro dele foi pouco lido... Quase nenhum crítico não falou nele. Então Jorge Fernandes se ri meio desapontado, me abraça, desce pra *city*, vai lidar com as cifras verdadeiras duma fábrica de cigarros.

Natal, 20 de dezembro, 22 horas — Desde que os meus amigos nordestinos aí em S. Paulo cantaram "cocos" pra eu escutar, faziam tanta letra com a entoação! fiquei ansiando por ouvir um "coqueiro" de verdade. Agora o coqueiro José canta pra mim.
Esse outro José "homem do povo" que entra nessas sensações, é nordestino puro. Baixote, cabeça achatada, ele todinho tão achatado que tem todas as linhas do cor-

po, horizontais. As caatingas são tão planas, e no geral tão planas as terras de cá que, parece fenômeno de mimetismo, as linhas físicas do ser humano se organizam por aqui todas no sentido do horizontal...

José também. De primeiro ficou meio encabulado, acabou dizendo que ia até na casa dele perto, já vinha. Foi mas é buscar um companheiro. E está tirando cocos.

Que voz!... Não é boa não, é ruim. Mas é curiosíssima e a do companheiro dele é inda mais. Em que tonalidade estão cantando? Às vezes é absolutamente impossível a gente saber. Um dos fenômenos mais interrogativos da humanidade é justamente a fixação dos sons da escala cromática. A humanidade toda fixou 12 sons principais e que são sempre os mesmos no mundo inteiro. Entre o dó e o dó sustenido podem existir centenas de sons diferentes. O curioso é que chins, gregos e troianos, todas as nacionalidades empreguem o mesmo número de vibrações e possuam o mesmo dó e o mesmo dó sustenido.

Ora, está me parecendo que os coqueiros nordestinos usam também entoar com número de vibrações que afastam o som emitido dos 12 sons da escala geral. O quarto de tom de que a música erudita não se utilizou na civilização europeia, esse, estou mesmo convencido que os nordestinos dão. Já topei com ele três feitas nesta viagem, entoado pela preta Maria Joana, cantadeira famanada de Olinda, e por um catimbozeiro natalense. Mas pra decidir mesmo, no caso de que trato, carecia de aparelhos especiais que não tenho aqui.

Não é cantar desafinado não. Cantam positivamente "fora de tom" e esse fora de tom está sistematizado neles e é de todos. Se fixo uma tonalidade aproximada no piano e incito os meus dois coqueiros, cantando com eles, se... amansam, caem no ré bemol maior, por exemplo. Se paro de cantar, voltam gradativamente pro "fora de tom" que estavam antes. E é um encanto.

José tira o *Redondo, Sinhá*. Dentro da monotonia dos mesmos motivos melódicos, que variedade! Fico pasmo.

> "— *Ai, redondo, sinhá!...*
> — *Êta lá, minha minina.*
> *Só fala quando eu mandá!*
> *Quero que você mi diga:*
> — *Ai, redondo, sinhá!...*"

A voz dele, cortada, pelo refrão coral do outro cantador, "Ai, redondo, sinhá!": a voz do coqueiro vai subindo, vai subindo entre tiradas rítmicas batidas, às vezes uma letra deliciosa, vem pra baixo, se torna grave, sobe, desce...

> "— *Ai, redondo, sinhá! ...*
> — *Oh pueta novo,*

Dêxa dessa suberbia!
Cruzêra! Santa Maria!
Mãe de Deus do Paraná!
— Ai, redondo, sinhá! ..."

Natal, 21 de dezembro, 16 horas — Como, ou se quiserem, chupo cajus. Devoro dunas e dunas de cajus. Outras feitas são taboleiros que venço, taboleiros de talhadas de abacaxis, vindos do município de Penha, e tão sublimes como os pernambucanos.

As mangas não achei melhores que as paulistas não. A única diferença é que são mais uniformes na gostosura, sempre boas e maduram não enfeiando. Principalmente as mangas-rosas, a fruta mais bonita deste mundo. Depois de comer duas pela manhã, um pedaço de queijo manteiga assado e a xícara de café mais uma fatia de pão embebido em leite de coco, o dia começa tão satisfeito que nem um pitiguari cantando. É a hora em que esqueço as saudades do sul, vindas com o vagar da noite. Depois, está claro: é o dia, tempo não dá pra que o sul da minha personalidade se impregne de tristura. Desaparece. Isto é, desaparece não: fica na frente do viajante, trampolim pros saltos e fraturas da surpresa.

Mas agora de-tardinha o caju se prefere por si mesmo. Não só de-tarde aliás... Até a hora clássica do caju é no banho do rio onde a nódoa não é possível, Porém o que me parece imprescindível mesmo é o golpe de caninha para rebater. Rebate e diviniza o... passado caju, classificando-o, dando, me desculpem, uma concepção marxista da história do caju. Porque a alimentação caju é conceitualmente um processo de Economia. Fisicamente é um comércio, oferta e procura, compra, venda. O caju é doce, é alimentício, medicinal e possui o gosto caju, coisa indescritível e unicamente compreendida por quem conhece o caju de vias de fato. E é justamente na sensação de vias de fato do caju que está a conceitualidade marxista dele. Abacaxi, manga, abricó, pinha, maracujá, sapota, grumixama etc., no geral todas as frutas são muito dadas. Se entregam por demais. Caju não: o prazer singular dele está na espécie de interfagia, me desculpem, de entrecomilança, específico do gosto dele. Ele morde a boca da gente, vai nos devorando por dentro, diminui a suficiência individualista do ser. Se dá uma verdadeira troca de posses pessoais. O caju é bom, não tem dúvida, mas a bondade dele, porém, não é caridosa não: exige pelo que oferece não apenas um "muito obrigado" não, é a caridade comercial: compre o chapéu e pague. E até a inhapa, a gorjeta, a gente é que dá pro caju: nódoa de caju.

E ainda, insistindo na conceitualidade marxista do caju, está claro que as tendências do meu tempo me levam a desimportar-me cada vez mais com a inutilidade individual. Mesmo depois de comprado o chapéu, franqueza: a consciência da posse dele a meu ver não passa duma autossugestão. Destruí-lo, por exemplo, seria um ato setecentista, monárquico e até republicano, isto é, inaceitável. Do mesmo jeito me parece medonho matutar que alguém seja capaz de chupar um caju, imaginando que está recebendo sem pagar. Isso era uma espécie de autoantropofagia que repugna à minha sensibilidade, exacerbada e fortalecida pelos feitos gloriosos do nosso tempo.

Pois o golpe de aguardente é o selo que sossega, evitando exigências futuras, as transações entre o caju e o ser humano.

Natal, 22 de dezembro — Agora vou fazendo algumas comunicações sobre a feitiçaria daqui. Esses meus dias estão vendo pouca novidade e tenho trabucado bastante, colhendo melodias, versos e manifestações de arte popular, outras assim eles passam. Vim pro Nordeste não foi só passear não. Vivo numa sala com meus homens.

A feitiçaria brasileira não é uniforme não. Até o nome das manifestações dela muda bem dum lugar pra outro. Do Rio de Janeiro pra Bahia impera a designação "macumba". As sessões são chamadas de macumbas e os feiticeiros e demais assistentes, às vezes, são os "macumbeiros". Os feiticeiros, "pais de terreiro" realizam as macumbas e invocam os santos etc.

Já no Norte as sessões são "pajelanças" e é frequentíssima a palavra "pajé" designando o pai de terreiro, assim como o santo invocado.

Se vê logo as zonas onde atuaram as influências dominantes dos africanos e ameríndios. Do Rio até a Bahia, negros; no Norte os ameríndios. Os deuses, os santos das macumbas são todos quase de proveniência africana. No Pará quase todos saídos da religiosidade ameríndia.

O Nordeste, de Pernambuco ao Rio Grande do Norte pelo menos, é a zona em que essas influências raciais misturam. Palavras, deuses, práticas se trançam. Em Pernambuco inda a influência negra é fortíssima. Aqui no Rio Grande do Norte quase nula.

A feitiçaria, o feitiço, o feiticeiro, as sessões, aceitam o designativo genérico de "catimbó". Também o chefe das sessões ou "mestre" é chamado de "catimbozeiro". Em Pernambuco os deuses africanos aparecem: Xangô, Oxóssi, Exu etc. Aqui no Rio Grande do Norte eram totalmente ignorados pelo menos por dois catimbozeiros que consultei. E ambos eram "mestres" sarados no assunto, absolutamente concordantes nas informações. A reminiscência africana na catimbozice desses era pobríssima, se resumindo ao culto de poucos feiticeiros negros já "desmaterializados". "Desmaterializar" está claro, é morrer. Cultuam, por exemplo, o mestre Pai Joaquim, negro velho "da Índia", que aparece nos catimbós sempre dançando. É um mestre muito alegre, feiticeiro danado, gostando de fazer o que não presta. Trabalha com uma agulha enfeitiçada nos olhos do morcego. Pai Joaquim é autor da famosa *Oração da Cabra Preta*, que meus dois catimbozeiros se recusaram absolutamente a me dar. Espero no tempo e no "boró" (dinheiro) que a conseguirei. Nos catimbós norte-rio-grandenses, dinheiro é sempre chamado de "boró", delicadeza que encobre religiosamente as ganâncias.

Outro santo, africano também, é Mestre Malunguinho, malévolo, porém, muito útil pros mestres de sessão pois quando desce gosta muito de beber. A bebida usual nos catimbós do Norte é o "cauim", porém, como não existe por aqui, é substituído pela aguardente. Malunguinho é tão cuera que chega a tomar mais de uma garrafa de aguardente. E então fica que fica feiticeiríssimo. Trabalha arrastando a cabeça no chão e só pratica o mal. Serviço dele outro espírito não desmancha não. Manda enterrar sapos-cururus na porta de quem a gente quer desgraçar e outras coisas temíveis. Espírito atrasado, vive nos mundos inferiores e no geral não é invocado.

Natal, 23 de dezembro — Quando a gente chega em Natal, vindo do mar, a atenção faz esquerda volver. Se penetra a boca do rio Potenji historiada pelo forte dos Reis Magos e logo à esquerda Natal se abana ao vento. Na direita a vista é monótona, mangues, a careca das dunas e um ajuntamento de coqueiros.

Oculta nessa monotonia, da banda do mar fica a Redinha, praia de verão, bairro em que ninguém sonha pela preguiça do pensamento atravessar o rio com este sol.

A Redinha é protegida por Nossa Senhora dos Navegantes que sai hoje em procissão no Potenji. São dezessete horas. O sol desobediente brinca com fogo nas janelas praieiras da cidade. E em Natal os cais são curtos, caudas de rua entre os quarteirões de beira-rio. Todos estão cheinhos de gente esperando a procissão passar. Nas bandas da Redinha as velas florescem batidas de sol, muito brancas. São os pescadores que querem acompanhar Nossa Senhora. Os navios ancorados no porto, dois estão embandeirados. Um hidroavião faz peraltices enquanto espera pra sacudir um bocado de flores sobre a mãe do Mar. É pouco olhado. Natalense não se amola mais com aeroplano. Ontem na representação do "Boi balemba" do bairro areiento do Alecrim, quando o mestre do "Bumba" mandou Berico buscar Mateus pra casar os Galantes e as Damas, o padre de mentira respondeu que não carecia de "aeroplano" pra ir no casório, era perto, ia a pé mesmo. Não causou sensação e a noite cai.

Na cinza do rio surge uma pirâmide de luzes, que assim na lonjura é uma grande luz só. É o andor da Senhora subindo o rio. Do lado e atrás do rebocador que o conduz vêm duas filas de lanchas. A escureza comeu as velas dos pescadores.

— Chapéu! péu!... péu!

Aqui inda obrigam a gente a tirar o chapéu à passagem de santo. O vento quando senão quando canta uns compassos de dobrado. Intermitentemente o rebocador apita com pigarro, trazendo sensações de perigo no mar. Os fogos de bengala abrem-se fecham-se baleando a noite caída. Um rojão estrala perto. Uma ou outra luz se agarra passando nas velas dos pescadores e um triângulo mortiço chapeia o negrume frouxo do ar. Só mesmo o andor da santa relumeia sem parada norteando as rezas e a visão.

Natal, Noite de Natal — A população se deslocou pras alturas do Tirol e da Solidão, bairros vizinhos. Os bondes, os autos, as "dondocas" (ônibus) vêm cheios. Gente de branco, gente de encarnado, de azul, moças bonitas, soldadinhos, no geral gente chata, de pele bronzeada, cabelo liso acastanhado, boas dentaduras se rindo, pouca mulataria.

A capela de Santa Teresinha inda não possui telhas e aproveitaram a noite de Jesus pra uma quermesse branda. As luzes iluminam pouco, no geral a iluminação da cidade é maleiteira, e entre claros e sombras a festa dá uma sensação rajada muito nacional, alegre e triste. Junto das barracas do América e do A.B.C., clubes de futebol, a rapaziada faz um sarceiro gostoso, cantando cocos...

" Ôh mulé, sai do sereno,
Que essa frieza faz mal..."

Quando senão quando a lua macota dribla as nuvens e vem maneira se confundir com os chapéus de palha passeando. Guardado da rua, no "sítio" (chacra) do coronel Cascudo, as meninas bailam no Pastoril. São umas deliciosas de canhatãs, desacompanhadas de piano e violino, com tanta graça, tanta desenvoltura no gesto que o futuro da pátria aqui está. A maior não terá 12 anos, porém, dançam com um ar de "frevo", num mexido sensual tão inconsciente como a fatalidade. Umas defendem o cordão encarnado. Outras o azul. No meio a Diana, caçadora sem nenhuma Grécia, celebra com gostosura o nascimento de Jesus, menina linda, graça esplêndida, estrelinha nos cabelos, pandeiro prateado na mão. Não tem dúvida que o espetáculo é um bocado *"bibliothèque rose"*, porém, agrada os meus passeios.

Me afasto um bocado e já estou na Solidão. Dou de cara com a Chegança dançando na porta dum... importante, de certo... O cordão está alinhadíssimo, a moraima de encarnado, os cristãos, vestidos de marujos numa brancura polida reluméando. Gente pobríssima que gastou o que tinha pra aparecer assim. O capitão "mar de guerra" é um embarcadiço já vivido, respeitável.

"Ninguém viu o que eu vi hoje
No peito de Mar-de-guerra:
Duas rolinhas cantando
Assim que avistaram a terra...

"Ninguém viu o que eu vi hoje
Num galho dum alecrim:
Duas rolinhas cantando:
Viva o Senhor do Bomfim!"

A dança é longa demais. Um esforço muscular que dura três, quatro horas. Me retiro tonto de comoção quando o coro conta que quem venceu definitivamente os mouros foi o Duque de Caxias. São 24 horas quase... Vozes de coco mais pra longe... Uma banda militar na quermesse, entremeia de quadrinhas o maxixe tocado. Canto, canto e mais canto... O que não posso explicar é ter sonhado que dirigia um automóvel essa noite. O sonho, que eu saiba, não abusa assim das antíteses.

Natal, 25 de dezembro, 11 horas — Degringolando das alturas de Petrópolis, numa baratinha azul, Cristóvam Dantas mais eu, viemos tomar banho em Areia Preta. É a melhor praia de banhos de Natal e deliciosa. Muito alva, arrepiada de arrecifes picotados, em que o mar se engancha pra fundear, completamente matinal. As casinhas são simples, bem humanas, sem aquele ar enxerido e almofadinha da Copacabana por exemplo. Paredes lisas, terraço com maqueiras, telhado de aba larga dragando o vento das areias.

Conversei muito com dona Branca e isso me deixa feliz. Dona Branca é paulista e creio mesmo que minha parenta longe, pois nasceu em Toledo Piza. É dona de prestígio na sociedade natalense e fala com essa nossa calma que os nordestinos, mais inquietos, acham que é cantiga.

Dona Branca honra bem São Paulo aqui, com o seu jeito raçado de mover-se e conversar. E, que nem eu, se esquece de que é paulista. Aliás, os brasileiros no geral, dão ao paulista uma personalidade tão definida que, apesar de injusta, nos glorifica inda mais porque faz dos paulistas a única gente bem característica, bem inconfundível do Brasil. Infelizmente não temos tamanha caracterização. Nosso orgulho, nossa independência e altivez, nosso sentimento organizado de pátria... estadual, nosso desprezo pelo alheio, dedicação ao trabalho, conceito fechado de família, secura de trato etc., etc., tudo isso é falso. Uma das experiências comicamente dolorosas de minha vida é perguntar a quem me fala no bairrismo orgulhoso dos paulistas:

"Pastoril (ensaio) — Natal — 24-XII-28.
(Foto e legenda M. de A.)

— E o senhor donde que é?
O indivíduo se enfuna todo pra dizer, por exemplo:
— Ah! eu sou sergipano!
Fico meio circuncisfláutico com esses bairrismos, palavra. Não compreendo nem os pernambucanos, nem os paulistas nem ninguém que seja assim. Aliás, não compreendo nem mesmo os patriotas, já se sabe disso. Tristão de Athayde outro dia falava que apesar de eu ter chegado a uma certa expressão de entidade nacional, tinha uma singular incompreensão política do Brasil. Acho que errou. Já tive compreensão política de pátria, mas a ultrapassei. Graças a Deus. Pátria pra mim é que nem as classes sociais: uma camisa de força que muitos vestem por... digamos que por prazer.

Gostei muito de conhecer dona Branca. Não me repõe em São Paulo apesar de tão paulista no jeito, na altura e na fala, porque não sei ter saudades do Sul. Eu aqui estou bem. Da mesma forma que se estivesse entre os gaúchos. E pouco falamos de São Paulo. Estamos conversando sobre o Amazonas e o sertão.

Natal, 26 de dezembro — Mostrei outro dia como eram perceptíveis, bem, as influências de religiosidade africana e ameríndia nas zonas diferentes da feitiçaria brasileira.

Era muito curioso estudar as maneiras com que a religião católica se misturou a essas manifestações. E eu não posso porque não sei bem do assunto. Principalmente a feitiçaria nortista, Pará, Amazonas, inda é muito ignorada.

A feitiçaria brasileira anda completamente impregnada de catolicismo pelo menos do Rio até aqui. Nas macumbas os santos católicos chegam a tomar nomes de deuses africanos. Já falei nisso, numa nota apensa ao canto de Xangô que dei no meu *Ensaio sobre a Música brasileira* (ed. Chiarato, S. Paulo). Xangô é o deus do trovão entre negros Iorubas e (não tenho minhas notas à mão) creio que é S. Jorge nas macumbas. No Rio de Janeiro, me informou Pixinguinha, Oxum, uma das três Mães-d'água, é Nossa Senhora da Conceição.

Aqui no Rio Grande do Norte essas identificações rebarbativas desaparecem. Nem os santos católicos, nem o próprio Diabo (Exu) aparecem sob outros nomes de mestres "desmaterializados". O catimbó não os invoca e apenas reconhece o poder deles. Isso se prova pelas orações que empregam. Eis por exemplo a famosa oração *Força do Credo*, uma das mais poderosas pra proteger a gente:

"Salvo saio, salvo entro; salvo Nosso Senhor no rio do Jordão; na barca de Noé me embarco; com as chaves do sacrário me fecho; com Jesuis Nazareno me benzo; com o Credo e a Cruz me cubro; as armas de S. Pedro trago a meu lado à mão direita; andarei de noite e de dia, os bões me virão e os maus não me virão. (Persignando-se:)

Com Deus Pai, com Deus Filho, com Deus Espírito Santo; Deus faiz, Deus pode e Deus quer: assim acabarei eu com tudo quando puder e quiser."
(Rezam-se agora 3 Padre-nossos, 3 Aves e 3 Glórias.)

Outro dia darei mais orações.

O engraçado aqui, a respeito da influência do catolicismo sobre o catimbó, é a frequência de mestres ameríndios católicos.

Assim por exemplo, o Rei Eron, um rei selvagem desmaterializado. É não só católico prático, mas doutrinador e proselitista contumaz. Muito curador, Rei Eron é especialista de feridas bravas e lepra. Ficou famosa uma cura feita aqui em Natal numa dona cuja perna direita era uma ferida purulenta medonha. Nenhum médico não dera alívio pra coitada. Rei Eron veio no corpo do mestre catimbozeiro, esse caiu no santo e principiou logo metendo o nariz no lugar onde a ferida principiava. E foi esfregando cara e cabelos de com força na bereva, quando parou nem se reconhecia e dava o maior nojo desse mundo. Rei Eron tinha ido-se embora e o nojento não se aguentou de repugnância, desmaiou. Lavaram a cabeça dele com pinga e afinal voltou, para nunca mais se esquecer do suplício. O fato é que a dona principiou melhorando, melhorando. Hoje está boa duma vez, para no bairro do Alecrim, perto daqui.

Natal, 27 de dezembro — Da Bahia pro Rio de Janeiro os espíritos invocados nas macumbas são deuses africanos muitas feitas identificáveis com os santos católicos. São mesmo chamados de santos e "cair no santo" significa que o Deus invocado chegou e entrou no corpo da pessoa que o invoca. Aqui no Rio Grande do Norte os catimbozeiros não falam nem em santos nem em deuses. Os espíritos invocados são "mestres", como mestres são também os chefes de catimbó, os "pais de terreiro" da Bahia.

Um dos mestres mais impressionantes dos catimbós nordestinos é Mestre Carlos que Ascenso Ferreira celebrou numa das mais bonitas poesias dele. Me afirmaram os meus catimbozeiros que a devoção a Mestre Carlos se estende de norte a sul, no Brasil. Deve de ser exagero de devotos... Os que estudaram as macumbas da Bahia e do Rio de Janeiro não falam nele não.

A história de Mestre Carlos é bonita. Desde muito cedo se mostrou um piá excepcional. Travesso como o Cão, andava no meio de mulheres perdidas e de mais gente muito livre. O pai dele, Inácio de Oliveira, era catimbozeiro, tinha desgosto do filho e não o queria iniciar na feitiçaria.

Porém Carlos "aprendeu sem se ensinar". Um dia que o pai saiu de casa, Carlos com 12 anos apenas, penetrou no "Estado" (sala onde se realizam as sessões), tirou os objetos imprescindíveis de invocação e saiu com eles. Foi num mato de juremeiras e iluminado por uma presciência maravilhosa, conseguiu abrir uma sessão sozinho e invocar um mestre. Logo "caiu no santo", quem sabe lá o que fez com o santo no corpo e no fim, como em geral sucede, quando o mestre invocado se "desmaterializou" outra vez, caiu desacordado.

O pai chegou em casa, Carlinhos nada de voltar. No dia seguinte a inquietação principiou. Andaram campeando o menino por toda a parte e no outro dia seguinte, Inácio de Oliveira desesperado, reuniu gente e fez uma sessão. Quando caiu em transe, que Mestre entrara no corpo dele? Nada menos que mestre Carlos, o mestre menino, tirando um canto novo, cuja melodia já possuo e cujo texto conta assim:

"Vinde, vinde, vinde, ôh flor da noite! reduzindo por todas as mesas! Rei, ôh rei, ôh rei Yaya! Mestre Carlos vem trabaiá! Meia hora de relógio! Licença queiram dar! Mestre Carlos é bom mestre que aprendeu sem se ensinar; três dias levou caído na raiz do juremá; quando ele se levantou, foi pronto pra trabaiá, trunfando na mesa escura; na rua mesa riá! ôh rei Nānā! ôh rei Nānā! ôh rei Nānā! ôh rei Nānā!"

Campearam o corpo dele e acharam logo o mortinho na raiz do juremal. É poderosíssimo, duma sinceridade brutal, descobre segredos, especialista em casamentos e protetor da mocidade.

Natal, 28 de dezembro, 24 horas — Hoje, última sexta-feira do ano, apesar do dia ser par, era muito propício pra coisas de feitiçaria. Por isso aproveitei pra "fechar o corpo" no catimbó de dona Plastina, lá no fundo dum bairro pobre, sem iluminação, sem bonde, branquejado pelo areão das dunas. Agora a cerimônia acabou, os dois "Mestres" materializados que celebraram a cerimônia o antipatiquinho Manuel de *pince-nez* e o mulato João cara de bom, devem de estar na praia do mar, se estiverem!... defumando os quatro pontos cardeais, fechando ao murmúrio rezado da *Força do Credo* as quatro covas benzidas com óleo, e atirando por fim sobre as ondas, a água que meus pés pisaram. Não tem mais malefício nem da terra nem das águas, nem de por baixo da terra nem dos ares que me venham atentar, estou de corpo fechado. Mestre Xaramundi desceu pela rama da jurema, limpador de "matéria" (corpo) e me alimpou. Mestre Felipe Camarão, heroico, Camarão "combatedor", "vingador", "sanguinador" e graças a Deus! "vencedor" e brasileiríssimo, me tomou sob a proteção dele. E a bonita Nanã-Giê, curandeira, que trabalha no fundo do mar me... voronofizou pra todas as gripes e mais doencinhas da garoa paulista. E Mestre Carlos, o "flor da noite", rei Iaiá e rei Nãnã, o "que aprendeu sem se ensinar", esse, com seus 12 anos desmaterializados, pernambucano filho de amazonense, esse, safadinho e brincador, único mestre de que é permitido rir nas sessões, Mestre Carlos é que protege pra todas as horas de todos os dias o brasileiro que vos escreve agora.

Não sei.... É impossível descrever tudo o que se passou nessa sessão disparatada, mescla de sinceridade e de charlatanismo, ridícula, dramática, cômica, religiosa, enervante, repugnante, comovente, tudo misturado. E poética. Sou obrigado a confessar que agora, passados os ridículos a que me sujeitei por mera curiosidade, estou tomado de lirismo, vou me deitar matutando com Nanã-Giê, marvada! ficou um momentinho só na minha frente e foi-se embora, sarará, corada, boca de amor, corpo de bronze novo... Foi-se embora bem depressa talqualmente uma mulher.

O espetáculo foi mais ou menos assim: o zungu de dona Plastina é uma casinhola de porta e janela, telha-vã, chão tijolado. Limpa. A cerimônia, cuja bulha à chegada dos espíritos ninguém não pode prever, foi no fundo da casa, bem protegida da polícia. Aliás, tenho mesmo que prevenir os leitores pra não fazerem juízo falso de Natal. Meu encontro com os dois catimbozeiros que me proporcionaram os informes e a cerimônia descrita aqui, foi um acaso. Natal não é mais catimbozeira que as outras cidades desse mundo.

Quando pois os dois mestres "materiais" João e Manuel me fizeram entrar no "Estado", a escureza era quase completa. Me sentaram numa cadeira junto duma mesa encostada num canto. Acendidas as duas velinhas, comecei distinguindo as coisas. Mestre João sentado à minha direita, Mestre Manuel à esquerda. Sobre a toalha branca, entre as velas, estava a Princesa, ara do rito, um simples prato fundo de pó de pedra. Espalhadas as "marcas" (cachimbos, maracá pequenote de madeira, óleo, água-benta e cauim). E meias horrorizadas já, nas sombras do outro lado da sala, três mulheres. Mestre João, sem paletó, mangas de camisa arregaçadas pra matéria dos braços estarem puras, iniciou o cerimonial. Foi o momento mais difícil pra mim. A mistura de santos católicos chamados pra abençoar os trabalhos, São José, São Benedito, a invocação constante de Deus na pessoa de Jesuis, Santa Luzia (e mestre João fazia cruzes sobre os olhos com o maracá) invocada pra dar "evidência"... A bênção e purificação da Princesa e das outras "marcas", tudo com um ar malandro de mistificação, repugnou por demais à minha consciência convictamente católica. A cada invocação, a cada reza seguia sempre um gesto cabalístico com o maracá e o refrão surdo gritado com ritmo pelos dois mestres: A'iiii! Trunfei! Trunfá!... Trunfa riá!...

Isso começou me divertindo, o ritmo era gostoso, e, defumação principiada, me tomou uma prodigiosa vontade de rir. Os dois mestres enchiam os cachimbos de fumo, é proibido fósforo, acendiam nas velas uns morrões de papel torcido, acendiam o fumo, bem, e cachimbando às avessas, sopravam fumo pelo bocal, ritualmente, de cima pra baixo. E a defumação continuou durante toda a cerimônia, tudo era defumado, até meus pés e minhas mãos, assim.

Mestre João dava mostras maleducadas duma fadiga enorme. Cochilava, bocejava, puxava mal os cantos que o outro mestre duetava com voz bem regular, alguns bonitos mesmo. Afinal inclinou a cabeça numa das mãos, ficou rezando baixinho, sentado sempre, encostado na parede. Percebi por detrás que as mulheres, sabidas, murmuravam afobado não sei o quê. Mestre Manuel, também afobado, defumou o outro e principiou invocando Manicoré que é o "Mestre dos mestres, o grande pajé". Não lhes digo nada! mestre João de sopetão deu um silvo, fiii!... estremeceu duro, reto, cara inteiramente mudada, um guariba legítimo. Levei um susto!

— Deus vos salve, Mestre!

João, epilético, uma coisa perfeita, nunca vi! duro, tremendo, com as mãos engruvinhadas rente do peito... Não respondeu.

— Deus vos salve, Mestre! Deus vos salve!

— D-eum vuss sssellv...

Custoso de entender. Outra cor de voz completamente distinta da do João verdadeiro.

— Quem sois, Mestre? Sois o grande Manicoré.

— A-gi-ssscé...

Era Agicé, irmão do grande pajé amazônico. Esteve ali uns cinco minutos, respondia tudo errado, não quis abrir a sessão fiquei com uma bruta raiva dele.

De-repente não secundou mais a nenhuma pergunta. João oscilava, oscilava, perdeu o equilíbrio. Foi bater com a cabeça mas com toda a força na parede, pân! Agicé tinha ido-se embora.

Foi então que depois de mais invocações veio Xaramundi e entoou o canto dele, uma das melodias bonitas que hei-de logo revelar. Xaramundi foi bom pra mim, consentiu em abrir a sessão e iniciar o meu fechamento de corpo. Foi o momento mais penoso da cerimônia, Xaramundi é "limpador" (purificador) de matéria, como falei. Não conseguiu descobrir que eu estava ali por simples curiosidade, porém, depois de ter pingado cera quente nas minhas mãos, agora ele de pé, levantado pelo Manuel e pela "mãe de terreiro" dona Plastina, voltou a cheirar a ponta dos meus dedos. Percebeu que a minha "matéria", *hélas!* estava suja e principiou a purificação dela. Como mostrei na cena da macumba do *Macunaíma*, felizmente todos os sacrifícios impostos pelo santo que chega, são executados... sobre o próprio corpo que o santo entrou. Xaramundi foi estendendo o braço direito hirto e se deu a si mesmo no pobre do João uma bofetada formidável. Fiquei horrorizado. E que matéria impura a minha, puxa! as bofetadas continuaram com a mesma força sempre. Na terceira, a face mulata do João estava escarlate completamente. Foi uma coisa temível, não imaginam. Manuel contava as bofetadas, 21 contadas, implacáveis, a última tão forte como a primeira, sem mistificação, eu revoltado, depois condoído, perdendo a compostura de neófito, ali pertíssimo examinando a minha matéria se limpar. Limpou nada! Xaramundi fez a cruz de óleo nas minhas mãos, testa e cangote, se desgostou, foi-se embora. Nós distraídos, João sempre duro, que nem pau, pof! bateu com a cabeça na parede longe, escorregou por essa, pan! bateu no canto e rolou pelo chão. Dona Plastina me acalmava:

— Não s'encomode, doutô! é assim mesmo!

Era assim mesmo. Os tombos continuaram e os sacrifícios. Os mestres vinham e iam-se embora, não querendo fechar o meu corpo impuríssimo. Acredito que o João era sincero. Manuel não, um farsante de marca maior, charlatão cabotino pararaca — os Mestres que entraram no corpo dele foram mal representados, procuravam jeito pra cair depois que o primeiro vindo, Felipe Camarão que me honrou, elogiou e prometeu proteger, creio se machucou rolando sobre uns paus pra fogo empilhados. Desd'aí Manuel caiu com mais cuidado.

Teve muito espírito a chegada de Godique, o famanado "negro indiano" no corpo do João. "Acostou-se" (entrou no Corpo), e foi logo tomando a posição habitual dele. João fez uma curva no ar, poc! bateu com a cabeça no chão de com força. Se apoiou nela, fez tripé com as duas mãos e levantou os pés no ar, reto, uma perpendicular de circo e principiou falando numa língua que ninguém não entendia. Manuel ficou todo atrapalhado e fez invocação. Então Gogideque, mano gêmeo de Godique, entrou no corpo dele e os dois puderam se entender lá na fala deles. Toda uma série de cerimonias ridículas, Godique a horas tantas ficou safado com o mano que não botava direito a vela no pé dele, quase brigaram e foi pena não brigarem. Foram-se embora e veio afinal o complacente Mestre Carlos que já contei, e o fechamento do meu corpo se acabou por ele e pela bonita Nanã-Giê que ele chamou por não ter império sobre os malefícios da água. Foram bonitezas e ridículos, cantos e rezas e quase duas horas imperceptíveis de sensações e divertimentos pra mim. Preço: 30 mil-réis.

Natal, 29 de dezembro, 17 horas — Natal é feito S. Paulo: cidade mocinha, podendo progredir à vontade sem ter coisas que dói destruir. Isso é muito importante pra nós. O problema da destruição ou conservação da Sé, da Bahia, por exemplo, confesso que por mim não sei resolver. Os prós e os contras da destruição se igualam na forçura dentro de mim e creio que vou achando uma graça dolorida nos partidários e antagonistas da destruição.

Dizem que sou modernista e... paciência! O certo é que jamais neguei as tradições brasileiras, as estudo e procuro continuar a meu modo dentro delas. É incontestável que Gregório de Matos, Dirceu, Álvares de Azevedo, Casimiro de Abreu, Euclides da Cunha, Machado de Assis, Bilac ou Vicente de Carvalho são mestres que dirigem a minha literatura. Eu os imito. O que a gente carece, é distinguir tradição e tradição. Tem tradições móveis e tradições imóveis. Aquelas são úteis, têm importância enorme, a gente as deve conservar taqualmente são porque elas se transformam pelo simples fato da mobilidade que têm. Assim por exemplo a cantiga, a poesia, a dança populares.

As tradições imóveis não evoluem por si mesmas. Na infinita maioria dos casos são prejudiciais. Algumas são perfeitamente ridículas que nem a "carroça" do rei da Inglaterra. Dessas a gente só pode aproveitar o espírito, a psicologia e não a forma objetiva. A tolice básica da arquitetura neocolonial está nisto: pegaram, a maioria, nas formas decorativas coloniais, reduziram elas a fórmulas, que ajuntaram restacueramente, dentro do espírito de arrivismo, que domina as partes progressistas do país. O resultado foi 89 por cento das feitas aleijões medonhos.

O problema da Sé da Bahia está mas é enunciado errado. É muito mais grandioso do que a derrubada ou não derrubada dum casarão pra alargamento de rua. O próprio centro urbano da cidade alta é que se tem de resolver se é prático ou não ficar onde está. Todas aquelas ladeiras, quedas de sopetão, torceduras de terrenos são absolutamente contrárias a qualquer norma utilitária de urbanismo contemporâneo. Não é possível aplainar aquilo e retificar as ruas sem arrasar tudo. Ou se destrói tudo pra atualizar aquilo, ou, qualquer paliativo destruirá tradições curiosas e mesmo valiosas que nem a dita Sé, não passando de paliativo e não resolvendo nada — esse é o problema.

Natal não possui problema desse. O que é velho não é... antigo, pouco ou nenhum valor tem. Natal tem seu futuro enorme como banco de riquezas fundamentais: sal, gado, algodão, açúcar, e como pouso natural das asas europeias. As tradições dela são todas móveis, danças, cantorias. Essa felicidade americana de Natal está se objetivando neste momento com a inauguração do Aeroclube. A população natalense moldura o segundo campo aviatório da cidade. O excelente edifício do clube está cheinho. Tênis, piscina, bar, o pátio central cantando água de repuxo, bom pra se conversar. Os aeroplanos estão pintando o sete no ar. As natalenses são bonitas, bem vestidas, os homens de branco, venta o vento, calor sem garra, mas verdadeiro, nenhuma Europa tradicional, te dana! um bem-estar de agora.

Redinha, 30 de dezembro — Hoje estou gozando a vida na Redinha, praia de banho natalense, mas de outra banda do Potenji. Os botes de vela, *Iracema*, *Alagoas*, quinze outros, vão e vêm trazendo levando gente. Meu amigo Barôncio Guerra, sertanejo de nascença, natalense de carnaval carioca, tipo acabado da alegria, dirige a felicidade com uma perícia incomparável. Segurança de rédea, como a dele nunca vi.

A "parede" caju e cachaça abriu a festa. Em seguida: banho de mar. A copacabanização de Natal é um fato. Mais graça, mais naturalidade, mais esporte que as praias de Santos, que morenas! Depois as redes e maqueiras nos esperavam pra "quebrar o olho". Tirei um corte ventado na sombra dum terraço, melhor que receber carta. A fome nos acordou ali pelas 12 e meia pro almoço. Vatapá, cavala em molho de coco; doces de comer pouco, deliciosos, duma insistência açucarada prodigiosamente hospitaleira; melão nordestino, uma dessas coisas que fariam a Europa de Eduardo das Neves se curvar mais uma feita.

Chega um choro. Clarineta, violões, ganzá numa série deliciosa de sambas, maxixes, varsas de origem pura, eu na rede, tempo passando sem dizer nada. Modinhas de Ferreira Itajubá e Auta de Sousa. A boca da noite abriu sem a gente sentir. O choro foi lá embaixo se instalar no Redinha-Clube, casarão chato no meio da praia, pras meninas dançarem. Estamos por ali gozando a ventania. Se acende as luzes. O Redinha-Clube é um guaiamum escuro com as pernas luminosas sobre a areia.

Pântam — parapântam — pântam — pântam — tchique — tchique... Êh... Lá no alto:

"— Êh viradô! ...
— A barca do má! ...
— Êh viradô
— A barca gira
No virá do má...
— Êh viradô! ..."

O acompanhamento é de ganzá e munganguê. Dançam o "coco" no terreiro preparado junto ao terraço de Barôncio Guerra. Na casa a mesa está posta pra quem quiser cear. Creme de camarão, casquinhos de caranguejo, o chouriço daqui que é um doce, a canjica daqui inteiramente diversa da sulista.

"— Vai, vai, vai, ô mulé!
— Num vá se perdê, ô mulé!...
— Agora que tô amarrado, ôh mulé,
Num vá me aparecê, ôh mulé'..."

Os dançarinos fazem coisas de sarapantar. Se agacham feito russos, bamboleiam em passos de charleston, sem erudição de outras gentes. No povo nordestino até o passo básico do charleston, era usual antes da dança ianque aparecer.

"— Ôh Yayá, ôh Yayá,
Oh Yayá das Alagoa!..."

Um sonzinho de rebeca se aproxima.

"— Deu a força da levada
Que me encheu toda a canoa!..."

Coco para. Os dançarinos se retiram cedendo campo. A rebeca está clara e enfim visível, mexendinho num "baiano" (dança) monótono, mas admirável. Por detrás dela dois paus seguram uma chita encarnada, espécie de pano de boca escondendo as figuras do Boi. Desde quatorze horas essa gente vem de São Gonçalo pra dançar o Boi aqui.

"Meu sinhô dono da casa,
Que eu venho da madrugada,

Se não me abrir's essa porta
Não sois feliz, não sois nada!"
São 21 horas e a lua foi pontual. Velejou numa nuvem rápida e apareceu.

Natal, 31 de dezembro — Já transcrevi a fabulosa oração *Força do Credo*, falando na influência de catolicismo existida nos catimbós daqui. Eis mais duas rezas manifestando a mesma influência:

Oração (pra qualquer hora do dia):
"Meu Jesuis meu bom Sinhô, meu Jesuis meu Redentô, assim como perdoasses a Maria Madalena ao pé da cruz, assim Sinhô dai-me força e luiz para retirar o espíritos zombeteiros, viciosos, malfeitores e fazei chegar a mim na minha casa os bões espíritos. Assim seja."

Dou as frases dos meus consultados na dicção deles. É perceptível o sequestro de brasileirismo oral. Procuravam "falar certo", o que era uma pena. Por meu lado me guardei de imitá-los a pronunciar como costumavam porque isso os botaria de sobreaviso inda mais. Só mesmo nas orações cantadas consegui maior franqueza.

Eis a Oração pra guia da vida:
"Meu Jesuis e meu Sinhô, guiai os meus passos na Vossa divina Misericórdia! Assim eu coloco em mim um Crucifixo e ando na paiz do Sinhô, fora dos meus inimigos, com o poder da Virgem Maria, com a sua santa luiz na minha guia. Prometo a Jesuis da Sagrada Cruiz não me separar nem deixar de trazer os meus inimigos e malfeitores corporais e espirituais presos e amarrados debaixo de meu pé esquerdo, pra fazerem o que eu com estas santas palavras mandar e acreditarem no santo poder de Jesuis."

Oração a Tupã:
"Oh Tupã, que sublime, santo pajé! que no mundo mostras o mestre quem é, ôh leva! atendes, ôh Tupã, a sua fama Ereré! ôh leva! atendes, ôh Tupã! mostra o Guaracé quem é!..."

Foi na serra do Ereré que os seres... "materializados" se retiraram durante o dilúvio, conta a lenda ameríndia. Guaracé é o Sol. E de-fato o Sol é cultuado nos catimbós daqui. O Reino do Sol é um dos mundos superiores, adonde só descem mestres bons. É nele que mora o espírito Ciro, que jamais não baixa na Terra, fica sempre trepado num raio de Sol.

Pra acabar dou o canto de Nanã-Giê, mestra que trabalha no fundo do mar e protetora das mulheres. É curandeira. Identificável com uma das Mães-d'água.

"*Nanã-giê, ôh Nanã-giá!*
Nanã brecô já vem do má!
Nanã mi conhece, menina do má!
Valei-me Nanã, pra nóis milhorá!..."

O que será esse "brecô", puxa!... Brecar?...

Natal, 1º de janeiro de 1929 — Está claro que uma das minhas observações mais carinhosas vai se dedicando ao homem do povo. Afinal a situação das chamadas "classes inferiores" é boa ou ruim por aqui? Minha pergunta não cogita da felicidade, é lógico, mas da facilidade de vida, porém. Vou dando as minhas observações embora as dê com certa reserva. Passeios que nem o meu são sempre insuficientes pra afirmativas completas. Perguntas não servem pra quase nada: um socialista me afirmou que a situação dos proletários é medonha em Natal e um ricaço com psicologia de filho de senhor de engenho me garantiu que não tem pobreza na cidade.

Já contei que os mocambos do Recife me horrorizaram. A vida de habitação que levam aqueles milhares de trabalhadores e, meu Deus! também de vadios, deve de ser pavorosa. No percurso da Great Western me pareceu que o físico humano baixou de saúde e de simpatia na Paraíba. Mas carece notar que essa zona do estado não era que nem as atravessadas em Pernambuco e no Rio Grande do Norte, cheias de engenhos e algodoais. Na zona rica da Paraíba inda não passei.

No geral, porém, a porcentagem de gente com saúde aparente e bom físico é bem grande apesar de eu estar vivendo por enquanto na zona litoriana do Nordeste. A mulataria diminuiu bem de Pernambuco pra cá. Negro tem pouco. O indivíduo 99 por cento das feitas, é baixote e bem encordoado. Cor de fumo, acharutada, cabelo liso, frequentemente sarará, não raro dentes bons. Na infinita maioria dos casos gente dada, rindo pra você, contando o que sabe. Até às vezes, foi o que me sucedeu no bairro do Alecrim aqui, não cobrando o capilé e os cajus. De-fato! indivíduo dado e hospitaleiro talqualmente nordestino jamais não vi. Só recebem com desconfiança quem aparece de polainas, calça de montar, camisa de esporte. Parece que o retrato clássico de Lampeão desatarrancha assombrações cangaceiras do homem do povo... Também não é bom você aparecer como jornalista, me falaram. Porque é numerosa a récua dos que andam colhendo por toda a parte assinaturas de revistas e jornais nunca chegados.

Se saúde, facilidade, bem-estar fosse deduzível da alegria, o proletário nordestino vivia no paraíso. A gente daqui é alegre e cantar tanto como ela não sei que se cante. E não deduzo isso da época de festa em que estou não. O pessoal amanhece já na cantoria. E tudo é pretexto pra cantar. Pra conduzir umas vacas, um percurso urbano curto, o vaqueiro de perto de casa, não desleixa o aboio. Os trabalhos pesados não se faz sem cantiga, nem os leves!... As praias ressoam noitemente na toada aberta dos coros. Eu, já estou familiar em Natal porque sou "o doutô que veio de S. Paulo studá 'Boi' ", me falaram outro dia eu passando. Recife, desde novembro que o pessoal, carnavalizado totalmente, caiu no "frevo", e não tem sábado sem cordão mexemexendo no "chá de barriguinha". Natal está dançando Pastoris, Chegança, Congos e preparando o "Boi" de Reis... Alegria existe muita. O menino examinado no Ateneu, obcecado pelo rico nordestino, falou que temos 40 dentes na boca. São dentes cremes, largos, no geral saborosíssimos.

Natal, 2 de janeiro — Em Natal, os bairros onde param os proletários são principalmente dois: o do Alecrim e Rocas. Também nas alturas da Lagoa Seca mora bastante operário que devido a careza do bonde, come areia todo o dia pra atingir o centro da cidade, longe. Só no Alecrim moram pra mais de 12 mil almas, Rocas está situado em plena duna, movediça ainda.

Não há mocambo. O mangue fica da outra banda do Potenji, onde ninguém não mora. No Alecrim como em Rocas as casas são cobertas de telha e muitas de tijolo. Se enfileiram, pequititas, porta e janela de frente, em avenidas magníficas, todas com o duplo de largura da rua comum paulistana. A previdência de Pedro Velho, delineou o futuro da cidade esplendidamente. Rua estreita só mesmo na parte antiga de Natal. Nas casinhas dos operários se entra numa sala de viver comunicada por um corredor quase da mesma largura com outro mais ou menos corredor, fundo da casa onde a mulher cozinha e todos comem. O espaço que se emparedou entre esses corredores e sala é a "camarinha", quarto pra dormir. No geral se dorme em rede.

A comida é bem monótona. Farinha, feijão e carne-seca. Também usam a carne de sol, pouco secada e pouco durável. Bacalhaus. Especialmente o "voadô" salgado, que pescam em quantidade nas costas do Rio Grande do Norte. A pescaria do voadô é bem curiosa e, se fizer alguma, hei-de descrever.

O operário toma seu cafezinho de-manhã: vai pro serviço. A maioria trabuca no algodão e no açúcar. Descalços no geral, calça e paletó de algodãozinho, às vezes sem camisa, que calor! cobrindo a cabeça com o chapéu de palha de carnaúba, muitas feitas de forma fantasista, muito engraçada.

Pronto: estão trabalhando. Quando senão quando uma cantiga. Trabalho duro, ar de satisfação — a mesma filosofia da "paciência!" comum de brasileiro. Tem hora pra almoço. Os do açúcar muitas feitas não almoçam. Desde manhãzinha prepararam o barril de mocororó que mata a sede e sustenta até a hora da janta, noitinha, lá em casa. Dizem que o mocororó é muito alimentar: dose forte de açúcar bruto, água e talhadas de limão. Usam também a nossa "garapa" sulista, caldo de cana puro, que nos tempos de moenda é a bebida comum dos engenhos.

No geral foram oito horas de trabalho. Nunca menos e bastantes vezes mais. Comparando com o Sul a vida geral nordestina é barata, mas pro operário não me parece que seja não. Se o trabalhador pode sempre alcançar com os biscates aí por uns dez mil-réis diários, o salário oscila de 3 pra 6 mil-réis, me informaram. É pouco se a gente lembra que o quilo de carne verde inferior custa dois mil-réis na cidade.

Natal, 3 de janeiro — Não sei se estas informações sobre os catimbós norte-rio-grandenses interessarão a todos os leitores não, porém me parece que estou dando uma contribuição importante pro nosso folclore. Por isso continuo ainda um bocado. Vou dar hoje esclarecimentos sobre alguns santos.

Os santos param em reinos espirituais que ficam alguns na própria terra — que nem o reino do Rio Verde onde moram as meninas da Saia Verde, cinco irmãs virgens, benfeitoras. Outros reinos são ainda o de Vajucá, o da Ondina, o da Cidade Santa, o do Vento, o de Umbá, das Florestas Virgens, o da Cova de Salomão e finalmente o reino de Juremal.

Nesse último é que mora a Rainha da Jurema, tanto bem como malfeitora, amiga de banhos perfumados e especialistas em "atrasos" (caiporismo). Feiticeiro danado é ainda o Príncipe da Jurema, do mesmo reino também.

A união sexual é naturalmente muito cuidada pelo catimbó. São numerosíssimos os mestres especialistas nela. Assim por exemplo, mestra Flor, espírito "feme" casamenteiríssimo que só trabalha com flores. Quem quer uma sorte dela, entrega pro pai de santo, uma rosa, dália, cravo, assim. Mestra Flor se "acosta" logo, benze a rosa que o implorante fará chegar às mãos da pessoa desejada. Se essa cheira a flor, "tá rendida".

Tanto Mestra Flor como mestre Floral param no reino do Bom Floral, cidade santa nupcialíssima. Mestre Floral também é casamenteiro e chega a unir dois amantes em sessão. Pra invocá-lo todos na sessão brincam, alegres cantando uma linha (reza cantada) magnífica, por sinal que duma tristura muito meiga. Floral chega, une em cruz as mãos e os pés direitos dos 2 nubentes e derrama sobre as cruzes a água "fluidada" (benzida) por ele. Depois "liga" os dois corpos: faz os noivos se abraçarem apertado pra "fundir" os dois corações num só. Abençoa. Estão casados, dispensando padre e lei. Não há exemplo de casal desligado depois de unido por Floral, o que prova a precisão imediata da alta sociedade paulista importar esse Mestre nordestino. Floral gosta muito de flores, quer sempre Ajucá (a mesa das sessões) cobertinha de flores, coisa fácil pra nós com os mil milhões de rosas paulistanas.

No reino de Juremal reside ainda mestra Faustina muito religiosa e católica. Mestra Faustina trabalha preferentemente com pétalas da rosa Amélia. As grávidas a invocam porque mestra Faustina é parteira das melhores. Aliás trata com proficiência todos os incômodos de mulher...

Santa irritante é mestra Angélica também muito sexual. Casa gente, porém, prega o amor livre — pois é especialista em apartar casais. Quando uma mulher quer um homem casado invoca a santa. Mestra Angélica aparta o homem da esposa e o atira nos braços da desejadeira.

Natal, 4 de janeiro — O prato do dia é a eleição duma mulher pra prefeita do município de Lajes, dona Alzira Soriano.
    Esse município é novo e está progredindo com rapidez graças ao gado e ao algodão. Por 93, a atual e moderna cidade de Lajes era um pouso de duas casas, pertencentes a Chico Pedro, inda vivo e com o nome razoavelmente eternizado numa das praças de Lajes.
    O atual presidente do Rio Grande do Norte na sua plataforma presidencial inculcava a necessidade de se igualarem os direitos dos dois sexos dentro do estado. Nesse sentido foi apresentado então pelo hoje chefe de polícia, então deputado, Adauto Câmara, um projeto de que foi relator Antônio Bento de Araújo Lima, firmando os direitos de voto e elegibilidade da mulher. O então presidente, Dr. José Augusto sancionou a lei que vigorando desde o ano passado já permitiu o comparecimento de 17 donas às urnas que levaram José Augusto à sanatoria federal.
    Mas o resultado mais vitorioso da lei até agora foi mesmo a elevação de dona Alzira Soriano a prefeita de Lajes. É uma senhora de inteligência viva, boa aparência, viúva inda moça, não possuindo 40 anos.
    A posse dela foi cheia de festas, uma hora literária e baile oferecidos pelas senhoras da cidade, um banquete oferecido pelos homens e a posse com seus discursos.
    De tudo isso destaco duas manifestações que me parecem as mais importantes: o discurso de posse de dona Alzira Soriano e um concurso de beleza.
    O discurso é um documento notável que gostei muito. Não se trata de nenhuma peça oratória sublime não. Pelo contrário: se percebe em toda a falação, que a prefeita se recusou sistematicamente a qualquer eloquência e qualquer flor de retórica. Foi simples. Foi duma simplicidade admirável, antimasculina pela ausência de brilho e antifeminina pela ausência de flores. E o que falou, falou com energia e clarividência. Assuntem só este pedaço, inconcebível pra política paulista:

    ... *"quero apenas (...) registrar o que não farei no exercício de meu mandato, de preferência a alinhar projetos, que talvez não pudesse realizar. Não me prevalecerei do cargo para fazer favores a amigos e ainda menos para negar justiça a adversários. Não abusarei dele para obter proventos, seja qual for a natureza deles. Etc..."*
    Sei bem que por enquanto essas afirmativas são... promessas, mas dona Alzira Soriano as disse numa página tão simples que acredito nela.
    Mas... na noite da posse teve o baile de que falei. A horas tantas organizaram um concurso de beleza em que teve o 2º lugar a Srta. Sônia Soriano, filha da prefeita. Deus me livre de negar boniteza a essa moça que não conheço.

É até provavelmente linda pois filha de dona Alzira, que dizem senhora bonita e mesmo requestada. Mas essa eleição lembra logo os enfeites de altar para que os santos se agradem da gente... É uma pena... Ou antes uma curiosidade: em que estado estarão as promessas no coração de mãe de dona Alzira?...

Natal, 5 de janeiro — Um dos problemas que, atacado a tempo no Rio Grande do Norte, já está quase resolvido, é o da lepra. Por mim confesso inda não topei com leproso declarado por aqui. Vi, foi a cara dum horrendo, em fotografia, num cartaz de propaganda contra a doença, bem por cima da bilheteria de selos, no Correio.

Parece que o estado atualmente contará com pouco mais de cem leprosos, informa o Dr. Varella Santiago, médico de Natal, se dedicando ao problema e autor dum *Esboço histórico da lepra no Rio Grande do Norte,* de que vou me servir.

A lepra é relativamente recente no estado. O primeiro caso conhecido data já da segunda metade do século passado. Seguiram casos raros, quando senão quando aparecia um, se isolando por si mesmo ou vivendo, na paciência sem medo dos outros, a vida social, que nem um telegrafista de Mossoró por 1883. Esse telegrafista, Deus me perdoe! é um caso engraçado de psicologia morfética. Se falava naqueles tempos que morfético mordido por cobra, sarava da lepra. Mas como não se sabia direito se o leproso sarava também da mordida da cobra o pobre do telegrafista ficou numa hesitação danada. Andou campeando uma cobra, arranjou uma cascavel, ótima pra morder, trouxe ela pra casa. Desde então viveram na maior comunhão possível, cascavel e telegrafista. Mas morder é que jamais ele não se deixou. Viveu eternamente na esperança de ser mordido sem querer. "É hoje, ele se falava, hoje de certo a cascavel escapole e me morde". Passava que mais passava junto da caixa em que a cascavel jazia fechadíssima. Esbarrava na caixa. Se escutava lá dentro um chocalho baixinho. Mas não houve remédio: nunca que a cobra escapuliu e o telegrafista morreu leproso. Morreu leproso, num morrer de todas as horas martirizado, antiofídico mas, pelo menos não provou picada de cascavel que além de matar depressa, talvez doa. Se existe caso mais dramaticamente cômico, outro que conte.

A lepra se desenvolveu no estado com as primeiras voltas de paroaras, da Amazônia. Em 1926 o problema estava presente e o atual senador José Augusto, então dirigindo o estado, tratou da construção dum leprosário. Fundaram então o de S. Francisco, a sete quilômetros de Natal, primitivamente duas casas apenas. Nesse isolamento provido de todos os confortos, esperam a morte 52 desinfelizes. Agora estão concluindo um grupo de mais 10 casas com capacidade para 70 doentes. Inaugurado esse grupo, será iniciado outro igual. Há energia e decisão rápida por aqui. Se espera dentro dum ano, isolar o estado completamente.

Natal, 6 de janeiro, 22 horas — Hoje é dia "dos Santos Reis" que nem inda se diz por aqui, segundo dia grande pras danças dramáticas nordestinas. Pelo Natal saíram a Chegança e o Pastoril. Pelos Reis sai o Bumba meu Boi. No Norte, o Boi tem como data pra sair o dia de São João. No Nordeste sai pelos reis e se no dia 30 de dezembro passado pude assistir ao Boi do município de São Gonçalo, isso foi exceção, honraria pra quem vos escreve essas notas de turista aprendiz. Também já estou popular aqui. Vivo dum lado pra outro em busca de quanta festa, quanta Chegança, quanto Boi se ensaia, quanto coco se dança, levando pra casa quanto cantador encontro... Outro dia eu passava, um homem do povo cutucou o parceiro, me mostrando:

— Esse é o dotô de São Paulo que veio studá Boi...

Se riram.

Hoje o Boi do Alecrim, saiu pra rua e está dançando pros natalenses. Os coitados estão inteiramente às nossas ordens só porque Luís da Câmara Cascudo, e eu de embrulho, conseguimos que pudessem dançar na rua sem pagar a licença na polícia. Infelizmente é assim, sim. Civilização brasileira consiste em empecilhar as tradições vivas que possuímos de mais nossas. Que a polícia obrigue os blocos a tirarem licença muito que bem, pra controlar as bagunças e os chinfrins, mas que faça essa gente pobríssima, além dos sacrifícios que já faz pra encenar a dança, pagar licença, não entendo. Seria justo mas é que protegessem os blocos, prefeitura, estado: construíssem palanques especiais nas praças públicas centrais, instituíssem prêmios em dinheiro dados em concurso. Duzentos mil-réis é nada pra prefeitura. Pra essa gente seria, além do gozo da vitória, uma fortuna. O Boi de S. Gonçalo outro dia marchou de pé no areão várias horas de sol pra chegar na Redinha e ganhar quarenta paus! é horroroso.

Agora é a vez do Gigante.

— *Quantos anos você tem, Gigante?*

— *Cem anos!*

— *Como é seu nome, Gigante?*

— *O capitão José Trindade."*

É um bicharoco lindo que nem um ídolo antropomorfo mexicano. Exatamente. O risco dos olhos, da boca, o triângulo em papelão encarnado, do nariz. Mexicano. Aliás mais marajoara... E a cabeçona traz uma cabeleira de algodão "mocó".

"Cunhaú — Ruínas da Capela"
(Foto e legenda M. de A.)

"— *Onde você mora, Gigante?*
— *Em terra estrangeira!*"

E o danado dança ao som duma cantiga maravilhosa. Urros surdos. A dança pesa como se fosse de gigante mesmo. Trejeitos acrobáticos magistrais. Está enquizilado. É casado lá na terra dele porém quer casar de novo aqui.

"— *Gigante quando vieste*
Da tua terra estrangeira
Devias ter trazido
Tua amada companheira!"

Casa com brasileira e vai-se embora satisfeito. Entra o Boi, êh bumba! É advinho, sarapintado de azul. Na anca direita um vaso de flor e a nossa data: 1929.

Bom Jardim, 7 de janeiro — Vou-me embora viver vida de engenho por uns dias, a Oldsmobile rola por estas estradas. Às vezes dança umas valsas desengonçadas. Todo o Nordeste, devido às condições do terreno, com trabalho fácil já está percorrido pelo automóvel. Mesmo, devido à elevação quase proibitiva das tarifas ferroviárias, muito transporte de carga é feito em caminhões. As estradas, no geral, são muito boas, um bocado espreitas. Nesta zona de Natal, a Goianinha, estreitíssimas. Dois automóveis que se encontrem, é uma encrenca séria nalguns pontos. Marcha à ré trezentos metros! É zona litorânea. O coqueiro é que brinca na paisagem. O resto são taboleiros, mais taboleiros, que nem o nosso cerrado monótono, acachapado por um verde-cinza estudoricando a alma da gente.

E por aqui foi mar... Não se vê mais esse mar, porém, certas feitas a vegetação rareia no horizonte curto e aparece um restinho de careca, duna encardida que já não é duna mais. O terreno se resolve em pó de areia e a estrada sulca-se em ss que não têm fim. Então o automóvel valsa desagradável.

Atravessamos São José, cidade do sol. A casa da Intendência é sem querer uma preciosidade arquitetônica. Não aplaude o modernismo, assim pesada e os 20 degraus da escadaria. Mas é dum equilíbrio santo.

Também a vista vai se tornando mais gostosa de ver. Zona de engenhos. De vez em quando o taboleiro despenca pra várzeas chatas, verde-claras, que no inverno serão inundadas. Canaviais. Pinta no verde o branco dos engenhos de banguê, com a chaminé gorda e curtinha feito a gente daqui.

Várzeas dantes ubérrimas que as enchentes estão prejudicando. Os rios cheios, chegam carregados de areia. Depois a seca vem. A água desaparece e o sol queima apenas a planura lisa de areia, areia só. O manapé que faz a cana espigar grandona e açucarada, ficou lá embaixo, mais de metro, guardado feito tesouro de holandês. Ninguém não chega lá quanto mais raiz de cana!...

E logo a vegetação cobre a areia úmida com um verde cheio de esperança linda. Cheiro de lírios-de-brejo aqui chamados "borboletas". O ventinho se abana todo e refresca.

Nesses vales estão as lagoas que nem a barrenta de Papari. São de peixe excelente e a caranguejada, principalmente o pitu feito pela própria mão da Virgem Maria, mora nessas águas de barro.

Papari lembra também a espantosa Nísia Floresta, que mulher! Nasceu em Papari e o monumentinho comemora a amiga de Augusto Comte, Mazini, colaboradora da unificação italiana, reivindicadora dos direitos da mulher, viajante na Alemanha, o diabo!

É já tardinha e Arez passa por nós. No longe, quatro quilômetros pra esquerda, passa o mar guardando na memória dos moradores da vila o ronco dos aviões que vão pro sul.

A viagem entardece e boceja um bocado até Goianinha. Estamos perto. O automóvel fica mais leve e abre num passo esquipado pra chegar depressa. A noite nos pega, mal repetindo, ao chegar no engenho, o cheiro açucarado da bagaceira.

Bom Jardim, 8 de janeiro — Na anca do terreno o sol se achata no amarelo sem gosto da bagaceira. Perfume lerdo que não toma corpo bem: não se sabe se de pinga, de açúcar, de caldo de cana. Bois. Três, quatro, bois imóveis mastigando a cana amassada, fortes alguns de bom estilo caracu na anca, no pelo. Mas já os estigmas do zebu principiam aparecendo na zona... Só invocando santos, e com bastante raiva, que nem no coco:

> "*Cruzeiro! Santa Maria!*
> *Mãe de Deus do Paraná!...*"

O zebu no Brasil creio mesmo que já é fatalidade, não se escapa mais dele não.

Vem o "cambiteiro" com os jericos, três no passo miudinho de quem dança um "baiano". Nos cambitos triangulares a cana vai deitada, últimos restos da safra do ano, arrastando no bagaço os topes de folha verde feito um adeus.

Pela porta do engenho escurentada mais pela força da luz de fora, dois homens vêm, um na frente, outro atrás, rituais, eretos, no sempre passo miudinho e dançarino dos "brejeiros" (gente do brejo). Carregam a "padiola" com os bagaços da cana já moída. Trazem apenas calça e o chapéu de palha de carnaúba, chinesíssimos na forma. E que cor bonita a dessa gente!... Envergonha o branco insosso dos brancos... Um pardo doirado, bronze novo, sob o cabelo de índio às vezes, liso quase espetado.

Entro no engenho. É dos de banguê, movido a vapor, descreverei a técnica deles amanhã. Os homens se movendo na entressombra malhada de sol, seminus, sempre os chapéus chins; meio que me coloniza a sensação. Não parece mais Brasil... Está com jeito da gente andar turistando pelas Áfricas e Ásias do atraso inglês, francês, italiano, não sei quem mais!... Todos os atrasos da conveniência colonial.

Depois do engenho verde, a casa faz uma queda. No outro plano de lá é a "casa de caldeira"...

> "*Vamo fazê meladura, ôh!...*
> *Lá na casa de caldeira!...*"

que nem na cantiga de trabalho. E estão de-fato fazendo meladura. O canalete conduz o caldo de cana pra cascatear pesado, pesado de açúcar, num tanque de cimento — o "parol", como se diz. A fantasista etimologia popular anda já falando em... "farol"...

Fronteiro ao parol está o grupo das tachas fabricando açúcar. Outro malaio, bigodinho ralo, trabuca ali. É o "cuzinhadô", como se diz em Pernambuco — o mestre, o homem importante que dá o ponto no mel. A musculatura dele quer que eu estude com nomes científicos a anatomia do costado humano. Felizmente que não sei... Vejo mas é o oiro duro daquele corpo, se movendo no esforço, transportando por cochos enormes com o cabo preso no teto, o caldo fervendo, oiro claro, duma pra outra caldeira. Às vezes o vento vem e achata a fumaça da fervedura. Esconde tudo. Fumaça acaba aos poucos, e a cena revive, o oiro fundo do homem perfilando sobre o oiro claro das espumas das tachas. Na última, o mel no ponto. A espuma, mais profunda, quase cor das epidermes daqui, foi intumescendo, intumescendo, oval, com um biquinho no centro, ver um peito de moça,. "Peito de moça" e que falam mesmo... Peito de moca... É o açúcar, delicioso, alimentar, apaixonante moreno e lindo mesmo como um peito de moça daqui.

Bom Jardim, 9 de janeiro — Os engenhos de bangue tiram nome duma padiola de carnaúba em que se carrega o bagaço de cana pra bagaceira. A bagaceira é o espaço que fica em torno da casa do engenho. Aí os bois vêm mastigar o bagaço, aproveitando o restico de caldo ficado nele. Depois de seco o bagaço é aproveitado como combustível. O que sobra no fim da moagem, queima-se. Vai servir de adubo pras terras do canavial.

A casa do engenho, chata, no geral com a chaminé baixota ao lado, é subdividida em duas partes: a casa de máquina e a casa de caldeira, esta em plano inferior. Nas casas de engenho mui antigas que nem esta do Bom Jardim, inda subsiste entre as duas casas, uma espécie de camarote, o "sobradinho", em plano mais alto, dominando o ambiente. Aí que o senhor de engenho ficava nos tempos de dantes, dia inteiro, mandando e vigiando, fazendo e desfazendo.

A casa de máquina é o lugar da moagem. O caldo corre da moenda por um canalete no chão e vai cair por uma bica na parol que já está na casa da caldeira. Nessa casa é que está o "assentamento", conjunto de tachas em que se fabrica o mel. Outro canalete conduz a garapa do parol pra tacha de "caldo frio" onde o caldo já principia sendo descachaçado. "Descachaçar" é limpar das impurezas. Essas formam a "cachaça", mistura que o gado adora provavelmente sem razão... Ou por alguma razão... gadal que desconheço.

Do "caldo frio" a garapa é transportada pra tacha que a segue na série de tachas do "assentamento". Essa tacha segunda é a "caldeira" em que o caldo frio ferve pela primeira vez. Na caldeira ainda a fervedura bota as impurezas restantes numa escuma feia que também vai formar a "cachaça" do gado. Da caldeira o caldo fervendo é transportado pras duas tachas seguintes e consecutivas do assentamento, os caldeirotes, pra novas ferveduras que vão apurando o mel. Quando as ferveduras estão espumando até o bordo das tachas, se bota semente de carrapateira nelas: abaixam num átimo. Na caldeira e nos dois caldeirotes a garapa é "ajudada", se sacode um bocado de cal nela pra neutralizar a acidez.

Do segundo caldeirote a garapa já bem grossa é transportada finalmente pra "tacha de boca" onde se dá o ponto no mel, última fervedura. Essa é a tal chamada "peito de moça" porque a espuma toma a forma solene dum seio novo, coisa linda. Quem dá o ponto no mel, em Pernambuco é o "cunzinhadô". É homem que trabalha a garapa, que a transporta duma tacha pra imediatamente seguinte, que descachaça, faz tudo. Aqui chamam-no de "mestre" e se tem ajudante, esse é o "banguero".

No assentamento das tachas, na ordem da tacha de boca pra de caldo frio, estão ligadas em plano inclinado descendente por um plano atijolado e caiado com rebordo que impede a garapa de cair no chão. Ela escorre pra tacha imediatamente inferior.

Quando o mel está no ponto, é derramado no "resfriador" onde esfria e vai endurecendo. E não deixam que endureça. É logo despejado nas formas e transportado pra "casa de purgar", onde, voltadas com a boca pra baixo pra escorrer o "mel de furo", parte incristalizável. No geral basta um dia pro mel escorrer e o açúcar se cristalizar na forma. Tirada essa o pão de açúcar está feito, duas partes: o "cabucho" parte seca, definitiva, e a "cara" parte de baixo, úmida ainda. Quebra-se o pão de açúcar e a "cara" é levada pra um terreirinho e quebrada. Seca ao sol. É assim.

Agora, no "quebrador" o açúcar é quebrado pra ensacar, açúcar bruto de exportação. O que é destinado ao consumo do engenho é purgado com barro e refinado em casa. Fica dum branco encardido, cristais visíveis, gostosíssimo no café, estragando o chá.

Como se vê são ainda processos bem primários de fábrica... Os pessimistas falam que pelo menos trinta por cento do açúcar perde. Parece muito... Porém vinte por cento que seja, o brasileiro já está cansado com os 400 anos de banguê... Pede usinas. O "coqueiro" se inspira e na "pancada do ganzá" celebra as turbinas modernas...

— *"Adonde eu vi nove trubina?...*
— *Na Usina Brasileira.*
— *Adonde eu vi nove trubina?...*
— *Na Usina Brasileira."*

Natal, 10 de janeiro, 23 horas — Pra tirar o "Boi Tungão" Chico Antônio geralmente se ajoelha. Parece que ele adivinhou o valor artístico e social sublimes dessa melodia que ele mesmo inventou e já está espalhada por toda esta zona de engenhos. Então se ajoelha pra cantá-la.

Está na minha frente e se dirige a mim:

"Ai, seu dotô
Quando chegá em sua terra
Vá dizê que Chico Antonho
Ê danado pra embolá!
"Oh-li-li-li-ô!
Boi Tungão
Boi do Maiorá!..."

(Maiorá é o diabo).

Estou divinizado por uma das comoções mais formidáveis da minha vida. Chico Antônio apesar de orgulhoso:

> "Ai, Chico Antônio
> Quando canta
> Istremece
> Esse lugá!..."

Não sabe que vale uma dúzia de Carusos. Vem da terra, canta por cantar, por uma cachaça, por coisa nenhuma e passa uma noite cantando sem parada. Já são 23 horas e desde as 19 que canta. Os cocos se sucedem tirados pela voz firme dele. Às vezes o coro não consegue responder na hora o refrão curto. Chico Antônio pega o fio da embolada, passa pitos no pessoal e "vira o coco". Com uma habilidade maravilhosa vai deformando a melodia em que está, quando a gente põe reparo é outra inteiramente, Chico Antônio virou o coco:

> "Quem quisé pegá u'a moça
> Ponha laço no caminho;
> Inda onte peguei uma
> Cum zóio de passarinho,
> veja la!..
> — Pá-pá-pá-pá
> Meu rimá! ..."

Que artista. A voz dele é quente e duma simpatia incomparável. A respiração é tão longa que mesmo depois da embolada inda Chico Antônio sustenta a nota final enquanto o coro entra no refrão. O que faz com o ritmo não se diz! Enquanto os três ganzás, único acompanhamento instrumental que aprecia, se movem interminavelmente no compasso unário, na "pancada do ganzá" Chico

"Bom Jardim — Chico Antônio e o acompanhador dele"
(Foto e legenda M. de A.)

Antônio vai fraseando com uma força inventiva incomparável, tais sutilezas certas feitas que a notação erudita nem pense em grafar, se estrepa. E quando tomado pela exaltação musical, o que canta em pleno sonho, não se sabe mais se é música, se é esporte, se é heroísmo. Não se perde uma palavra que nem faz pouco, ajoelhado pro "Boi Tungão", ganzá parado, gesticulando com as mãos doiradas bem magras, contando a briga que teve com o diabo no inferno numa embolada sem refrão, durada por 10 minutos sem parar. Sem parar. Olhos lindos, relumeando numa luz que não era do mundo mais. Não era deste mundo mais.

Quase meia-noite e mandamos Chico Antônio parar. Ele se despede da gente com o *Pr'onde vais, Helena...* Se despede de tudo:

> "*Adeus, as moça sentada,*
> *Adeus lúiz de alumiá,*
> *Adeus casa de alicerce*
> *E a honra desse lugá!...*"

E terei de ir para São Paulo... E terei de escutar as temporadas líricas e as chiques dissonâncias dos modernos... Também Chico Antônio já está se estragando... Meio curvo, com os seus 27 anos esgotados na cachaça e noites inteiras a cantar...

Bom Jardim, 11 de janeiro — Passei hoje o dia com Chico Antônio, conversando, grafando algumas das melodias que ele canta. Agora ele está de novo giragirando no coco e vou dedicar mais esta crônica a ele. Principiou a cantar faz pouco e até onde o vento leva a toada, os homens do povo vêm chegando, mulheres, vultos quietos na escureza, sentam no chão, se encostam nas colunas do alpendre e escutam sem cansar. A encantação do coqueiro é um fato e o prestígio na zona, imenso. Se cantar a noite inteira, noite inteira os trabalhadores ficam assim, circo de gente sentada, acocorada em torno de Chico Antônio irapuru, sem poder partir.

Toda a gente o imita e coco que ele cante se torna "coco de Chico Antonho", apesar de muitos não serem da invenção dele. Até o menino prodígio, que apareceu anteontem com o "Boi" de Fontes, caso quase repugnante de precocidade, envelhecido na voz, na ruga e no saber desse mundo: esse menino também cantador, é discípulo de Camarão, outro coqueiro, porém, o mimetismo quase dramático dele se manifesta em copiar Chico Antônio.

Porque Chico Antônio não é só a voz maravilhosa e a arte esplêndida de cantar: é um coqueiro muito original na gesticulação e no processo de tirar um coco. Não canta nunca sentado e não gosta de cantar parado. Forma os respondedores, dois, três, em fila, se coloca em último lugar e uma ronda principia entontecedora, apertada, sempre a mesma. Além dessa ronda, inda Chico Antônio vai girando sobre si mesmo. Ele procura de fato ficar tonto porque, quanto mais gira e mais tonto, mais o verso da embolada fica sobrerrealista, um sonho luminoso de frases, de palavras soltas, em dicção magnífica. Poemas que nenhum Aragon já fez tão vivo, tão convincente e maluco. É prodigioso.

No geral as emboladas são mesmo assim. As mais das vezes não têm sentido como tipicamente o *Bambu bambu* prova. Isto é: não é que não tenham sentido propriamente. Não se trata do verso "nonsense" feito pra dar habilidade rítmica. É um painel de sonho que passa, feito de frases estratificadas, curiosas como psicologia: *Bela mandou me chamar* ou *Porto de Minas Gerais* ou *Meu ganzá, meu ganzarino*, etc., etc., às quais se juntam verbalismos, frases tiradas do trabalho quotidiano, do amor; referências aos presentes e aos acontecimentos do dia; desejos, ânsias... Todos os coqueiros são assim.

Mas Chico Antônio ultrapassa de muito os que tenho escutado, pela força viva do que inventa e a perfeição com que embola. Alto, corpo de sulista, magruço, meio lerdo no gesto comprido, com uma cara horizontal, bem chata e simpática, de nordestino em riba. Olhos maravilhosos, já falei. E a voz incomparável. Não é possível imaginar sons levemente anasalados, másculos, num decrescendo perfeito como os que Chico Antônio entoa no fim das frases do *Jurupanã*.

Bom Jardim, 12 de janeiro — A tarde cai numa tristura que machuca, assombrada pela saudade de Chico Antônio, partido faz pouco.

Aliás desde minha viagem pelo Amazonas já reparei uma coisa curiosa: as tardes por aqui jamais são tristes. Uma diferença enorme das paulistas. Boca da noite, mesmo na fazenda de café mais agradável de paisagem, sempre é tristonho. Por aqui não. As mais largas, o sentimento que despertam é duma calma guaçu, do tamanho da morte, perfeitamente sossegada. Mas no geral são alegres bem visíveis, um certo quê de espetacular muito refletido na psicologia do nordestino.

Mas a tarde de hoje está triste por causa de Chico Antônio que partiu. Não eram bem 17 horas, foi encilhar o cavalo, pôs espora, o chapelão de aba larga sempre escurentando a cara simpática, veio se despedir de mim. Careceu dizer o que sentia e trouxe o ganzá porque só pode contar os sentimentos cantando! Tirou o *Boi Tungão* certamente um dos cantos mais sublimes que conheço, principiou por uma firmata solene, que ninguém não esperava:

"Boi Tungãããã!..."

e foi falando.

E falou coisas duma comoção tão simples, ditas com a verdade verdadeira dos homens simples. Disse que quando eu chegasse na minha terra havia de ter saudades dele, mas que se voltasse por estas bandas que o mandasse chamar e ele viria. Então principiou se despedindo dos nossos trabalhos, do papel em que eu assentara as melodias dele, da tinta, do piano, tudo.

> *"Adeus sala! adeus cadera!*
> *Adeus piano de tocá!*
> *Adeus tinta de iscrevê!*
> *Adeus papé de assentá!*
> *"— Boi Tungão!..."*

Estava despedido. Estendeu a mão comprida num adeus de árvore e lá foi-se embora no passinho esquipado come-légua dos cavalos daqui.

E a boca da noite já está queimada de tristura, quase negra, estrelas, uma luzinha de habitação no lado do açude.

Por detrás da casa, parecendo perto, principia um bate-bate surdo. É longe um zambê, coco pra dançar, acompanhando a puíta, zambê, ganzá e a "chama", outro tambor de voz medonha, atravessando os ares. A "chama" é o telegrama de convite. Quem a escuta vem pro coco.

> *"Olê, rosera,*
> *Murchasse agora!"*

A luzinha do querosene é quase inútil na noite. O braseiro fumacento alumia a taipa bordada da parede e serve de pano de fundo. A cabrocha dá um salto pro meio da roda, gira e cai numas letras duma leveza espantosa, saúda os "coqueiros" e tocadores, faz mais outras letras, dá umbigada num parceiro e sai da roda. É a vez desse. O coco esquenta e fico por ali vendo o pessoal, encompridado pelo fundo do braseiro, saracotear num espetáculo assombroso. O "zambê" instrumento, que qualifica a dança, é pesadíssimo, trono em que o tocador amonta pra bater no couro esticado.

São 24 horas e me deito. O zambê continua no longe. E continuará de certo até que rompa a arraiada. Uma sensação estranha de século XIX... Samba de escravos perpetuado através de todas essas liberdades servis... Que não acabarão de verdade enquanto não vier uma fatal, mas longínqua ainda, bandeira encarnada.

Bom Jardim, 13 de janeiro, 13 horas — Lei Ferreira Itajubá um dos nomes da poesia norte-rio-grandense. Dizem que era muito ignorante e felizmente parece mesmo. As ideias dele não vão além da conversa, o que inda pode ser uma pena, porém os versos não têm no geral esses requebros da poética que deslustram a naturalidade do lirismo.

> *"Desse tempo risonho do passado*
> *Cheio de tantos sonhos, de ilusões*
> *Eu tenho o peito agora incendiado*
> *No fogo vivo das recordações...*
> *De ti me lembro. E quando, nestas plagas,*

> *A luz desaba cristalina em jorros,*
> *Eu vejo ao longe, sem rumor, as vagas*
> *E a solidão tristíssima dos morros."*

No geral, a poesia de Itajubá era assim, verdadeira. Tem por isso um sabor de terra bem forte. Às vezes (é certo que lera Guerra Junqueiro) emprega umas palavras convencionais, "aldeia", "batel", mas, porém, este Brasil é um mundo! O outro dia eu censurava Ferreira Itajubá por ter empregado a nefanda "Bonina" em poesia dele. Danou-se! toda a gente riu de mim. Uma gentilíssima se levantou, foi no vergel da casa onde paro, e me trouxe de presente, juro pelo que tem de mais perfeito neste mundo... um oloroso ramilhete de boninas. É de-fato uma flor singela, e comum por aqui da mesma forma que "acolá". Não tem dúvida que o Brasil é um mundo...

Ferreira Itajubá não foi um mundo tamanho não, porém, é um dos poetas mais perfeitamente líricos, mais puramente poetas da geração de Bilac, o verso dele é duma suavidade impregnante, canta manso em melodia gostosa. Traduzido acho que perderá inteiramente o sabor, porém, não estou convencido que isso seja um mal em poesias Certos "lieder" de Goethe também não suportam tradução, mas na literatura alemã são coisas das mais puras. Pura cantoria.

> *"O Brasil precisa conhecer melhor Itajubá...*
> *Como é doce viver o luar velando,*
> *O luar que alveja a terra florescendo;*
> *Moças, a noite clara vem descendo,*
> *Cordas, a noite branca vem rolando!*
> *Antes que o pescador faça-se ao mar*
> *Antes que a luz ardente apague a neve,*
> *Moças, cantai que a mocidade é breve,*
> *Cordas, vibrai que abril custa a voltar!"*

As moças e o violão foram o refrão da vida dele... E o fraque.

— Quando você casa, Itajubá!

— Inda não tenho fraque.

Acabaram mandando fazer um fraque pra ele. Então casou, mas continuou na gandaia. Violão em punho, por praias e ruas suspeitas, cantando. De fraque. Fazia discursos nos circos de cavalinhos. De fraque. Esse fraque foi a salvação de calças de vida longa.

Cinco meses depois de casado participava aos amigos o nascimento do primeiro filho.

— Itajubá! que é isso! seu filho não é de tempo!

— É sim. O casamento é que não foi de tempo...

Ponteava as cordas e cantava outra modinha. E assim viveu até o fim: de violão, de fraque e na gandaia:

> *"Quero às vezes cantar, mas um doente não canta*
> *Que a moléstia lhe trunca as notas na garganta.*
> *Morto me considero... As trovas melodiosas*
> *Esqueci no infortúnio... As tranças perfumosas*
> *Que Amei, deixei de amar...Fecharam-se as janelas;*
> *Foram-se as ilusões; casaram as donzelas."*

Cunhaú, 14 de janeiro, 10 horas — Desde manhãzinha estamos vogando no taboleiro, monotonizados numa paisagem de sensação branca: nada que ver, monotonia de leitura.

Mas agora, atravessada a cidade de Penha, a rua larga de casinhas pobres, asfaltada de folhas de carnaúba que o pessoal trabalha, passeio no engenho de Cunhaú, o rio das mulheres, cheio de história e lenda.

Cunhaú é o engenho mais velho do estado. Vem de 2 de maio de 1604, da doação que Jerônimo de Albuquerque fez pros filhos dele, Antônio e Matias, duma data larga de terras, boas no vale e mais duas léguas de taboleiro. Desde então, se fabrica história, açúcar e lendas no engenho de Cunhaú.

Acolá está a capela, inteiramente em ruínas, descoberta, caída a frontaria, uns restos da cimalha no chão apressado pelas lagartixas. As outras paredes inda continuam firmes, mais velhas que a invasão holandesa. Cunhaú foi tomado e retomado, destruído e levantado de novo. Não se cava dois palmos de chão na capela sem topar com osso humano.

Na guerra dos índios, os Janduí atacaram o engenho, numa fome canibalesca de fazer inveja. O pessoal do engenho se reuniu na capela mais o capelão. A missa, afinal das contas foi mas é celebrada pela alma dos presentes. Os Janduí chegaram, invadiram a capela e comeram o pessoal todinho, padre e 69 outros alimentos. Só escapoliu 3 homens, de certo os que contaram o caso.

Mais enfeitado pela lenda, embora próximo de nós é o senhor de engenho André de Albuquerque Maranhão e Arcoverde, sobrinho e querido de André de Albuquerque, o da revolução de 17. Arcoverde morreu em 1858. Foi mesmo um extraordinário...

Educado em França, veio bancar o Jacinto em Cunhaú por mais de vinte anos. Só que um Jacinto facinoroso, seguindo bem a tradição de matança e fratricídio da família. Logo após o assassínio do tio, veio pra Cunhaú. Esperou a passagem da Independência e principiou a vida. Matou logo o assassino do tio. Foi o começo apenas. As terras dele eram só pra morada de gente em pé de guerra. Acolá, aquele coqueiro velho, diz-que assinala um indivíduo que Arcoverde mandou matar. E as mortes continuaram ao léu da ambição e da fantasia. Porque um viajante parece que não saudara a mana dele, zás, morto por ordem de Arcoverde. "Dendê" como o chamavam... E o irmão que estava prejudicando a herança dele, morto sempre. Era assim.

E vivia no fausto prodigioso, quintessenciando pelas memórias de Paris a tradição luxuosa dos senhores de engenho. Acusado, pronunciado, o go- verno da Província pra pegá-lo careceu de mandar a força pela banda do mar. A soldadesca cercou a casa e Arcoverde sentiu que estava perdido. Era de-noite. Os soldados bateram no portal do casarão chato, inda existente em parte e convertido em casa de purgar. Uma dona apareceu na janela falando pros soldados que Arco-verde se entregava pela manhã, se podiam esperar? Secundaram que sim. Logo vieram criados com vinho, café, bolos. Os soldados se banquetearam a noite inteira. De-manhã entraram, Arco-verde, de casaca, envenenado, já roxo na cama.

Bom Jardim, 15 de janeiro — Tenho tentado de obter aqui algumas informações sobre a empreitada de Ford na Amazônia, porém, consegui mas é quase nada. De-fato, a repercussão desse mais que perigoso sintoma do imperialismo ianque, foi quase nula aqui no Nordeste. Isso é mais ou menos natural. Nós aí no Sul por essa esquematização precipitada em que o espírito vive pra pensar prático, costumamos imaginar que da Bahia pro Equador está "o Norte". Ora, não tem nada de mais afastado que o Norte do nordeste. O Norte vive estigmatizado por aquela umidade fabulosa que chega a embolorar objeto de uso quotidiano. E a assombração deste Nordeste é a seca. Se um tempo inda o nordestino atraído pela borracha, nem bem seca chegava, tornava-se paroara no Acre, no Amazonas, isso está passando já. Agora são as fazendas e cidades do Sul, principalmente paulistas que atraem o nordestino. Já falei nisso por alto uma feita e João Fernando de Almeida Prado, bem melhor, num capítulo admirável de seus *Três sargentos* que a *Revista de Antropofagia* está publicando. Mais ainda: neste mesmo *Turista Aprendiz* registrei um documento nordestino confessando a mesma fuga pro Sul, o bonito poema de Jorge Fernandes.

"Vam'bora pro sul!" que nem se canta no aboio pernambucano, parece um lema dos proletários nordestinos de agora.

Essa eterna ida e volta do trabalhador nordestino fez com que Antônio Bento de Araújo Lima num artigo muito sério publicado pela *República*, de Natal, procurasse relacionar o... problema Ford com o Nordeste. "Além de tudo, o fenômeno das secas que nos assaltam periodicamente, desorganizando quase toda a nossa vida e determinando a emigração forçada do nosso proletário rural, constitui o primeiro e o mais sério dos problemas que temos a resolver. Considere-se ainda como ficará angustiosa a situação da economia capitalista do Nordeste quando por exemplo as empresas industriais estabelecidas no extremo norte estiverem oferecendo salários mais elevados ao nosso proletário que trabalha muitas vezes mais de doze horas por dia, mediante uma remuneração insignificante". As "empresas industriais" são aqui as norte-americanas pois Antônio Bento de Araújo Lima considera que "a vinda da Empresa Ford para as terras do Pará vem marcar o começo duma nova época para o norte do Brasil".

Os nortistas achavam isso também mas parece que já estão um bocado desiludidos. Pelo menos foi o que me falou um capitalista paraense a bordo do *Manaus*. Achava que o procedimento de Ford não passara duma "fita" pra quebrar os planos ingleses e baixar o preço da borracha indiana. Essa baixou de fato e Ford se abastecera por três anos. E ainda acusava o ricaço de já estar torcendo o contrato pois em vez de principiar o hospital a que se obrigara, tinha se limitado a enviar pra possessão norte-americana que conquistara no Brasil, um navio hospital... Mas por mim acho cedo pro paraense se desiludir... Ele que se prepare pra ter junto com todos os brasileiros uma desilusão mais vasta. E sem presumíveis Sandinos...

Great Western, 16 de janeiro, 20 horas — Mas parece que o ricaço paraense de que falei ontem ou está despeitado com a empreitada Ford na Amazônia e caluniou ou não sabia das coisas direito...

A Great Western desde o primeiro do ano está fazendo viagem de um dia só do Recife a Natal. Embarco nela em Goianinha, partido do Bom Jardim, compro o *Jornal do Comércio* de Recife e leio nele um artigalhão sobre a concessão Ford. Aí creio que já sabem que tem havido pela Amazônia umas revoltas de proletários rurais, descontentes por muitas razões legítimas e sonhos.

A primeira principiou nas terras de José Júlio de Andrade cujos proprietários eu visitei em Arumanduba, o ano passado. Visitei só. Não eram seis da manhã e os meus companheiros de viagem dormiam ainda no pleno dia. Era bonito de ver o porto, imponência de quatro ou cinco gaiolas pertencentes ao dono do latifúndio formidável. Muitas casas, jeito de cidade lacustre, tudo, os próprios arruados de madeira sobre espeques. Por baixo de tudo o Amazonas banza na época das cheias. Visitei armazéns, almoxarifado, a velha e bem bonita casa de morada, chata, com um ar de esposa, muito moral. Não gostei foi de ver os búfalos africanos, bicho imundo, gostando de lama, feioso e primário. Fui muito bem recebido, até hoje agradeço a recepção e não sei por que foi a revolta dos empregados de Arumanduba.

Mas a revolta dos empregados de Ford foi por causa da exiguidade dos salários. Os proletários rurais estavam recebendo além da comida e da assistência médica, de três a quatro mil-réis diários. Se revoltaram com justiça. O que parece, pelas informações dum diário paraense, é que a injustiça não provinha de Ford propriamente, mas dum dos administradores da empreitada dele, um brasileiro safado por nome Dico Monteiro. Embolsava três contos mensais, mas desaconselhou pagar pros trabalhadores rurais a diária de dez a doze mil-réis designada por Ford.

Então um grupinho de descontentes se revoltou e, segundo informam os jornais paraenses, coagiu sob ameaça todos os brasileiros de Boa Vista a se retirarem do trabalho, uns 400.

O que resta saber agora é se de-fato os trabalhadores brasileiros foram readmitidos no trabalho, como conta o prefeito de Santarém.

Um senhor, Raimundo Brasil, diz-que conhecedor vasto das regiões do Tapajós, descreveu a atividade que vai pela Boa Vista, desmentindo tudo quanto me informou de pessimista o ricaço paraense de ontem. Viu já dois quilômetros desbravados, destocados, várias oficinas mecânicas, hospital provisório, farmácia, drogaria, padaria, gado, batelões de 40 toneladas, rebocadores, lanchas, 9 caminhões, 23 tratores, mais máquinas pra tudo e vários arranha-céus dum andar. Eis aí.

Esse Sr. Raimundo Brasil continua em profecia: dentro de três meses a vila estará construída. Ford Avenue, Fordson Street. Mas afirma que os avisos, anúncios etc. são por enquanto em português,

Natal, 17 de janeiro, 20 horas — Estou preparando as malas para seguir amanhã numa viagem de automóvel fazendo quase que toda a volta do Rio Grande do Norte. Essa viagem me interessa bem. Já conheço a região do açúcar. Vou visitar agora a do sal e a do algodão.

O algodão é mesmo a grande fonte de riqueza que o estado possui. Em parte, em reserva ainda pelas terras não aproveitadas, pela falta de seleção e pelo regime latifundiário que infelizmente inda impera por este imenso Brasil.

Só ultimamente se tem trabalhado na seleção de sementes e aperfeiçoamento de tipos nobres, duns cinco anos pra cá. São mantidas pra isso duas fazendas-modelo em Macaíba e Sant'Ana. Também instalaram um laboratório em Jundiaí (Macaíba) pra estudo das pragas do algodoeiro.

Tudo isso é pouco porém pra corresponder às necessidades do estado e urgência da grandeza dele, o laboratório é precário como informa o próprio jornal oficial e a procura de sementes selecionadas pelos agricultores é maior que a produção das fazendas de sementes.

Apesar dessa precariedade e infância de trabalhos de aperfeiçoamento que inda perseveram pelo Nordeste, já possuímos um tipo de primeira ordem, o algodão mocó de fibra longa, que alcança nos mercados, Liverpool, S. Paulo, classificação nobilíssima, tipos 1 a 4. É dos melhores que há pela uniformidade e resistência da fibra, resiste bem à fome nem sei como chame! da lagarta rosada e a produção de pluma pra cada árvore é de porcentagem excelente.

Inda por cima é quase que só plantar e colher quando a gente sabe o trabalhão que dá o cultivo do algodoeiro no Egito, nos Estados Unidos e na Índia.

O Nordeste se tornará facilmente um dos maiores, senão o maior, produtor de algodão do mundo. E a gente percebe aliás que o nordestino já está se convencendo disso, o que é melhor do que achar o Brasil uma boniteza e discutir a intensidade de calor entre o Nordeste, Manaus, Rio e Buenos Aires. A gente percebe que o calor já principia sendo outro: ânsia de crescer deveras.

Macau, 18 de janeiro, 16 horas — Viemos em pouco mais de sete horas de Natal até aqui, automóvel bom, estrada assimzinha, paisagem horrorosa de medonha. Foi bom mesmo chegar nas salinas bonitas porque atravessar assim no solão sincero, léguas e léguas de caatinga, um naco de sertão e mais caatinga em plena seca, palavra: quebra a alma da gente, vista de cinza malvada! Em Epitácio Pessoa foi difícil resistir a um desses assombros sentimentais que diz-que arrancam lágrimas. Miséria semostradeira de vilareco, sem ninguém mais quase, morto de todo nas 13 horas do dia, onde os corajosos que moram ali estão comprando a cruzado, a 500 réis a lata d'água, vinda de léguas longe.

Enfim as salinas adormeceram a tristura, com Macau lá na ponta, chão de telha e torrinha branca. Macau terá seus quatro mil habitantes de sal, sal magnífico. As últimas análises provaram definitivamente a excelência do sal norte-rio-grandense, muito superior ao de Cádiz por menor coeficiência de sais magnesianos. Além do mais a produção potiguar pode abastecer o mundo quando a indústria se desenvolver completamente. Sendo uma das indústrias em que mais se perde matéria-prima, essa perda nas terras salineiras do Rio Grande do Norte é compensada pela facilidade de cristalização do sal por causa da violência mucuda do sol e do vento e a impermeabilidade do solo.

A usina Pereira Carneiro estava em atividade e a visitei. Aí se beneficia o sal pra exportação. O calor, apesar do vento, é pavoroso nela. Os operários trabalham 8 horas diárias, das 7 às 11 e das 13 às 17. Assim mesmo sofrem por demais. A própria Companhia reconhece isso e agora anda instalando eletricidade nas salinas dela pro trabalhador poder trocar a noite pelo dia, evitando o calorão do sol. Na usina já muitas feitas se trabalha de noite. O ganho diário na usina é de cinco mil-réis pelas oito horas de trabalho, o que se não chega a ser propriamente um crime é porque custa bem a gente distinguir o que seja crime nesta sociedade em que vivemos. Outra acusação grave a fazer aos proprietários dessa Companhia é não se utilizarem senão duma porcentagem absolutamente mínima (talvez não passe de 10 por cento) das terras salineiras que a elas estão aforadas. Isso empecilha o desenvolvimento da indústria diminuindo imaginem de quanto a produção e o emprego de capitais no estado! Temos que ler de novo o que falei atrás sobre a dificuldade da gente alcançar um conceito de crime na civilização americana de agora.

Mas que boniteza de salinas!... Graças a Deus aliás que elas já estão perdendo a sensação metafórica de Holanda que davam pros sabidos. Os moinhos já estão sendo substituídos por motores elétricos, menos visíveis na paisagem que pra logo ficará tão somente sal e sol, uma geometria em luz. Nos baldes a água crespa, nos cristalizadores a larga quadra alvinha, a reta da estrada, quilômetros! no meio e as pirâmides brancas, branquíssimas quase todas, túmulos de ninguém, cinco, seis, às vezes mais metros de altura. É u´a maravilha.

Inda faz pouco, depois da janta, voltei lá na luz forte do quarto crescente. Que fresca batia no vento resmungador! Mas inda era cedo, 20 horas e por isso os fantasmas descansavam no chão, sob as mortalhas, antes de irem por esse mundo, assombrando tudo.

Automóvel, 19 de janeiro — Cinco e quinze. Carreira maravilhosa no leito do Açu, leito chato, planície dando sensação de deserto. Penetramos no vale do Açu, carnaubais formidáveis. As carnaúbas desfolhadas pela colheita recente têm ar espantado muito pândego.

A estrada é quase que um arruado só, povoadíssima. Pessoal que vive da carnaúba e do samba. Não tem noite quase em que a "chama" não gagueje surda chamando os festeiros pro zambê. Gente alegre. Que nem no litoral, vestido encarnado é muito por aqui. Porcos cruzados com tamanduá, cada focinho destamanho!

Às 7 e 3 quartos, atravessamos o restico do rio Açu e três minutos depois a cidade do Açu. Foram dez léguas de várzea fértil, esse carnaubal formidável.

Açu, 2.500 habitantes. O município terá 25 mil. Produção deste ano: 24 mil arrobas de cera de carnaúba. Município feliz por causa do rio e das lagoas: na seca não só não "produz" retirantes como até os recebe.

O regime do vale inda é latifundiário. O trabalhador rural na época da colheita ganha o jornal de quatro mil-réis. No geral duas colheitas anuais, rentes uma da outra. Vai tudo pro carnaubal, moços, moças, mulheres, homens. Colheita e farra danadas.

Às 8 e 15 partimos da cidade simpática, ar de alegria. A caatinga ficou mais simpática. Os troncos de marmeleiro e da catanduba arborescente não queimam os pés no chão atapetado pelo panasco seco, meio doirado. Quando se não quando o chão esturrica e racha. Pra esquerda a serra do João do Vale no longe, preta, às vezes irritada em serrotes e cuscuzeiros de pedra. Sertão. Atravessamos o arruado do Espírito Santo. O que entragica bem esses povoados é o vermelhão das casas tijoladas, queima e apavora.

Domínio da pedra agora. Muitas feitas as cercas das fazendas são muros de pedra, léguas e léguas!

Na sombra esperançosa dum pereiro, uma família de retirantes. Fico besta. Nem dinheiro atiro pra eles. A viagem virou desgraçada.

Atravessamos Augusto Severo às 10 e 40. Na vastidão de ao pé da serra a chuva já peneirou. Peneirou só, porém tudo está verdinho e o tejuaçu lagarteia no solão exato da estrada. Seriemas.

E continua, só que verdolenga, a mesma monotonia dramática de sertão, fazendas num silêncio atordoante e de hora em hora as vilas e cidadinhas

"Macau — Salinas"
(Foto e legenda M. de A.)

inexplicáveis. Solidariedade de miséria. Sai da estrada um gadinho escalavrado, envergonhado de viver, humilde, batido, com a anca debaixo das pernas. Uma vaca surubim faz sinal pra pararmos:

— Por obséquio: Srs. não viram alguma cacimba por aí?

Pouco depois das 12 chegamos a Caraúbas, meia almofadinha, caiada de novo pra inauguração do trem de ferro de Mossoró até aqui. Calor de Iquitos. Almoçamos e fugimos.

A estrada segue melhorada. Ora tudo seco, ora esverdeando já segundo a fantasia dos chuviscos escoteiros. No seco as arvoretas mostram todos os ninhos.

Estamos quase tocando com a mão a serra do Martins, mas os corpos continuam secos e o calor pavoroso. E estamos perdidos, o caminho errou. No solão das 15 horas, através do juremal ressecado, pinoteando no trilho dos carros de boi...

Afinal topamos com Gavião, lugar de gente brigona, a cangaceirada, o caminho vai todo espinhando de cruzes.

Aproveitamos a sombra duma casa pra mudar o pneu e beber água. Crio coragem e fecho os olhos, bebo. A casa é dum homem que andou se atrapalhando com Lampeão quando esse passou por aqui, via Mossoró. Foram duma burrice estratégica tão gentil que Lampeão de enjoo só matou "três anjos", como costuma falar. Topamos com as três cruzes juntas, logo partidos.

A estrada nem merece nome de vereda pra cargueiro. É um trilho de janduí. Erradas. Cada homem, cada casa, perguntamos caminho. Cada um secunda dum jeito, faltam duas léguas, faltam três, faltam seis! Velocidade máxima: cinco quilômetros por hora! E a noite cai rápida trazida pelo vento de tempestade. Estamos subindo a serra e já chove ali na esquerda, cada clarão! Os trovões são desta grossura! O farol não vale nada. Se não fôssem os relâmpagos não podíamos avançar. E a tempestade nos pega. Dentro do automóvel relampeia, chove, o trovão estronda. Os galhos batem na gente. Ora dum lado, ora do outro o abismo aumenta, exagerado pela noite. As derrapadas criam uma marcha de acaso enquanto os raios nos ensurdecem. Estamos num perigo desgraçado muito sério. Me convenço que não é nada agradável a gente deixar uma pobre de mãe chorando a nossa morte. As árvores estão se esfacelando. Os galhos até servem pra endurecer um bocado mais o caminho. Um, enorme, careceu tirar da estrada, o diabo! Tivemos também o momento da morte pertinho, clássica dessas ocasiões. O automóvel enveredou pro abismo, inconscientemente torci pra esquerda e atrapalhei a manobra do chofer, quase que fomos!

Afinal a ventania foi levando a tempestade pro outro lado da serra. Conseguimos derrapar até o arruado de Boa Esperança. Não era o nosso destino, porém, impossível de ir pra diante, sem correntes, sem farol bom, nós encharcados e exauridos pela sensação estúpida do perigo.

Todo o povoado acordou com as buzinadas. Recepção positivamente hostil. O pessoal por aqui vive obcecado pela presença do cangaço, imaginaram que éramos cangaceiros, quatro homens esquisitos. Foi um custo desdesconfiarem. Boiamos carne de sertão com farinha, coalhada com rapadura e caímos nas redes. Maravilha da noite fresquinha!..

Agora estou dormindo.

Automóvel, 20 de janeiro — É uma felicidade acordar são e salvo. Estamos bem dispostos como nunca. O... "o que sucedeu" ontem de-noite acabou duma vez o sequestro de civilização. Bateu uma vontade fantástica de falar bobagem em nós, cada palavrão!

Partimos às 5 e 40 em busca de Martins, nosso destino de ontem. A manhã está sublime, vistas estupendas como o sol paulista ciceroneando as rebarbas da serra. A estrada continua cheia de cruzes com pedrinhas nos pés e nos braços. Cada um que reza pelo assassinado bota uma pedra na cruz. Lagoas. Jaçanãs quase mansas entre verdes fáceis. Sertão de nome e de lonjura apenas. A todo o momento atravancam a rodovia melhorada os galhos derrubados pela tempestade de ontem.

Às 7 e 15 chegamos a Martins, lugar pra héticos, a igreja azul e branca, largos com árvores, feira dominical no mercado, uma gostosura. Caímos nas mangas. A minha sede é que tem sido um caso sério. Ontem em Boa Esperança, bebi chegando garrafa e meia de cerveja. Aqui, não fazem duas horas que parei e já estou na segunda garrafa de Paulotaris. A água que bebem por quase todo o sertão é repugnante de suja, feia, gosto de ruim, só mesmo em último caso é que a bebo. E por toda a parte, depois de Macau, a mesma ausência de guaraná e águas minerais. Quando muito uma Salutaris artificial, da Paraíba, e o detestável Guaraná Champanha. Guaraná Simões, do Pará, muito gostoso, é uma raridade. Aqui em Martins tenho que aguentar Paulotaris, não há outra coisa.

Às 12 e 20 partimos pra vencer a penúltima etapa da viagem: Caicó. Nem bem uma hora de descida e primeira errada. Ninguém ensina direito e como o caminho só com muita condescendência serve pra automóvel, vamos errando por quanto trilho de cargueiro e de carro de boi se encontra. O calor é inenarrável e a sede aumenta.

Só pelas 16 horas topamos com o caminho certo e entramos na Paraíba. A estrada melhora bem, chega a ser boa e se pode contemplar a paisagem. Tudo seco não tem dúvida, esturricado, a mesma monotonia dolorosa perto, mas a vista das serras de lado a lado é lindíssima. Morraria de pedra lisa riscada pela vegetação queimada. Quando o vale se alarga são guanabaras que a gente corta, se aperta a gente entra em Vitória: vale a pena ver.

Mas a viagem segue sempre apreensiva. Estamos em plena região de cangaço, as casas nos veem com receio, fazem perguntas esquisitas pra nós, pretendendo nos pegar numa resposta falsa e descobrir em nós cangaceiros montados na "Oakland". A dona com o menino ficaram apalermados, nem puderam responder.

Afinal às 17 entramos em Catolé do Rocha, com procissão do orago, rojões, gente bêbada e mendigos. Mas a cidade está desfalcada. Cerca de 1.100 famílias da zona foram pra S. Paulo. "Vam'bora pro sul!..." Esse refrão vai me perseguindo com amargura. "E só se fala agora em ir pra S. Paulo", acrescentou o informante...

Toda a gente se move, cordial, pra descobrir alguma garrafa de guaraná pra nós. Não há. Acabou no leilão. Caímos na cerveja.

Catolé do Rocha, capital do cangaço paraibano, é meia espandongada no jeito, com duas praças grandes, contíguas e em plano diferente. Um conventinho muito bonito em barroco simples. Lá num morro a capelinha é uma gostosura de estrela que o sol faz.

Na sombra das casas um carrinho de mão tem uma aleijada dentro. É moça ainda, feição de boba. Traços até bonitos, dentadura linda sempre à mostra brilhando na baba escorrendo. As moscas escolheram a boca da moça pra pousar. Quando atormentam por demais, a boba limpa a boca no ombro e recomeça babando e rindo. Não sabe falar, só sabe rir. As pernas são cordas vermelhas atiradas por aí, dentro do carrinho. Junto desse está uma velha sentada no chão, coberta quase a cara toda com o chale. Chale de lã! Quando a esmola cai na cuia, a boba pega o dinheiro depressa e dá pra velha. Então essa canta um "bendito" de gratidão. Tem a voz nítida e o bendito musicalmente é maravilhoso. Alimentamos a continuação dele com esmolas enquanto pego meu caderno pautado, e anoto a cantiga. O povo me cerca sarapantado, bêbados, meninos, mulheres, tudo espiando o caderno esquisito. Só mesmo a boniteza do canto me sustenta no escândalo.

> "Deus li pague a santa esmola
> Deus li leve no andô,
> Acumpanhado di anjo
> Acirculado di flô,
> Assentado à mão direita,
> Aos péis di Nosso Sinhô!"

Termino de anotar a melodia e fico maravilhado contemplando a simplicidade genial dela. Que perfeição de linha, que equilíbrio de composição! E que desmentido pra certas teorias. Canto em maior e rápido e apesar disso duma dor magnífica, pobre, mes quinha, triste mesmo.

Fugimos pra Brejo do Cruz. A estrada melhora cada vez mais, porém, a garrafa de cerveja não bastou. Estralo de sede e vou obcecado pelo bendito da pobre, cantando por dentro com uma melancolia enorme.

18 e 30. Brejo da Cruz.

— O sr. tem alguma coisa pra beber?

— Tenho cerveja.

— Venha cerveja.

Bebo duas garrafas, ali no sufragante, quase sem respirar. Levo outra pro automóvel. Os amigos fazem o mesmo. Estralo de sede. Todos principiamos achando uma graça enorme na sede minha. Nem bem damos as costas pra cidade, fome nem me amolo com ela! é sede. Bebo rindo a terceira garrafa. Esta vida é uma gostosura gente!

Quá quáquá!... Venha Lampeão! Canto:

> "É Lamp, é Lamp, é Lamp...
> É Virgolino Lampeão! ..."

Acho uma graça exagerada em Lampeão, em Catolé do Rocha, na pobre, em Jesuíno Brilhante. A escureza não me deixa ver mais nada. As miragens do automóvel a 180 quilômetros, me atiram contra o chofer. O automóvel está voando pros campos de aterrisagem existentes por todo o estado, me arrebento contra o vento, durmo, acho uma graça derradeira e durmo no ombro do chofer.

Caicó, 21 de janeiro, 20 horas — Hoje não se viajou. Paramos nesta cidade em progresso, pra mais de quatro mil almas, eu na esperança de pegar uns cantos de negros que por aqui inda elegem rei e rainha e cantam. Espécie de "Maracatu" sobrevivente nesta região onde mesmo o cabrocha é raríssimo. Os negros não vieram, visitei a cidade com as casas monumentalizadas pela ausência de plantinhas de enfeite e agora estou imaginando.

A estrada de rodagem de Caicó pra Catolé do Rocha, ligando o Rio Grande do Norte com a Paraíba, empregando 400 trabalhadores — o que quer dizer 400 famílias alimentadas — com o jornal ridículo de 2$500, o governo federal suspendeu de sopetão. Esse povaréu todo ficou na miséria completa em plena seca, morrendo de fome. Serviço não há nenhum. Segundo informações dum técnico da Inspetoria de Estradas, só os direitos alfandegários da gasolina importada pelo estado, só esses direitos dão pra pagar o serviço. O governo federal gasta cinco contos semanais com ele. E tem verba destinada a ele só que inda não foi distribuída! E o serviço é parado derrepentemente: a seca se tornou palpável, a fome, a morte ou a deserção... Mas o governo federal faz uma estrada de luxo Rio-Petrópolis...

A reverendíssima Excia. do Dr. Washington Luís passa pelo Nordeste em discurso, não tirando luva da mão, sem experimentar o tapa-mão de couro do vaqueiro, bem hospedado, comendo, e muito, as comidas morena de por aqui. E antes ou depois da viagem, que nem todos os brasileiros (até o nordestino!), continua lendo as literatices heroicas de Euclides da Cunha.

Pois eu garanto que *Os sertões* é um livro falso. A desgraça climática do Nordeste não se descreve. Carece ver o que ela é. É medonha. O livro de Euclides da Cunha é uma boniteza genial, porém, uma falsificação hedionda. Repugnante. Mas parece que nós brasileiros preferimos nos orgulhar duma literatura linda a largar da literatura duma vez pra encetarmos o nosso trabalho de homens. Euclides da Cunha transformou em brilho de frase sonora e imagens chiques o que é cegueira insuportável deste solão; transformou em heroísmo o que é miséria pura, em epopeia... Não se trata de heroísmo não. Se trata de miséria, de miséria mesquinha, insuportável, medonha. Deus me livre de negar resistência a este nordestino resistente. Mas chamar isso de heroísmo é desconhecer um simples fenômeno de adaptação. Os mais fortes vão-se embora.

"Vam'bora pro sul!..."

O nordestino é prolífico. Dez meses de seca anual. Não tem o que fazer, faz filho. Os mais fortes vão-se embora. Fica mas é a população mais velha, desfibrada pelo sol, apalermada pela seca, ressequida, parada, vivendo porque o homem vive, acha meio de viver até aqui! Mas fica porque... meu Deus! porque não sabe partir!...

"Taboleiro entre Goianinha e Penha"
(Foto e legenda M. de A.)

É medonho. Por toda a parte onde se passa o mesmo refrão amargo eles repetem pra nós: Porque fulano, o filho da Maria Sousa, o filho do João etc., o filho do não sei quem partiram pra S. Paulo. E quinta-feira partem o filho de fulano e o do sicrano. Os filhos partem. Um melhorzinho diz-que mandou 800 mil-réis pra família. Outro mais piedoso voltou. Mas foi pra levar não sei quantos. E lá se foram todos pra S. Paulo, pra Goiás, pra Mato Grosso.

A história da volta sempre do nordestino é uma blague sentimental ridícula. Volta um ou outro apenas. E voltavam principalmente do Acre onde a situação aquática é tão mortífera quanto a seca nordestina. Os que vão pro Sul não voltam não.

Os nordestinos arranjados, cheios de regionalismo e literatice, zangam com o funcionário de não sei que repartição de secas porque esse aconselhava o abandono de certas regiões nordestinas, as do sertão sáfaro. A opinião desse era de fato leviana pela maneira com que a contam, porém, o regionalismo sentimental e... euclidiano também já está fora de tempo.

O homem arranjado que para em Catolé do Rocha ou em Parelhas, está sofrendo? Pronto: embarca no automóvel, vem pra Natal vai pro Recife, tem água sempre e até gelo. Um cruzado pra ele não é nada, compra quantas latas de água quer e morta a sede se põe cantando a resistência do povo, o nativismo dos retirantes que voltam etc. Nessa mesma gente que voltam, os arranjados não estão imaginando o sofrimento diário, o abatimento miserável, mesquinho, infinitamente desinfeliz. Mas os mais fortes vão-se embora pro Sul...

Isso pra nós sulistas é um benefício enorme, recebendo essa emigração de moços fortes, selecionada pela própria energia de partir sem sentimentalismo. Porém graças a Deus que não sou nem paulista nem patriota! O que vejo mesmo é a seleção depauperando o Nordeste. E o sofrimento do homem. O Rio Grande do Norte mesmo tem vales magníficos ver o do Ceará Mirim. No vale do Açu param 25 mil almas e pode conter folgadamente 100 mil. Era preciso canalizar esses sertanejos pra esses vales, pro litoral, e atarrachá-los aí por meios suasórios que ao mesmo tempo terminassem com o regime latifundiário que inda subsiste colonialmente por aqui.

Não tenho dúvida que o problema do sertão e da caatinga em seca há de se resolver. Não entendo dessas coisas e temo dizer bobagem. O que sei é que por enquanto tudo está errado e ao proletário rural não beneficiaram quase nada as medidas existentes que o governo federal tomou. Os açudes grandes não passam dum paliativo e os retirantes que se arrancham na praia deles, são duma arribação dolorosa...

O sertanejo estava com um desejo danado de experimentar o automóvel. Quando atravessava o Olho-d'água topou com um, vazio. Pediu pra andar nele um bocado, o chofer deixou. Amarrou a besta numa oiticica e lá foi no macio. O chofer perguntou se bastava, pediu pra andar mais um bocado. Afinal bastou e o auto foi embora deixando o sertanejo agradecido no meio da estrada, que solão!

— Dona, que distância vai daqui pro Olho-d'Água?
— Doze léguas.

Pois isso é que careciam de fazer com o Dr. Washington Luís, deixar ele a 12 léguas da recepção, comendo a miséria medonha desta seca. Miséria medonha.

Automóvel, 22 de janeiro — Atravesso Caicó, partindo pra vencer a última etapa desta viagem. 7 e 40. Caicó me assombra, bem arrumada, casas novas. São casas pequenas, enfeitadas muito, no geral feiosa, porém, se sente o progresso. "Aqui vai ser uma rua." O que se vê é um conjunto de pedras desengonçadas, lajes, blocos. E aí vai ser uma rua... E assim, grupos de casas novas, sem nenhuma espécie de vegetação, a gente tem uma impressão danada de monumentalidade.

Essa impressão vai continuando estrada fora. Estrada excelente cortando uma paisagem quase que exclusivamente de pedra. O chão é pedregulho só. A própria vegetação do deserto nordestino rareia muito. Por momentos a gente fica cercada só de pedra e de xique-xique rasteiro que parece vegetação de pedra também. Os serrotes vão amansando. Larguezas formidáveis e no longe à direita a serra de Borborema menos recortada, ondulando estendida. A rodovia inteligentemente estudada vai no divisor das águas entre o rio Seridó e o Barra Nova. E as cercas das fazendas por aqui são exclusivamente muros intermináveis de pedra. As obras de arte da estrada, pontes de cimento, mata-burros de trilho, tudo reto. É monumental.

Um monumental desolado, em que a monotonia do grandioso tem uma psicologia de perversão baudelairiana, amarga.

Às 9 cortamos Jardim de Seridó, uma cidadinha de Tarsila, toda colorida limpa e reta. Catita por demais, lembrando Araraquara por isso. Cidade pra inglês ver. Mas não tem dúvida que é, um dos momentos de cor mais lindos que já tive neste aprendizado pra turista.

30 minutos depois tomamos café e água verdadeira em Parelhas nascida ontem, com ar de saúde. A região do Seridó mostra com evidência um ar de progresso que até agora eu não tinha sentido nesse raide nem mesmo nas salinas. De-fato é a região mais progressista do estado, valorizada pelo algodão mocó e facilitada pelos processos econômicos em uso. O trabalhador aqui, no geral, é meieiro. O proprietário das várzeas e dos açudes dá a terra, o proletário planta e colhe o algodão, o resultado é metade pra cada um. Isso prende um bocado mais o proletário à região e o êxodo de moços diz-que é menor aqui. Mas existe também. Em Caicó nos enumeraram nomes de rapazes partidos ou em vésperas de partir pro Sul e já encontramos um grupinho, seis ou oito, trouxa nas postas, pé na estrada, indo-se embora.

Mas nesta viagem assim rápida, correndo pelo divisor das águas, os sinais de progresso são apenas as cidades. Também quando senão quando nos ramos desfolhados dos juremas estão presos flocos de algodão ficados dos fardos em viagem. E é só. Não se vê os açudes. No entanto a açudagem particular tem realizado milagres na região. Basta dizer que dos mais ou menos 1.500 açudes do Rio Grande do Norte, me informaram que perto de 1.200 estão no Seridó.

Açudagem particular porque o governo federal mesmo... Passada Acari às 11 e 28 logo topamos com o açude... que ia-se fazer, de Gargalheira. Gastaram com as obras preparatórias um colosso de dinheiro, máquinas, transporte de material, salários, construções de casas e, sim, os intermediários. Passei. Construções por acabar... em ruínas, barracões, maquinário caríssimo, barragem iniciada, tudo no abandono, inútil, coisa hedionda, crime famoso, desgraçados!

Não é possível se pregar revolução neste país. Na certa que haverá traidores. O que nós carecemos é dum cangaço secreto, matando friamente fulano que é gatuno, fulano que é burro, fulano que é abúlico, assim. Matar. Matar friamente. Então o açude de Gargalheiras juro que já estava acabado, beneficiando a uma região produtora, prendendo gente no solo nordestino, enriquecendo o país.

Almoçamos em Currais Novos e uma hora depois, 13 e 20, de novo entre pedra e xique-xique, as juremas sempre rareadas. Principia o facheiro pardo sujo, implorando licença pra se chamar de verde, anunciando a serra do Doutor. Agora é quase só facheiro, uma facheirada espeloteada beiradeando as nascentes do seco Potenji.

Mais um grupo de retirantes. Mulheres guindadas sobre badulaques de mudança que os dois burros carregam. Homens de pé. Um jerico leva os caçuás cheinhos de crianças. De certo vão pro açude federal de Sta. Cruz onde já tem mais de 200 famílias arrancadas...

15 e 15. Sta. Cruz. Passamos. Os pneus já estão dando o prego. Paradas irritantes. Já estamos nas barras do sertão. Mais um grupo de rapazes, três, gente forte, trouxa no ombro. Entramos definitivamente na caatinga, com a serra baiada por último espicaçando a planura. As câmaras de ar não podem mais também. Abrimos numa carreira maluca fugindo da pane definitiva.

Às 17 e 40 fechamos o "O" da viagem topando com a estrada de Lajes, tomada na manhã de cinco dias atrás. A boca da noite fecha rápida. Desilusória como todo o fim de viagem. Macaíba. Às 19 e pico, o triângulo elétrico da capelinha de S. Pedro no Alecrim. Natal. 1105 quilômetros devorados. E uma indigestão formidável de amarguras, de sensações desencontradas, de perplexidades, de ódios. Um ódio surdo... Quase uma vontade de chorar... Uma admiração que me irrita. Um coração penando, rapazes, um coração penando de amor doloroso. Não estou fazendo literatura não. Eu tenho a coragem de confessar que gosto de literatura. Tenho feito e continuarei fazendo muita literatura. Aqui não. Repugna minha sinceridade de homem fazer literatura diante dessa monstruosidade de grandezas que é a seca sertaneja do Nordeste. Que miséria e quanta gente sofrendo... É melhor parar. Meu coração está penando por demais...

Natal, 23 de janeiro — Henrique Castriciano é que nem eu, a respeito do Brasil, e temos conversado horas úteis para mim. Talvez ele seja apenas um espírito menos prático que o meu, mas pra compensar tem uma erudição e um conhecimento tradicional excelentes das coisas do Brasil e do mundo. Como cultura brasileira franqueza: é um dos poucos nordestinos com quem tenho privado cujas reações intelectuais funcionam em relação ao Brasil. Regionalismo paulista... O que eu vejo é um nordestinismo atrasadão, assoberbante, às vezes ridiculamente vaidoso, apoucando a sensibilidade, a atualidade de muitos por aqui.

Henrique Castriciano afinal das contas não é nem pessimista nem otimista a respeito do Brasil. *O Retrato* de Paulo Prado é certo que causou nele, excetuadas as bobagens está claro, a mesma reação que causou na crítica oficial (!) brasileira. Mas também está convencido que vamos por uma formidável decadência moral.

Uma das provas disso, ele me falou, está na própria transformação do cangaceirismo nordestino. Essa transformação foi definitivada por Lampeão e os companheiros dele, hoje verdadeiros salteadores, gatunos sem grandeza e sem nenhuma espécie de dignidade, estupradores, roubadores, gente ruim.

Dantes o cangaceiro não era assim não. No geral cavalheiresco, protegendo as mulheres, não roubando propriamente, apenas se apropriando de posses alheias nas vinganças. E a riqueza apropriada assim, era de todos, acabava servindo aos pobres. Ninguém não se fazia cangaceiro não. Era feito por essa incompatibilidade em que se botou a pseudocivilização social em que vivemos com a justiça verdadeira. O indivíduo sofria uma desgraça sem cura, tiravam o sítio dele, estragavam a mana etc., então virava cangaceiro pra justificar. Justificava, o que quer dizer que ficava fora da Justiça... Era o cangaço. Cangaceiros tanto de ontem como de agora são uma prova admirável de resistência, de saúde, de força e de coragem física. Isso não tem dúvida. Vida com o olho direito sempre acordado, com atividade sem parada, abstração de clima, de dengue, de malinconia... Mas os de dantes possuíam afinal das contas u'a moral lá deles, não matavam, não atacavam sem razão, respeitavam, protegiam, coisas que o temor do ridículo faz a gente chamar de "românticas". Não tenho medo do ridículo nem do "romantismo". Chamo isso de moral lá deles e de meu tio, fazendeiro prático achando que sem palmatória, menino é bicho ineducável.

Mas parece que Lampeão tinha no grupo dele uns malandros cheios de curso escolar... De primeiro ele não era o que é, não. Os tais é que, cangacismo praticado, voltavam pra roubar, estuprar o Cão! Lampeão... Lampeão era brasileiro da República (não sou monarquista) e se acostumou. O certo é que cangaceiro é sinônimo agora de tudo quanto é desagradável e incerto. Decadência... Resistência... Mas resistência não basta para nada... Veja-se o Dr. Washington Luís... Minha maior esperança está mesmo nos gaúchos.

Natal, 24 de janeiro — Luís da Câmara Cascudo, além do mais, é uma crônica viva das tradições norte-rio-grandense. Me falou hoje sobre uma que vai se perdendo, a dos curadores de cobra. Verdade por mentira o certo é que faziam proezas incríveis.

Um desses curadores, popular no estado foi o negro Gambeu, indivíduo troncudo, varapau, sempre se rindo. Muita gente saiu da morte com os sortilégios dele. Como todos os curadores, jamais matava cobra por matar. Até fazia criação delas e não viajava sem carregar numa cabaça um elenco de cascavéis e jararacas. As de mais estimação traziam enfeites, campainhas feitas com dedal e cabeças de alfinete e mesmo às vezes um laço de fita.

Durante uns tempos em que sofreu de reumatismo, Gambeu se alimentou muito de cobra. Cortava ritualmente um palmo da cabeça, outro palmo da cauda, assava o resto, que comia. A profissão mais constante de Gambeu era amestrar cachorros de caça, pra vender no Piauí. Isso prova pelo menos que tem pouca mordida no Rio Grande do Norte.

Gambeu era um pândego. Se vestia fantasiosamente e gostava de mangar de todo mundo. A roupa era de cor berrante e o chapéu coberto com pele de maracajá. Morreu beiradeando cem anos, sempre com a mesma lucidez de espírito. Inventava resposta no pé das perguntas.

No sertão da Paraíba também se guarda memória doutro curador famanado, o Bento. Este, chegava num campo, assustava o capim e ia falando:

— Neste campo tem três cobras, uma jararaca e duas cascavéis.

Mandavam que as fosse matar, se recusava.

— Curador que vive de cobra não deve fazer mal a elas... Pau se vinga quanto mais os bichos! Posso trazer.

Ia e trazia as três cobras.

Ficou célebre dele a cura dum cavalo. O animal já estava estrebuchando, mordido por jararaca. Bento chegou maneiro, cuspiu na boca do cavalo e berrou:

— Levanta, preguiçoso!

Não sei... O cavalo parou de estrebuchar, fincou as patas no chão, fez esforço... Daí a pouco estava andando com os outros.

Natal, 25 de janeiro — Mais alguns santos de catimbó pra acabar:
Caruará é um pajé do Amazonas mestre benfazejo.

Antônio Caboquinho da Jurema, feiticeiro e pagão. Não foi batizado, e quando vivo era absolutamente incréu. Especialista em questões e até brigas corporais. Tanto as resolve como fomenta. É bugre de Mato Grosso. Certas feitas se enraivece tanto nas sessões que o pessoal todo foge, com medo dele. Se enraivece porque é desconfiado que nem mineiro e briguento que nem brasileiro na pinga. Já tem se batido com outros espíritos, com o Príncipe da Jurema, com Mestre Carlos e com a Tapuia Caipora. Às vezes vence. Uma feita massacrou um mestre de sessão.

Essa Caipora é uma tapuia perereca, "espírito pequetitinho", do tamanho dum dedo. Para no Aripuanã. Quando se acosta nalguém, a pessoa tem raivinhas, "se trepa" toda e principia fazendo tudo quanto não presta, a diabinha! É inconvenientíssima, segundo as notas sociais do *Diário Nacional*. Gosta de trabalhar nua e de pernas pro ar que nem o Godique. Uma feita "se acostou" numa mocinha e não houve remédio, por mais que fizessem, a sequestrada rasgou, rasgou as roupas, ficou nua. É muito danada. Arrepela os cabelos, quebra pratos, e estando na posição natural pula sem parada, arco e flecha na mão. Chega a tirar o juízo da pessoa em que se acosta.

Carece notar que os espíritos femininos tanto se acostam nas mães como nos pais de terreiro.

Outro mestre malévolo é Tabatinga, sumamente perverso, ameríndio rei dos espíritos feiticeiros. (No geral os catimbozeiros empregam as palavras "feitiço" e "feiticeiro" com sentido depreciativo, designando as coisas "da esquerda", isto é, do mal.) Pois Tabatinga só trabalha "na esquerda", flechando e "figando" (fazer figas). Não acredita em Deus. Só trabalha no escuro. Quando chega na sessão vai logo apagando as velas. Vive isolado com um só companheiro, José Pereira, tão bronco esse que nem tem "linha" (reza cantada, destinada especialmente a um santo, legitimamente o "nomos" dos gregos). José Pereira quando sucede baixar na sessão, grita: "Maldito seja Deus! Maldito meu pai! Maldita minha mãe! Trevas! trevas! trevas!... Sejam benditas as trevas"! Quando materializado José Pereira diz-que matou pai, mãe, padrinho, madrinha, esposa e cinco filhos. Quando abrem sessão os pais de terreiro "botam trave" (rezas de empecilho) para José Pereira não aparecer. Deixa "mau encosto" (sensação de abatimento, malestar profundo) nas sessões.

Pra acabar essas comunicações cito Mestre Zinho, feiticeiro, atualmente inda "materializado" (vivo). É um ser perigoso, não houve meios dos meus informantes me contarem onde que para. Trabalha com cachimbos enormes, às vezes faz o bem, mas é raro. É perversíssimo e já matou três pessoas. O mano dele, Mestre Tronchinho, também inda está vivo. Só trabalha invocando espíritos de cigano e é tido como mentiroso. Mestre Zinho possui um punhal temível chamado Satanás e a famanada Chave de Vângulo que abre todas as portas encantadas do espaço.

Natal, 26 de janeiro — Um dos reisados mais curiosos aqui no Nordeste são os Congos. Que nem o Bumba meu Boi, o Pastoril, a Chegança, é um verdadeiro auto. Esses três últimos têm origem facilmente portuguesa. A importância dos Congos e dos "Cabocolinhos" (outro "brinquedo" que se dança neste nordeste), é denotarem a colaboração ou inspiração do africano e do índio. Os Cabocolinhos são uma dança dramática em que personagens e comparsas, índios, se vestem com penas, trazem arco e flecha. Nos Congos tudo é africano. Acho, porém, perigoso afiançar que esses dois reisados sejam de origem imediatamente africana e ameríndia.

A respeito dos Congos, se é certo que personagens (rei do Congo, rainha Ginga), muitas palavras e muitos dos cantos e danças são visivelmente africanos, o reinado na sua expressão mais completa de texto e drama, recebeu versão e versificação eruditas de incontestável origem luso-brasileira.

Consegui colher uma versão mais ou menos completa dos Congos norte-rio-grandense. A deformação é inconcebível de tamanha. Os versos da parte dialogada, transmitidos as mais das vezes oralmente, estão estropiados por completo e em muitas partes é impossível distinguir até o metro. As próprias ideias expressas, muitas feitas, são já difíceis da gente pegar, porque um bom número de palavras foram ficando no caminho e outras, incompreendidas pela negrada, estão afeiçoadas pela etimologia popular e desencaminharam o texto.

Por tudo isso e mais razões a versão de Congos que colhi é uma preciosidade folclórica. E dum cômico esplêndido. Ninguém não poderá falar que o modernismo não teve profetas no Brasil, ante um documento destes. É o embaixador da rainha Ginga que fala pro Reis:

"— *Sinhô! sou eu um home monstro e trono sem igual e quem fez novo calibre lá cruel, juda falso traidô, cruel em crimes, foi aqueles que seguirom os caso mortais. Fiu eu o mesmo deus Ielêu, a Oropa que me triva os péis do reis inimigo a capital; fui home; fui trigue e fui dragão e hoje que mais sou o própi Napulião etc."*

Eis uma versão mais antiga:

"— Senhor eu sou um monstro sem igual

Sei medir os calibre da cruel
Judas falso traidô cruel infime (infame)
He'-de seguir os passo mortal!
Já castiguei o próprio deus Yelêu
Púis toda a Oropa em confusão;
Fui home, fui tigre, fui dragão.
Hoje que mais o sou, forte Napoleão..."

E pur... se entende! ...

Automóvel, 27 de janeiro — São 6 e 30, parto do Rio Grande do Norte. Vou comprido, com esse desaponto vasto de quem deixa o que quer bem, me prolongando pelas quietudes de Natal.

A primeira etapa da viagem é repetição. Às 9 e meia chego no engenho Bom Jardim e almoço. Almoço quase acabado em desgosto. O coqueiro Chico Antônio que hei-de celebrar melhor em livro, me aparece, tira uns pares de cocos, arremata a série com o *Boi Tungão* e num improviso de quebrar coração duro, me oferece o ganzá dele.

Parto seco, bancando indiferença, com uma vontade danada de falar besteira, êh coração nacional!... O taboleiro fica duma monotonia insuportável com a estrada ruinzinha atirando a gente pra fora do auto. A entrada no carrasco não adianta nada. A estrada piora mais, cheia de tocos. E positivamente que não diverte nada a gente parar quarto de hora pra tirar um bruto de galho do caminho.

Ao passar das 14 entramos na Paraíba...

"Meu galinho-de-campina
Que Cantô na Paraíba! ...
— Olê, rosera,
Murchasse a rosa!

Abre a alegria um engenho limpo bem simpático, mas com um quiosque de enfeite que não pude entender. A estrada também melhorou um bocado. É menos que ruim no areão valsante e às 15 e 40 entramos em Mamanguape.

Ruínas. Ruínas pacientes dum bom gosto colonial. Sobrado de azulejo, bom de forma, bem colorido, iluminando a sensação. Saracoteamos por uma ladeira monumentalizada pela existência da correição, escadenta, cor de sangue velho. Moça bonita se oferecendo pra casar... É pena! Adeus, lagartixinha de ruína!...

Paramos no largo pra examinar a matriz, simpática por fora. Por dentro: pão bolorento e anjo bento. Umas imagens antigas destituídas de valor.

A principal curiosidade de Mamanguape é possuir três horários. Tem a hora oficial a, hora solar e a hora... de Rio Tinto. Rio Tinto é uma cidadinha perto, danada de progressista, onde está a fábrica de fiação Comp. Rio Tinto dos manos Lundgren, uns brasileiros germânicos. Me contaram as más-línguas que os relógios dessa fábrica são tão capitalistas que apressam e atrasam inconscientemente, fazendo as 8 horas diárias dos trabalhadores se espicharem pra nove e tanto... Não sei se é calúnia...

A estrada agora pode se chamar estrada e é boa. Uma ponte de verdade nos leva pra muitas larguezas. Acolá um mato de paus d'arco em flor. Plantações enormes de cana até nas coxilhas porque a qualidade da terra vai melhorando bem. Vales, um enorme chega até as ladeiras de Paraíba que subimos às 18 e 30 com mais 255 quilômetros de estrada.

De estrada ruim. A melhora ao sair de Mamanguape não passou de blefe. Não pode haver por esse mundo, rodovia mais feita pra oferecer tanto catabil aos nossos membros.

Paraíba, 28 de janeiro, 3 da madrugada — Esse primeiro dia de Paraíba tem de ser consagrado ao caso da aranha. Não é nada importante, porém, me preocupou demais e o turismo sempre foi manifestação egoística e individualista.

Cheguei contente na Paraíba com os amigos, José Américo de Almeida, Ademar Vidal, Silvino Olavo me abraçando. Ao chegar no quarto pra que meus olhos se lembraram de olhar pra cima? Bem no canto alto da parede, uma aranha enorme, mas enorme.

Chamei um dos amigos, Antônio Bento, pra indagar do tamanho do perigo. Não havia perigo. Era uma dessas aranhas familiares, não mordia ninguém, honesta e trabalhadeira lá ao jeito das aranhas. Quis me sossegar e de-fato a razão sossegou, mas o resto da minha entidade sossegou mas foi nada! Eu estava com medo da aranha, Era uma aranha enorme...

Tomei banho, me vesti etc., fui jantar, voltei pro quarto arear os dentes, ver no espelho se podia sair pra um passeinho até a praia de Tambaú, mas fiz tudo isso aranha. Quero dizer: a aranha estava qualificando a minha vida, me inquietava enormemente.

Passeei e foi um passeio surpreendente na lua cheia. Logo de entrada, pra me indicar a possibilidade de bom trabalho musical por aqui, topei com os sons dum coco. O que é, o que não é: era uma crilada gososa dançando e cantando na praia. Gente predestinada pra dançar e cantar, isso não tem dúvida. Sem método, sem os ritos coreográficos do coco, o pessoalzinho dançava dos 5 anos aos 13, no mais! Um velhote movia o torneio batendo no bumbo e tirando a solfa. Mas o ganzá era batido por um piazote que não teria 6 anos, coisa admirável. Que precocidade rítmica, puxa! O piá cansou, pediu pra uma pequena fazer a parte dele. Essa teria 8 anos certos, mas era uma virtuose no ganzá. Palavra que inda não vi, mesmo nas nossas habilíssimas orquestrinhas maxixeiras do Rio, quem excedesse a paraibaninha na firmeza, flexibilidade e variedade de mover o ganzá. Custei sair dali.

Os coqueiros soltos da praia me puseram em presença da aranha. O passeio estava sublime por fora, mas eu estava impaciente, querendo voltar pra ver se acabava duma vez com o problema da aranha. Nuns mocambos uns homens metodicamente vestidos de azulão, dólmã, calça e gorro. Eram os presos. São eles que fazem as rodovias do estado e preparam os catabis. Não fogem. E não sei por que não fogem.

E fiquei em presença da aranha outra feita. Olhei pro lugar dela, não a vi. Foi-se embora, imaginei. De-repente vi a aranha mais adiante. Está claro que a inquietação redobrou. De primeiro ela ficara enormemente imóvel, sempre no mesmo lugar. Agora estava noutro, provando a possibilidade de chegar até meu sono sem defesa. Pensei nos jeitos de matá-la. Onde ela estava era impossível, quarto alto, cheio de frinchas e de badulaques, incomodar os outros hóspedes, fazer bulha. A aranha deu de passear, eu olhando. Se ela chegar mais perto, mato mesmo. Não chegou. Fez um reconhecimentozinho e se escondeu. Deitei, interrompi a luz e meu cansaço adormeceu, organizado pela razão.

Faz pouco abri os olhos. A aranha estava sobre mim, enorme lindos olhos, medonha, temível, eu nem podia respirar, preso de medo. A aranha falou:

— Je t'aime.

Paraíba, 29 de janeiro, 23 horas — Inda não posso falar da Paraíba que não vi. Passo meus dias trabalhando, trabalhando, estou colhendo uma coleção bonita mesmo de cantigas e danças.

Pois pra não perder o ritmo destas crônicas diárias vou dar alguns excertos poéticos que na certa vão deliciar os vossos ouvidos democráticos.

Existe aqui na Paraíba uma tipografia que estava na obrigação de ser célebre no país tudinho, se fôssemos patriotas de verdade.

É a tipografia Popular Editora, de F. C. Baptista Irmão. Publica folhetos, "foiêtes" como falam meus cantadores, com versos populares. Pois qual não foi minha surpresa gozada topando num "foiête", com uma poesia *A Caravana Democrática em Ação*. Comprei. Poesia comprida por demais e principiada marselhesamente deste jeito:

> "Surgiu o sol no horizonte
> Com raios de oiro a brilhar,
> Com a liberdade nas mãos
> Pelo Brasil a espalhar...
> Foi subindo e semeando,
> E o povo em geral gritando:

— Está livre a nossa irmandade;
Dizem os bosques aos oiteiros
Dizem os vales aos ribeiros:
— Nasceu hoje a liberdade."

É a Democracia, como se vê. O coração do poeta principiou quente, porém, foi esquentando inda mais. Quando estava muito quente, cantou:

"Vive qual cego sem guia
A política brasileira
Trazendo presa nas mãos
Os trapos de uma bandeira
O eco da dor subiu
Jeová do céu ouviu
E do Brasil teve dó...
E Assis e Maurício então
Vêm como Moisés e Aarão
No tempo de Faraó!

"Viu-se em vinte e dois de julho
Do ano de vinte e quatro
Com a revolução paulista
Da cena o primeiro ato;
Foi um dia de festim
O céu em azul cetim,
Parecia dizer: — bravos!
E os que na luta tombaram
As almas que aos céus mandaram
Não foram almas de escravos."

O poeta continua esquentando e afirma que a Democracia é a "árvore da vida". E reconhece que:

"Vai essa árvore fraudando (sic)
E os frutos que vão brotando
São paz, amor, liberdade."

O mesmo vos desejo.

Paraíba, 30 de janeiro, 16 horas — Chego no pátio do convento de S. Francisco e paro assombrado. Eu já conhecia a igreja de fotografia, porém, fotografia ruim, péssima como todas as que tiram os fotógrafos do Brasil. De-fato: fotógrafos mais bestas que os que aparecem nessa terra é difícil. "Praça da Sé" em S. Paulo. O que a gente vê é no fundo uma igreja em andaimes, no lado umas casas arranhaceuzadas que é um dispautério e no chão duzentos automóveis alinhados de propósito, se percebe, pra fotografarem a "Praça da Sé". Mas, e gente? Ninguém. São Paulo tem gente muita, o Rio também, mas as fotografias, não sei que horas os fotógrafos escolhem, deserto que nem caatinga seca.

"Catolé do Rocha — Paraíba — Convento"
(Foto e legenda M. de A.)

O mesmo com este convento de S. Francisco: fotografia mal focada, sem interesse, não mostrando os valores da arquitetura. Estou assombrado. Do Nordeste à Bahia não existe exterior de igreja mais bonito nem mais original que este. E mesmo creio que é a igreja mais graciosa do Brasil — uma gostosura que nem mesmo as sublimes mineirices do Aleijadinho vencem em graciosidade. Não tem dúvida que as obras do Aleijadinho são de muito maior importância estética, histórica, nacional e mesmo as duas S. Francisco de Ouro Preto e S. João del Rei serão mais belas, porém essa de Paraíba é graça pura, é moça bonita, é periquito, é uma bonina. Sorri.

O interior é irregular e já está bem estragado por consertos e substituições. Assim mesmo possui um púlpito, joia de proporção e desenho. As pinturas também são excelentes. Um dos altares laterais completado no tempo, mostra também pinturas dum mitivismo inconscientemente plástico, bem forte e bem cômico.

Os azulejos são dos mais ricos que já vi, suntuosos. O pátio exterior é murado por eles também e mostra nichos com cenas da Paixão ainda em azulejos magnificamente desenhados e que assim, emoldurados pelo nicho e distantes uns dos outros, a gente pode isolar, contemplar e gozar bem.

Na frente de tudo o cruzeiro é um monolito formidável. Estou assombrado. Paraíba possui um dos monumentos arquitetônicos mais perfeitos do Brasil. Eu não sabia... Poucos sabem...

Paraíba, 31 de janeiro — O fato verdadeiro sei que já anda impresso, porém, vou contar de novo como me foi contado.

Nosso padrinho padre Cícero de Joazeiro, possuía um sítio umas três léguas longe. O que dava era algodão. Vai, o homem que administrava o sítio veio falar com o padre na cidade. Tinha quebrado um negócio qualquer da prensa de algodão e o trabalho parara.

Nosso padrinho com muita pachorra perguntou o que careciam pra fazer a prensa valer. Careciam de cortar um bom pau de braúna, que nem aquela uma da beira da estrada, logo depois do matinho. Braúna é pau pesado como o quê, a tal ficava longe da sede, nosso padrinho padre Ciço mandou cortar aquela mesma, destacando trinta homens pra carregar o pau até a prensa.

O administrador foi-se embora pro sítio, no outro dia chamou os homens, foram lá, derrubaram o lindo pau.

A terra gemeu com o peso da braúna. Desgalharam-na passaram as correias, prepararam tudo, trinta homens fortes de Joazeiro, soou o grito de ordenança, nhem!... quem disse! o pau nem se mexeu do chão, pesadíssimo. Com trinta homens era impossível carregar a braúna até a prensa.

O administrador deu mais uma chegada no Joazeiro por amor de pedir mais gente pra nosso padrinho, porém, naquele tempo nosso padrinho era mais novo, bem mais forte... Mandou encilhar o cavalo e falou:

— Vamos lá!

Foram. Chegaram. Os trinta homens estavam no mesmo lugar, uns sentados na braúna, outros em torno, fumando, cavaqueando... Vendo o santo se levantaram todos.

Então nosso padrinho padre Cícero desceu do cavalo, trepou bem no meio do pau, sentou cômodo e falou:

— Trinta homens não conseguiram levar este pau, agora vamos a ver se vinte não levam.

Vinte homens agarraram as correias, fincaram o pé, soou o ritmo de arranco e o pau moveu facilmente. Estava levianinho, levianinho.

E lá se foram os vinte homens carregando a braúna mais nosso padrinho padre Ciço até junto da prensa.

Aquela gente e quem me contou o caso falam que foi milagre de nosso padrinho.

Paraíba, 1 e 2 de fevereiro — Só agora vou conhecendo melhor a cidade da Paraíba. Muito trabalho e quede tempo de passear!.. Assim mesmo acho que a Paraíba é seguramente duas vezes maior que Natal e bem menos compreensível. É das cidades mais enigmáticas que já encontrei, e não sei resolver se é bonita se é feia.

Isso vem muito de ser uma cidade velha e nova, muito desmantelada com tudo de mistura. Perspectivas excelentes inda não aproveitadas ou aproveitadas mal. Inda não teve um Omar O'Grady (brasileiro), prefeito de Natal e inventor de Areia Preta, de Petrópolis e da ladeira que desce da praça do Palácio do Governo.

Paraíba tem um parque delicioso onde fica a fonte do Tambiá que dava de beber pra cidade nos tempos de dantes. O parque possui pra mais de 20 ipês seculares que quando estão florados imaginem só a magnificência.

Paraíba tem condução difícil. Às 20 horas e 30 passa o último bonde e com este calorão descer até o hotel Luso: antes pagar os cinco mil-réis pelos três minutos de automóvel. E o calçamento antiquado que nem o de certas partes de Natal, jamais não permitirá um desastre de automóvel. Dois quilômetros por hora, com exagero e tudo.

Paraíba tem antiguidades arquitetônicas esplêndidas. Algumas como boniteza, outras só como antiguidade. E já falei que o convento de S. Francisco é a coisa mais graciosa da arquitetura brasileira. Dantes possuiu um subterrâneo enorme, no tempo de holandês, comunicando com a fortaleza de Cabedelo. No subterrâneo vivia um dragão que comia as crianças de medo.

Paraíba tem bastante preto e os homens são dois centímetros mais altos que os natalenses. São mais esguios também e menos faladores, com exceção do Dr. Epitácio Pessoa e família.

Paraíba tem o culto de Epitácio Pessoa. Rua principal é a rua Epitácio Pessoa. Dispensário Epitácio Pessoa. Na frente do palácio do Governo onde mora e rege o estado com satisfação de quase todos, o Dr. João Pessoa, tem a estátua de Epitácio Pessoa. Escultura impossível, degradante, insultuosa. Cultuar assim é lesar.

Paraíba tem edifícios novos excelentes. Os Correios e Telégrafos são os melhores que conheço. Mas Paraíba tem muito mocambos e bairros operários mal-amanhados, desruados. A pobreza e o sofrimento tratados assim ficam semostradeiros em casinhas cujo, tope, de muitas, minha altura paulista atinge com a mão erguida.

Paraíba tem algumas moças bonitas, não muitas. No geral menos conversadas que as de Natal, porto de mar.

E Paraíba além de outras coisas tem José Américo de Almeida, autor da *Bagaceira*, todos no Brasil sabem. Aliás José Américo de Almeida nasceu no "brejo" em Areia para onde vou amanhã. Mas José Américo mora na capital, jurisconsulto, conhecedor profundo do Nordeste, míope dos olhos apenas, secretário-geral do estado, modesto e justamente célebre.

Por enquanto foi isso que eu vi da cidade da Paraíba e que pode aumentar o leitor.

O resto não se conta, são carinhos de amizade, gente suavíssima que me quer bem, que se interessa pelos meus trabalhos, que me proporciona ocasiões, de mais dizer que o Brasil é uma gostosura de se viver. Vai mal? Acho que vai. Acho que vai e sofro. Porém sofrimento jamais perturbou felicidade, penso muito nos meus sofrimentos de brasileiro e eles fazem parte da minha felicidade do mundo. Que eu tivesse que escolher uma pátria de-certo não escolhia o Brasil não, eu, homem sem pátria graças a Deus. Tenho vergonha de ser brasileiro... Mas estou satisfeito de viver no Brasil... O Brasil é feio mas gostoso.

Automóvel, 3 de fevereiro — Serão 13 horas talvez, não sei. Ando já meio perdendo a noção do horário nesta vida viajeira. Até a noção dos nomes topográficos. Me esqueço de perguntar por onde passo, ando misturando tanto as coisas que deixei de ser um indivíduo compreensivo pra me tornar essencialmente, unicamente mesmo, sensitivo. Essa história de raciocinar durante a sensação dá no caso daquele que não quero nomear mas, tomando outro dia whisky, com água de coco, bebidinha santa! — me falou: O Paulo Prado não tem razão não! Então o Brasil não há-de ser grande com uma bebida dessas!...

É uma burrada esplêndida. Tenho aliás achado muita graça na reação patrioteira que o livro de Paulo Prado causou. *O Retrato do Brasil* está sendo lido e relido por todos. E comentado. Comentado pra atacar. Inda não topei com ninguém que concordasse com o livro. Isso me diverte porque toda a gente ataca a letra desse trabalho tão sutil e acaba concordando, com o espírito dele. Acham que o livro é ruim, o Brasil não é aquilo só, a sensualidade não entristece ninguém, o brasileiro não é triste, mas com palavras diferentes o que todos acham mesmo é que "o Brasil vai mal". Ora no fundo o espírito do *Retrato do Brasil* é isso mesmo. Paulo Prado é uma inteligência fazendeira prática. Fazendeiro sai na porta da casa, olha o céu, pensa: vai chover. Chama o administrador e fala:

— Vai chover. Ponha os oleados no café.

Pouco importa que o céu esteja puro, fazendeiro sentiu que ia chover. Pouco importa que chova ou não (e no geral chove mesmo) o importante é que se chover o café esteja coberto.

Foi o que Paulo Prado fez. A moral do *Retrato do Brasil* é bem e unicamente essa:
— "Vai chover."

Sucedeu porém que se tratava de escrever um livro, tinha que haver considerações. Paulo Prado fez as considerações. São considerações de fazendeiro. É melhor a gente afirmar, apesar de todos os desenganos que Santo Amaro é o chovedouro de S. Paulo, do que ler nos jornais as profecias e conselhos do Observatório. Está cinzando pro lado de Santo Amaro: saio de capa.

Franqueza: está ridícula a reação contra o *Retrato do Brasil*. Toda a gente vai reagindo contra a crendice prática dos chovedouros populares, reconhece que vai chover, mas sai sem capa por causa das teorias. E inda acham que Paulo Prado é que tem tese... Tem tese são esses! Ao passo que pra Paulo Prado que conheço, prático e com quem comentei o *Retrato do Brasil*, pouco importa que chova, que não. O importante era sentir, afirmar e prevenir: "Vai chover".

Vai chover, de-fato. O céu está bem escuro e aliás os jornais afirmam que o inverno principiou violento, no Ceará e no alto sertão de todo o Nordeste.

Ao chegarmos no povoado de Alagoinha cai uma chuvarada paraense, daquelas chamadas de "para-já" violentas, curtas. Dissolve a feira dominical já se acabando. Assim mesmo, depois da chuva damos um passeio banzado pelo esqueleto da feira.

Passando por uma janela de casa baixa Ademar Vidal me chama a atenção pra umas bolas verde-pavão, boiando numa bacia com água.

— Sabe o que é isso?
— Não, o que é?
— Laranjinhas.

São laranjinhas do entrudo antigo. São as laranjinhas de minha mãe moça que quando volto dos meus carnavais frenéticos de pagodeira, ela me conta, foram os prazeres do tempo dela. E detalha a perfeição do feitio, a leveza irreal da cera, os perfumes, as cores, os casos. Fiquei numa comoção besta, palavra. Tava com vergonha dos amigos ali, queria acariciar uma daquelas, estava pensando, estava no tempo de minha mãe moça, mas mano dela...

— Você, Maria Luísa, olhe que vou jogar esta laranjinha em você!...
— Não faça isso, bruto! Você me molha todo o vestido! Mamãe!...

Então passava meu pai, jogava uma laranjinha, Maria Luísa toda molhada dizendo que estava enxuta, eu danado da vida, "Inda dou nesse sujeito"... E foi por isso que nasci...

Confesso que brinquei com as laranjinhas. Não tinha moça por ali. Brinquei com os amigos, gente se divertindo de nos ver, nós na gargalhada, encharcados, coisa desagradável, perfume era um por cento de um por cento... Cera pegando na cara, no cangote, na roupa da gente... Já não eram as laranjinhas de minha mãe moça, com Jiky, Kananga do Japão, nem sei escrever esses nomes!...

Automóvel outra vez. Pouco depois Lagoa Grande, pitoresca, desagradável Suíça, uma lindezinha pastoral ao pé da serra. Estamos subindo os primeiros contrafortes da Borborema. Vamos pra Areia, tudo verde, zona do "brejo" como chamam, contada por José Américo de Almeida na *Bagaceira*. Os "brejeiros" se encurtam mais, carinhas fuinhas, bonitinhas, desagradáveis... Esta crônica já está muito comprida.

Paraíba, 4 de fevereiro — O guaxinim está inquieto, mexe dum lado pra outro. Suspira lá na língua dele: — Chente! que vida dura esta de guaxinim do banhado!... Também... diabo de praieiros que nem galinha criam pra eu chupar o ovo delas!...
Grunhe. O suspiro sai afilado, sopranista, do focinho fino, ágil que nem brisa. Levanta o narizinho no ar, bota os olhos vivos no longe plano da praia. Qual! nem cana tem por ali pra guaxinim roer...
E guaxinim 'stá com fome. A barriguinha mais clara dele vai dando horas de almoço que não para mais. No sol constante da praia guaxinim anda rápido, dum lado pra outro. O rabo felpudo, longo dele, dois palmos de guaxinim já igualado, é um enfeite da areia. Bem recheado de pelos, dum cinza mortiço, nítido, dado pra cor de castanha na sombra. Guaxinim sacode a cabecinha, se coça... — Que terra inabitável este Brasil, fixe!...
E vai se dirigindo pros alagados, estralejando verde-claro de mangue quinhentos metros além.
Chegado lá, para um bocado. Descobre um buraco. Com cautela mete o focinho nele, espia pra dentro... Tira o focinho, olha dum lado pra outro. Se chega pra outra loca adiante. Mesma operação. Guaxinim retira rápido o focinho. No fundo da loca, percebeu muito bem, o guaiamum. Guaxinim põe reparo na topografia do lugar. O terreno perto inda é chão de mangue, úmido, liso, bom pra guaiamum correr. Só quase dez metros além é que a areia é de duna mesmo, alva, fofa, escorrendo toda.
Guaxinim chega bem perto da loca, dá as costas pra ela, fazendo pontaria com olhos bem pro areão afastado. De-repente, decidido, bota o rabo no buraco e chega ele de com força bem no focinho do guaiamum, machuca os olhos cogumelados do tal. Guaiamum fica danado, záz, com o ferrão da pata de guerra agarra o rabo do guaxinim. Guaxinim dá uma música formidável e sacode guaiamum lá no areão, voo de aeroplano de Santos Dumont, voo de dez metros só. Isso pra guaiamum, coitadinho, é voo de Sarmento Beires, coisa gigante. O pobre cai atordoado, quase morto que nem pode se mexer.
Guaxinim grunhe desesperado com a dor.
— Ai, pobre do meu rabo! Lambe o rabo, sacode a cabeça no ar tomando os céus pra testemunha.
— Vede se há dor igual à minha, chente!
Lambe o rabo outra feita, se lastima, se queixa, acarinha o rabo, ôh céu! que desgraçada vida essa de guaxinim!...
O guaiamum lá na areia principia se movendo, machucado, num atordoamento mãe. Vem pro mangue outra vez.
Guaxinim corre e come o guaiamum.
Olha o rabo.

— Paciência, meu rabo!
Sacode outra vez a cabecinha e vai-se embora pro mato, casa dele.

Paraíba, 5 de fevereiro, 23 horas — Uma das nossas danças dramáticas de que menos se tem falado são os Cabocolinhos. A culpa dessa ausência de documentação vem dos nossos folcloristas, quase todos exclusivamente literários. O que se tem registrado nos nossos livros de folclore é quase que unicamente a manifestação intelectual do povo, rezas, romances, poesias líricas, desafios, parlendas. O resto, moita.

Ora os Cabocolinhos são caracterizadamente um bailado. Se dança. Não tem cantigas e só de longe em longe uma fala, tão esquematizada, tão pura que atinge o cúmulo da força emotiva. Imaginem só: fazia já mais de uma hora que o pessoal estava dançando, dançando sem parada, com fúria. Matroá é uma das figuras importantes do baile. É o "caboclo velho", de-certo, espécie de pajé da figuração tribal da dança. De-repente Matroá principiou uma coreografia de arquejo, brutal, braço esquerdo engruvinhado, com o arco por debaixo, duas mãos no peito, segurando a vida. Cada vez mais. Curvando, curvando, já levantava os pés custoso. O apito bateu duas feitas, parou tudo. O Reis falou pra Piramingu, "caboclo menino":

— Piramingu!
— Sinhô.
— Mataram nosso Matroá.
Tururu, tarára, tururu, tarára...

A solfa continuou. O bailado se moveu de novo e Matroá foi enrolando uma perna na outra, já não levantava pé do chão mais não. Levou uns dez minutos se movendo em pé, difícil de morrer como em todos os teatros e na vida.

Isso é que é perfeição! Fiquei tonto. Aquelas palavras puras, só aquilo. Fiquei com dó, não sei como fiquei, fiquei tonto, está certo, numa comoção danada.

Matroá levou um tombo e principiou se estorcendo. Então os bugres de mentira principiaram uma figuração nova, circulando em torno do moribundo e acabando com a vida dele, frechando-o. Matroá se defendia, também frechando pra um lado e pra outro. De-repente se levantou, vivinho. A dança da morte acabara e Matroá dançava como todos vivo feito eu e vós.

As figurações dos Cabocolinhos são todas assim, primárias e formidáveis: "Dança do tombo", "dança do cipó", "dança do Reis", "peleja de guerra", "dança das frechas", "retiradas".

Orquestra primária também: ganzá, bombo e uma gaita de quatro orifícios obrigando a movimentos melódicos simples e lindos, se aproximando das melodias incaicas.

Os "Cabocolinhos saem pelo carnaval. Saem quando podem porque em nome dum conceito mesmo idiotissimamente nacional de civilização, as prefeituras e as chefaturas de polícia fazem o impossível pra eles não saírem, cobrando diz que até duzentos mil-réis a licença. Será possível! Já os Cabocolinhos saem raramente. Até pra ensaiar dentro de casa, pagam treze paus à polícia!... Os grupos e as formas de bailados são diversos. Além dos Cabocolinhos, tem os "Índios africanos", tem os "Canindés", os "Caramurus" etc. Mas tudo vai se acabando agora que o Brasil principia...

"— Piramingu!

— Sinhô!

— Mataram nosso Matroá."

Complementação

TURISTA APRENDIZ

1927 / MAIO
S. Paulo — 7 — Partida — Bengala
Rio — 8 — Rio é feio
Rio — 9 — Caro Graça Aranha — Poeta baiano
Rio — 10 — Nada — Sonho Machado de Assis
Rio — 11 — Partida — Rainha de Sabá
Vitória — 12 — Pessoas
Bahia — 13 — Pouco
Maceió — 14 — Pouca coisa — Sonho meu discurso tupi
Recife — 15 — Ascenso — Pouco
Bordo — 16 — Pouco
Fortaleza — 17 — Rendeiras — Anedota Quefossada
Bordo — 18 — Foz do Amazonas de fantasia
Foz do Amazonas — 19 — A Realidade
Belém — 20 — Meu improviso
Belém — 21 — Visitas — Goeldi
Belém — 22 — Nomes de casas — Chapéu Virado
Belém — 23 — Pouco — A negra do munguzá
Belém — 24 — Boi-Bumbá no Boi Cauari
Belém — 25 — Caripi — Cantoria — Quadrinha
Belém — 26 — Gosma de rã — Frei Caetano
— Qualificativo após substantivo
Vaticano — 27 — Nadar em mosquito — Pouco
Vaticano — 28 — Pouco
Vaticano — 29 — Porto de lenha, fantasia 2$000
Arumanduba — 30 — Velha Pobre — Pouco
Santarém — 31 — O maleiteiro e a fotografia

JUNHO
Óbidos — 1 — Embarque de bois
Parintins — 2 — Apostolado da Oração — Boi marrequeiro
Itacoatiara — 3 — Sonho Sexual
Vaticano — 4 — Mulher nua — O mel do Apuí
Manaus — 5 — Pouco
Manaus — 6 — Intelectuais — Moça Nova — Chula
Manaus — 7 — A jangada — Vitória-régia

Manaus — 8 — Partida Ignorância e Semicultura — A Tribo dos Pacaás Novos
Vaticano — 9 — Pouco
Vaticano — 10 — Pouco
Vaticano — 11 — Pouco
Caiçara — 12 — A Ciranda
Vaticano — 13 — Baileco — Siri-pintanha — Embiara
Fonte Boa — 14
Tonantins — 15 — "Adeus Jó" — Frades italianos
S. Paulo de Olivença — 16 — Jornais paulistas — Virgem em Londres
Vaticano — 17 — O gaúcho paulista — O "como" brasileira
Remate dos Males — 18 — Maleita — Baile de casamento — A bebedeira
Entrada Peru — 19 — Dr. Vigil
Vaticano — 20 — Pouco
Vaticano — 21 — A briga com o capitão
Iquitos — 22 — Pouco
Nanay — 23 — Os índios — Baile, Sociologia do nome
Nanay — 24 — Ratos brancos
Iquitos — 25 — Otimismo peruano
Vaticano — 26 — Pouco — Soldados brasileiros e peruanos
Vaticano — 27 — O oficial peruano fugido
Vaticano — 28 — Pouco — Índios Do-Mi-Sol
Vaticano — 29 — Pouco
Tefé — 30 — Brasileiros e Estaduais

JULHO
Vaticano — 1 — Do-Mi-Sol
Manaus — 2 — Crepúsculo rosa — Calor — Pouco
Vaticano — 3 — Crianças — Política — D. Zefa
Vaticano — 4 — Lenda da Cidade Afundada — Fibras — Brasileirismos
Manicoré — 5 — Madrugada
Vaticano — 6 — Silêncio do Madeira — Prosa cearense — Índios Do-Mi-Sol
Vaticano — 7 — Gaivotas Tem praia! — Humaitá
Vaticano — 8 — Pouco — Sonho dos Andares
Vaticano — 9 — Pouco
Vaticano — 10 — Viajo a pé — O francês e goiabas
Porto Velho — 11 —
Madeira-Mamoré — 12 — Pacanova
Guajará — 13 — Latrina
Madeira-Mamoré — 14 — Volta
Porto Velho — 15 — Versinhos — Sensação paulista
Humaitá — 16 — Boi-Bumbá — Do-Mi-Sol

Vaticano — 17 — O moço indiferente — Os prefeitos
Seringal — 18 — Visita ao mato — Do-Mi-Sol
Vaticano — 19 — O rapaz que foi pro Acre só de pique
Manaus — 20 — Pouco
Manaus — 21 — Pouco — Do-Mi-Sol
Vaticano — 22 — Psicologia brasileira e europeia
Vaticano — 23 — O francês do óleo de pau-rosa — Bebedeira
Vaticano — 24 — O menino me pede levar ele a Belém
Vaticano — 25 — Reflexão de caboclo — Arumanduba
Vaticano — 26 — Pouco
Belém — 27 — Pouco — Variante de lenda da Sta. Casa — S. Tomás e Jacaré
Belém — 28 — Pouco — Perdidos
Marajó — 29 — Pouso de aves
Marajó — 30 — Embarque de bois — Encalhe lago Arari
Marajó — 31 — Pouco

AGOSTO
Belém — 1 — Partida — O Poema nasce
Baependi — 2 — Pouco
Baependi — 3 — Pouco — Telê Cascudo — Quadra Graça Aranha
Baependi — 4 — Pouco
Baependi — 5 — Pouco — Fortaleza
Areia Branca — 6 — Conversas de catraieiros
Natal — 7 — Pouco
Baependi — 8 — Família Brasileira — Recife
Baependi — 9 — Gracette — (Pouco)
Bahia — 10 — Pouco
Baependi — 11 — Não houve
Vitória — 12 — Pouco
Baependi — 13 — Pouco
Rio — 14 — Pouco
São Paulo — 15 — Pouco

UMA PALESTRA COM UM ESPÍRITO CULTO

O DR. MÁRIO DE ANDRADE TRANSMITE À FOLHA SUAS IMPRESSÕES SOBRE BELÉM, AS SUAS COUSAS E O SEU GOVERNO.

Tivemos ontem o prazer da amável visita do Sr. Dr. Mário de Andrade, intelectual paulista, que Belém tem a honra de hospedar, em companhia da ilustre senhora Olívia Guedes Penteado.

Quisemos aproveitar os agradáveis momentos de culta palestra do nosso visitante, para recolher as suas impressões a respeito desta capital, através das observações do seu espírito arguto, e assim é que nos é dado transmitir aos leitores da *Folha* as expressões e conceitos que nos proporcionou na sua prosa flexiosa e amena o nosso distinto interlocutor, com quem estabelecemos o seguinte diálogo:

— Está satisfeito com a viagem?

— Enormemente. Meu avô Leite Morais, quando governador da província de Goiás, carregando meu pai como secretário, veio de rodada pelo Araguaia até aportar aqui em Belém. Como vê, tenho na tradição os passeios fluviais pelo rio.

— E pretende ir longe?

— Assim, assim. É um passeio sem heroísmo o que fazemos. Estão decididas duas viagens: Amazonas acima até Iquitos; e Madeira acima até Guajará Mirim. Provavelmente daremos um pulo até a Bolívia e, tempo sobrando, subiremos o Rio Negro e, na volta, visitaremos Marajó.

— E não se assustam com o desconforto?

— Não haverá desconforto. Todos aqui têm sido incansáveis em nos facilitar viagens e passeios. Vivemos em plena lua de mel com este povo, estas águas e terras. Evidentemente não é a mesma cousa dar uma volta de auto até o Sousa e sacolejar na poeira da Madeira-Mamoré; porém o conforto é cousa relativa, provém muito mais da elasticidade do corpo. Ora, tanto a senhora Guedes Penteado e senhorinhas Guedes e Amaral, como eu, estamos acostumados ao esporte diário. Corpo disposto leva a gente até o fim do mundo, sem pesar.

"Na verdade eu estou sentado nestes trilhos de Porto Velho
por causa das borboletas que estão me arrodeando, amarelinhas
e a objetiva se esqueceu de registrar. Era para fotar as borboletas
— Sol 1 Diaf 2-11-VII-27 12 e 30"
(Legenda M. de A.)

— E que acha de Belém?
— Nem me fale. É um dos encantos do Brasil. O Brasil possui algumas cidades bonitas: o Rio, Belo Horizonte, Recife, São Paulo, mas a todas essas falta caráter. Belém é como Ouro Preto, como Joinville, como São Salvador: possui beleza característica. Este céu de mangueiras, filtrando sol sobre a gente, produz uma ambiência absolutamente original e lindíssima. Vejo com terror que em certas ruas estão plantadas árvores estranjeiras.
— Há o problema da umidade a resolver.
— Será um problema ou fatalidade climática? Aliás, a solução do problema não implica importação de árvores da "estranja". Essa arvoreta bem educada que andam plantando é insuportavelmente monótona e estúpida como um pato. Imagine só uma alameda

arborizada com tufos de açaizeiros? Seria adorável e vivaz como esses mameluquinhos que andam por aí nas praias afastadas. Com as mangueiras, os barcos de velas coloridas, e tantos outros encantos originais, vocês têm um tesouro de beleza nas mãos. Aproveitando seu espírito de imitação, Belém será a mais linda cidade equatorial.

— E a Arquitetura?

— O Teatro da Paz é bom. Nazaré é admirável no seu luxo, embora não seja nada brasileira. Em todo caso, antes ela, que a catedral gótica pavorosa que estão construindo em São Paulo. E há um lugar sublime, que é preciso preservar de qualquer modificação: o largo da Sé. Só mesmo a praça de São Francisco, em São João del Rei, é tão bela como o largo da Sé, daqui. Nem na Bahia se encontra um conjunto tão harmonioso, tão equilibrado e sereno. É uma preciosidade. E, agora, desculpe, tenho que abandonar a conversa. Mas, antes, quero me aproveitar da hospitalidade do seu jornal, para agradecer todo o carinho que nos dispensou aqui. Partimos encantados. Quanto à bondade efetiva com que o Dr. Dionísio Bentes e Exma. esposa nos acolheram, isso guardamos entre as recordações mais inalteráveis desta viagem. Aliás, parece até pleonasmo exaltar a perfeição de acolhimento de pessoas tão dentro da tradição brasileira como o presidente e sua senhora.

E depois desses lisonjeiros conceitos, expressos com fluência de fino *causeur*, apresentou-nos o Dr. Mário de Andrade as suas despedidas cordiais, como as de Mme. Olívia Penteado, com a promessa das suas observações durante a viagem que, com aquela digna dama e as demais pessoas de sua comitiva, fará Amazonas em fora, partindo pelo *S. Salvador,* no dia 27 do corrente.

A CIRANDA

Dentre as nossas festas populares, reisados, bois-bumbás, congos, maracatus, uma das menos conhecidas é a ciranda. No norte do Brasil inda ela em alguns lugares e tive ocasião de assistir a uma em Caiçara — pouco além da cidadinha de Tefé, no Solimões.

Era de noite e o gaiola parara para carregar lenha e como o serviço ia durar muitas horas, os rapazes de bordo decidiram dar um passeio de montaria. Fomos. Já tínhamos remado uns vinte minutos quando se desenharam na margem esquerda do igarapé uns vultos de casas. Abicamos para descansar e por um caminho trilhado fomos dar num lugarejo com umas trinta casas. Havia iluminação por toda a parte e gente na rua. Então nos contaram que o lugar se chamava Caiçara e a animação era por causa da ciranda que se ia realizar. Andamos um pouco mais e topamos com o bando de festeiros. Dois a dois, rapaz e moça, eles marcham num bamboleio saltitado que nem o passo de marcha dos cordões cariocas, cantando em coro uníssono a *Ciranda Cirandinha*.

Não se amolaram conosco apesar do farrancho extravagante que formávamos entre aquela gente pobríssima, nós vestidos de exploradores, "pullovers", luvas, chapéus coloniais.

Seguiram até mais animados, berrando, religiosamente compenetrados, dirigidos por um tapuio bancando padre. A vestimenta é berrante e gostosa de se ver. Chapéus inspirados nos cocares indígenas, cheios de penas de arara, flores de papel e naturais; blusas e calções de cores claras, rosa, encarnado, amarelo, verde, as mesmas cores cruas com que Tarsila abrasileirou tão sabiamente os quadros dela.

Quando o cordão chegou na casa dum sírio negociante de caucho, a ciranda principiou. O reisado não tem muita originalidade dramática não, inspira-se nas danças de roda infantil e no Bumba meu Boi. Os figurantes em roda, cantam e saracoteiam, esboçando um enredo vago sem continuidade. Uma orquestrinha de violões e cavaquinhos acompanha as cantorias, ritimadas com força pela assistência batendo palmas. Um ou dois cantores solistas, fazendo mais ou menos o papel do "Histórico" dos oratórios clássicos, puxam os cantos, enquanto outros figurantes solistas representam dentro da roda o que o "Histórico" vai contando.

O enredo é uma barafunda, não possui o nexo e a legitimidade dramática do boi-bumbá. O padre, que é a figura principal, faz de elemento cômico da dança. Indaga dos amores das coristas; casa namorados; distribui comunhão numa paródia regional curiosíssima em que se queixa da fome dos comungantes imaginando que a hóstia é um pedaço de pirarucu. Para acabar vem a morte e salvamento dum animal ver no Bumba meu Boi. Só que o boi, de pouca frequência no meio daquela gente ictiófaga, é substituído pelo carão. Essa a parte mais viva da festa.

Um caçador persegue o pássaro representado por um rapaz bem enfeitado no meio da roda. O caçador está de fora e forceja para dar um tiro no carão enquanto o coro com idas e vindas em bate-pé procura impedir o tiro. Afinal o carão morre mas é ressuscitado pelo padre que bota a estola na cabeça do cadáver. E todos fazem a festa juntos e a ciranda acaba. Afinal essa trapalhada dramática não passa duma brincadeira de crianças a que gente adulta mais primitiva deu uma função interessada mais característica perceptível, macaqueando o amor, a religião, a caça e os animais tabus. Nem a dança vale nada, monótona, sem originalidade, primitiva, muito parecida com as danças indígenas que Martius e Léry descreveram. O que vale mesmo é a música.

Pude pegar dois temas interessantes. O lamento coral sobre a morte do carão é belíssimo e por uma coincidência espantosa lembra fortemente os cantos populares escandinavos. É quase que unicamente composto de deformações rítmicas de elementos melódicos do norte europeu.

Possuo duas cantigas suecas, *Om Dagenvid mitt arbete* e *Sven i Rosengard*, que juntas representam todos os elementos melódicos do canto que escutei entre gente absolutamente desviajada e isolada no deserto Solimões.

Se a semelhança da nossa melódica com a russa já é cousa assentada e não espanta mais, confesso que essa coincidência entre música tapuia e sueca me deixou atarantado. Porque os elementos melódicos originais são verdadeiras sínteses étnicas e parece inconcebível que a tapuiada caiçarense tenha concebido certos movimentos sonoros que são normas nacionais dos nórdicos europeus.

Mário de Andrade

O TURISTA APRENDIZ

Belém, 21 de maio — Os periquitos e um bem-te-vi polícia inauguram o 21 de maio com esplendor. A festa continua como em S. Paulo mesmo, sabão, água feiosa, escovas etc. Depois nasce um mamão inteiro, sanduíches de Palmira e bacuri em compota. A água gelada avisa que o calorão já chegou, chê companheiro!... E já vem suando o tal... Pois vamos veranear no Museu Goeldi!

Mesmo lá, na sombra de todas as árvores etiquetadas da Amazônia o calor inda aumentou. Porém me avisam que embora faça mesmo calor em Belém o dia de hoje está excepcional... No entanto é pleno inverno! Neva tanta garça branca junto do laguinho artificial que a água gelada endurece o jacaré de sete metros. Não se mexe. A friagem matou todos os passarinhos e borboletas e foram todos guardados lá dentro da casa limpa, na cerâmica de Marajó. Os outros mostradores vendem peles caras de macacos-de-cheiro, de Jaguarunas, de acanguçus e jaquetas emplumadas de ararunas e anacás sarapintadas. Que calor!...

Mas depois da janta, rapazes, ir tomar a fresca assentado na terrasse do Grande Hotel mordendo os sorvetes de cupuaçu ou bacuri rapazes, me digam se tem coisa melhor neste mundo! Não tem não! Belém é sublime! Belém é mil vezes mais gostosa que a Corte! Belém é a coisa mais gostosa deste mundo! Aqui a gente leva uma vida de linho entre refrescos róseos de leite de coco misturado com não sei que, refrescos roxos de açaí, refrescos verdes de abacate, amarelos de ananás e alaranjados de abricó. Na mesinha em frente a barbadiana é um repuxo de cunhã chocolate com olhos dando as costas pra gente de tão brancos e boca manchadinha de urucum. Se pinta no escuro e quando ri abre o sorvete de coco dos dentes em risos isócronos fechando e se abrindo que nem boca de gafanhoto. Pretendeu me beijar, bem percebi, porém, a borracha da mãe aparou o choque amontoando entre nós colheradas de sorvete de araçá. Belém... Belém, rapazes, vale mais que Melbourne ou Nova York!

Belém, 22 de maio — Nem bem a manhã tomou corpo e a gente balanceava na lancha rumo da praia do Chapéu Virado. É domingo e o furo do Maguari está deserto. Só de longe em longe passa uma igarité minúscula e o barqueiro de jacumã olha pra nós. As águas estão chatas duma vez e a lancha segue horizontal deixando a igarité saracorear no banzeiro. Só quando o furo desemboca outra vez na baía é que a lancha sacode os quadris namorando o largo. Porém o trapiche é ali mesmo e se desembarca entre gente festeira esperando condução pra ir gozar em Belém.

No automovinho onibusado atravessamos depressa o larguinho onde a igreja reza só e partimos pra essas praias. Lá no fim do mundo tem um trilho no arvoredo verde iniciado por uma casa, única do caminho. E o trilho tem uma placa indicando RUA DO COMMERCIO... É lá que a gente compra sombra um poucadinho e se protege do sol. Compra e não paga. Fica devendo como em geral sucede com todos os negócios do Brasil.

O paraense tem a mania da nomenclatura. Tudo tem nome aqui. E em parte nenhuma a gente não lerá nomes tão lindos. Desembarcamos no Mosqueiro. E por estas praias chamadas do Chapéu Virado, daAriramba e Morubira não tem casita de palma que não traga nome assim: O Cenáculo, Retiro Delícias, Porto Arthur, Vila Estoril, Doce Estância, Café do Lasca, Pouso Ameno, Meu Repouso, Canto da Viração.

E na cidade é assim também, e até contam cada cousa... U'a mulher que vendia todo o pomar paraense chamou a vendinha dela de "O Açaí da Bananeira". Um sujeito que possuía um armazém "O Protetor das Famílias" e vai o sobrinho dele montou outro mais adiante com o título de "O Sobrinho do Protetor das Famílias". Mais engraçado é o caso do cearense que inventara a mercearia "O Sol quando nasce é pra todos". Um portuga rival quase morreu de raiva por causa da boniteza do título, matutou matutou e chamou a dele que ficava pra diante "Mercearia E a Lua também". No Marco da Légua fica a "Choupana de São José". Nas "estradas" do centro comercial a gente sai da "Casa Modéstia" e entra na "Melindrosa" ou na "Casa Feio e Forte" e de está fatigado toma açaí na "Mercearia Homem do Mar" ou na "Saudade de Vocês"...

Passeio gostoso! Batia um calor nublado na praia e a água salobra, no banho com roupa do seu Paiva, se encostava na gente que nem mão querendo bem. Foi na volta que provei o sorvete de murici. Essa frutinha possui um gosto especial, meio queijo que tem a particularidade de ser engraçado. Você come e cai na gargalhada.

Mário de Andrade

NOTAS DE VIAGEM

28.XI.28 — 16 e 10 — De matuto pernambucano:
"Minha mãe, minha mãezinha
Minha mãe que Deus me deu,
Teve nas ânsias da morte,
Eu cantei ela viveu."

Graças a Deus eu posso morrer. Já vi uma coisa bonita neste mundo.

Francisco Inácio Peixoto e Gallet me esperando na estação. Almoço com Peixoto e Augusto Frederico Schmidt, Lourenço Fernandez vem me visitar. Passeei com Lourenço Fernandez que me fota na *Pelo Brasil* dele e me leva a Alceu e Prudentinho. Janta Gallet e noite com ele e Julieta T. Menezes.

29 — Conheço Cícero Dias. Almoço com A. F. Schmidt. Tarde Renato e Graça. Janta com L. Fernandez. Cícero Dias no carnaval sozinho no Leblon tomando éter e falando pra onda:
— Não me molhe! Não deixo você me molhar!
A onda vinha, molhava.
— Você molhou mas foi porque eu deixei!

30 — Conheci Afonso Arinos sobrinho e o pintor Manuel Bandeira. Janta com Holanda casa Rodrigo M. F. Andrade.

1º de XII — Passeios. F. I. Peixoto. Chá com Gallet, Luísa e J.Telles Menezes. Janta com Ovalle e Cícero Dias. Noite casa Aníbal Machado que lê trechos do *João Ternura*.

2 — Manhã com F. I, Peixoto e depois Lourenço Fernandez, examino *Quinteto de sopro*. Almoço casa Prudentinho. Tarde casa Cornélio Pena com Schmidt e Holanda. Janta com Álvaro Moreira, vários e Quintanilla.

3 — Almoço Schimdt e Grieco. *Vapor Manaus*, 2 mil e poucas toneladas, parte às 18. Dante Milano, L. Fernandez, Gallet, Schmidt, Holanda, Prudente e Iná, Brasil Pinheiro Machado na despedida.

"Alagoas — Feira em Fernão Velho com Lins do Rego e Jorge de Lima"
(Foto e legenda M. de A.)

4, 5 e 6 — Monotonias de bordo.

7 — Bahia — Vatapá na Petisqueira — Convento de S. Francisco: a Senhora da Piedade de Bento Sabino dos Reis, notável principalmente pelo realismo no Cristo contorcido nos braços dela.

Também Maria é uma simples mãe sofrendo, cara vulgar, sem ideal, porém, machucada por um desgosto nobre, sereno, poderosamente interior — peça notável. A feiosa Sant'Ana de M. I. da Costa, com a Mariinha adorável de gesto e de cara. Sant'Ana ensina qualquer coisa e de fato a cara dela trai bastante experiência nas rugas discretas de senhora quarentona. O corpo é bem lançado e até barrocamente elegante, na posição da perna livre. Mas que simpatia a Sant'Ana, puxa! cada vez posso menos abandonar a contemplação. E vai saindo dessa peça notável uma espiritualidade recôndita, íntima, que eu, vindo do realismo de Bento Sabino dos Reis, no começo não percebera. Não tem dúvida que a Sant'Ana, sem atingir a grandeza do S. P. de Alcântara, inda serve pra sustentar o gênio de M. I. da Costa. E o perfil da Mariinha, que adorável! A menina é positivamente uma maravilha.

8 — Nada. Dormi no tédio dia todo. Pelas 20 e 30 passa um navio iluminado do lado da terra. É extraordinário! Um senhor que mora em Belém, italiano, associando as coisas (pelas 24 chegaremos a Maceió) me conta: Em Maceió os pretos têm um costume engraçado: quando transportam um piano, costumam cantar. São 8

homens, um puxa, os outros secundam, lento, forte, de longe se escuta. É um canto falado num som só, diz-que pra não desafinar o piano. Eis o canto que ele me deu:

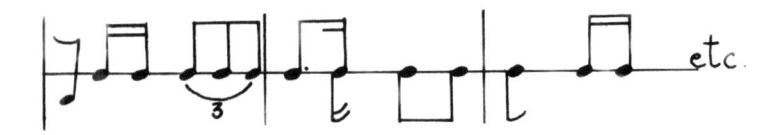

Solo: — O que vem lá na barra?
(Lento, Forte) Coro: — É um naviu.
Texto Solo: — O que vem lá na barra?
Etc. (sempre o mesmo texto)

E eu que tenho pelejado pra pegar uma dessas parlendas de carregadores de piano, por um simples acaso de passar um navio, perto de Maceió, consegui afinal integralmente uma delas.

9 — Maceió com J. de Lima e José Lins do Rego e o pintor que nos chateou. Almoço bar Alemão com sururu, ostra e camarão — ótimo. Passeios no domingo esplêndido.

10 — Recife com Ascenso me esperando às 7 h Hotel Glória.
Almoço com A. e Stella feijão e peixe de coco. Cajus, mangas. Queijo daqui é meio parecido, porém, mais gostoso que requeijão. Feijão de coco é sublime. Visita a algumas igrejas. Água de coco e encontro Inojosa. São 17 horas e Manu aqui não aparece. Hernani Braga vem no hotel me abraçar. Jantar Manu, Jaime Gris e outras pessoas casa de Ascenso. Passeio de-noite pelas partes velhas de Recife.
No Convento de S. Francisco o que há mesmo de magnífico são os azulejos. O claustro é um mimo de equilíbrio, proporção, pureza de linhas, simplicidade. Na sacristia, a cômoda é uma maravilha de entalhe, elegante, bem composta, delicada nos arabescos e excelente pinturas (6 quadros) antigas. Uma estava substituída por um "joli" S. Francisco sem plástica, sentimental, hediondo. Os quadros antigos do claustro também são sem plástica e detestáveis. Os da cômoda são mesmo muito bons.
Ordem 3ª de S. Francisco, em reparos bem orientados. A fachada é bem boa o que é raro nas igrejas por aqui. O interior todinho em talha doirada (inferior como trabalho a S, Francisco da Penitência do Rio) azulejos e muitos painéis, é um dos maiores monumentos do Brasil. Um fenômeno importante a notar que diferencia os hispano-americanos e os luso-americanos em arquitetura religiosa, é que naqueles a preocupação do monumental está sobretudo no exterior do edifício, ao passo

que entre nós é no interior que está. Está claro que considero muito superior como arquitetura exterior, muito mais bela S. Franc. de Assis de S. João dei Rei à Catedral do México por ex., porém, o caso do Aleijadinho é um caso de arte e estou observando um fenômeno de psicologia mística, não de arte. Ordem 3ª como interior é absolutamente notável. Sóbria no barroco, ordenação magnífica de pintura, ouro entalhado e azulejo. As pinturas são excelentes e agora depois de inteligentemente limpas, estão claras, bem visíveis e mesmo plásticas. O entalhe é tímido, mas seguro. O interior dos altares é muito bom. O púlpito é um mimo com o florão colorido no meio do oiro. O entalhe não tem anjos nem pássaros maravilhosos, nem ocos, nas volutas e folhas. Só nas colunas caneladas que cachos de uvas e folhas fazem ocos tímidos.

Melodias do Boi — Nosso Padim Pade Ciço recebeu de presente um bezerro zebu, verdadeira raridade então em Joazeiro. O nosso padrinho gostava muito do bezerro e tratava ele com muito carinho. Estava chegando batendo tempo de seca, nosso padrinho mandou chamar o homem que destacara para dar comida ao bezerro e falou: — Olhe, do lado de cá o capim é mais novo e está mais úmido. Você venha cortando o capim lá onde está mais seco pra cá, porque assim o capim dura mais tempo. O homem falou que sim, porém, quando teve que dar comida pro bezerro, ficou com preguiça de ir lá tão longe, hesitou porque desobedecer nosso Padrinho era pecado feio, hesitou muito, afinal a preguiça venceu, cortou o capim mais novo perto e foi dar esse pro bezerro. Foi, mas atarantado com a consciência ardendo por causa do ato pecaminoso. Mas quando botou o capim na frente do bezerro, o zebuzinho abanou as orelhas caídas, dum lado pra outro, dizendo que não, aquilo era capim do pecado, não comia não. Ah! isso o homem caiu de joelhos, com grandes lamentos, juntou gente e o matuto se penitenciava berrado do ato feio. O sucedido se espalhou logo e toda a gente principiou comentando aquele bezerro extraordinário. Não durou mês todos perceberam que o zebuzinho era um boi sagrado. Se formou um verdadeiro culto fetichista, o bezerro tinha honras de santo, um ídolo verdadeiro, adorado até muito longe de Joazeiro. Toda a gente queria possuir uma relíquia do boi, raspa da unha dele, coisas assim. O mijo dele, em vidros parcimoniosos, viajava aquele sertão largo, e curava feridas, curava doenças, fazia milagres sem carecer de nosso padim pade Ciço. Mas o homem (saber o nome dele) Floro Bartolomeu que nosso Padrinho faria deputado, contam as más línguas que percebeu o perigo. O boi já tinha mais prestígio que o nosso Padrinho. O fato é que chegou, fez um estardalhaço e mandou matar o boi. A carne dele foi picada em milhares de pedacinhos, que toda a gente quis guardar santificando o lar. Mas o caso é que o boi morreu. Pouco a pouco, a lembrança dele foi se apagando nas memórias, o culto acabou.

11 — Ascenso e eu vamos a Igaraçu de auto. Maravilha de passeio até 13 horas, convento de S. Francisco, matriz de S. Cosme e S. Damião, essa pouco interessante, aquela muitíssimo. Banho de rio. Passa-se num lugar chamado Paulista, onde fotei uma capelinha com porta de talha violenta. Toda a estrada bordada de casinholas, evoluídas dos mocambos, bem pintadas com florões no frontão, pintados com variedade popular deliciosa. Uma venda entitulada "Casa dos Pobres". Passa um caminhão chamado "Deus me perdoe". Bebi Monjopina, a melhor pinga do mundo, destilada em alambique de barro no engenho de Monjope, pura, macia, emoliente, extasiante, melhor que whisky com água de coco. Almoço Ascenso. Tarde M. Bandeira me busca no hotel e me leva a Gilberto Freyre, que nos oferece um passeio de lancha pelo Capibaribe, maravilhoso, com vista da cidade, depois dos arrabaldes, o da Madalena, com os velhos cais das vivendas das famílias ricas antigas, alguns deliciosos de monumentalidade simples, os coqueiros sempre espantados; que verei eu que cada vez que enxergo um coqueiro nordestino me espanto com a beleza dele? Passa um, creio que, forno de olaria tão perfeito nas proporções, tão exato no equilíbrio, que é um monumento nobre, sereno, duma grandeza que se poderá chamar de clássica na paisagem amável. Passa o arrabalde do Poço e a boca da noite se fecha apagando as sensações, escondendo-as. Voltamos numa conversa mais baixa, recontemplando em azul-negro de desenho, a paisagem colorida de já-hoje. Ao pé do gasômetro visões incendiadas de fornos se banham no rio. Aliás por todo o passeio homens, moços banhando no rio. Fazem porque a gente carece mesmo de tomar banho diário, porém banho de rio dá sempre sensação de pagode e a vista toda do Capibaribe esteve duma alegria magnífica. De-noite, Stella, Ascenso e eu vamos pra Olinda, casa de Alfredo de Medeiros, escutar a preta Maria Joana, filha ainda de africanos legítimos, com seus 30 anos talvez, cantar esplendidamente emboladas, sambas, marchinhas de carnaval, ritmo prodigioso, inconcebível, voz de metal, com cor de prata polida, nítida feito alfinete, formidável de encanto.

12 — Depois de noite dormida bem, me arranjando agora pra me despedir, Bandeira partindo no *Pedro I*. Almoço bom 7º andar do Hotel Central. Vento magnífico. Antes visita igreja Conceição dos Militares, excelente no luxo barroco excessivo. O teto em vez de caixotões era todo entalhado com florões, conchas e quadros do meio do excesso de barroquismo. Entalhe com anjos e crianças tamanho natural, alguns até sustentando em vez de colunas, o teto pra galeria superior, aliás próxima do teto. Pinturas como sempre boas.

Igreja do Carmo: magnífica. O entalhe colorido a óleo, cores quentes deliciosas, sobretudo o amarelo. Menos ouro bem realçado. A capela-mor é mesmo magistral. As pinturas como sempre ótimas. As imagens como sempre cá no Recife: comuns. Os pintores que andaram por aqui eram mesmo bons, se alguns deles eram brasileiros, não tem dúvida que demonstravam maior talento plástico que no resto do país.

Madre de Deus — Continuam as pinturas excelentes. Aqui, na capela-mor e dois painéis decorando as paredes do corpo da igreja, sobre os arcos das capelas laterais, são movimentados, no geral plásticos e de composição extraordinariamente excelente. Os painéis são o que essa igreja possui mesmo de notável. Salientam-se até mesmo dentro de Recife. Pelo menos foi a impressão que tive.

Me esqueci de falar que na Conceição dos Militares no teto sob o coro tem um painel interessantíssimo, comemorando a 1ª Batalha de Guararapes. É de muito valor e do fim do séc. XVIII. De-certo será fácil saber o autor. Era um primitivo duro, ingênuo, incipiente no espírito e na técnica, porém, o painel se move, historiado com vivacidade, com espírito de invenção. É um painel notável mesmo e é inconcebível que não tenha já sido reproduzido.

Ascenso Ferreira é de fato um indivíduo extraordinário. Não existe ligação nenhuma entre o espírito dele e o ser físico. Esse é dum verdadeiro irracional, bruto, pesadão, sem absolutamente nenhum sequestro, tem sede bebe, tem fome come o que tem e não tem até não poder mais. Passa um indivíduo vendendo jornais, Ascenso compra, passa os olhos sem ler, compra pra comprar, está empanzinado e bebe dois copos de água de coco gelada e bebe um café em cima. No meio da comida, boca suja, fala: — Porque *Macunaíma* não pode ser compreendido no Sul... E continua comendo. Ninguém não falava em *Macunaíma* nem ele não falará mais. O espírito, isolado do corpo, não consegue raciocínio quase nenhum. Vive de decretos e iluminações. Detesta escrever prosa e jamais será prosador. Um ser extraordinário, escarra onde está por cima do ombro, se suja todo. Suja os outros, não senta sem se deitar, encosta em tudo, até na gente. Vê uma mulata, fica louco, bonita, feia, todas são bonitas pra ele. Afirma:

— Nesta casa morou Maurício de Nassau.
— Morou mesmo, Ascenso? (Em Igaraçu)
— Morou sim.

Passa um habitante. Ascenso pergunta:
— Foi ali que morou Maurício de Nassau? É assim. Nenhum controle. Fatiga. Mas é um bom admirável. É vaidoso como o quê. Não tem o mínimo orgulho e por isso nenhuma organização. De-noite passeio Boa Vista, Gouveia etc.

13 — Pro indivíduo que faz uma bobagem se diz:
— E ele é do mato!...
Porém se corre o risco dele responder:

— Não sou do mato, sou da praça; manda tua irmã, pra tirar raça.

13 — Partida pela Great Western. Dormida em Guarabira.

14 — Grent Western até Natal onde me esperavam Cascudinho, Antônio Bento, o oficial de gabinete do presidente e Cristóvam Dantas, secretário-geral do estado. Tarde em casa do Cascudinho onde me hospedo. À noitinha me visita o presidente, Dr. Juvenal Lamartine. À noite me visita o Dr. Adauto Câmara, chefe de polícia.

15 — Passeio de-manhã, auto, proporcionado chefe de polícia. Visita ao Aeroclube de Natal; Areia Preta e pontos diversos. Às 13 visita ao Dr. Lamartine, presidente do estado, visita a Cristóvam Dantas no órgão oficial *A República*. À noite, Mário Melo, secretário perpétuo do Instituto Arqueológico Pernambucano, que me fornece vários documentos musicais populares. Passadista, mas camaradão. Aparece Nunes Pereira, completamente bêbado que meio estraga a noite.

16 — Almoço com feijoada, Adauto, Cristóvam, A. Bento, casa Cascudinho. Formidável. Derreados até a noite. Janta com A. Bento no Hotel Internacional e cinema com ele e Cristóvam.

17 — Não saio de casa. Colho melodias. Me visita o Nunes Pereira, dessa vez sem bebedeira. Escrevo crônicas.

18 — Desafio entre a Cavilosa e Jeróme.

Ela — *"A onça ronca na serra*
O lajero em baixo treme
Se tu cuidas que sou home
Tás enganado, sou feme.

Ele — *"A onça ronca na serra*
O lajero treme em baixo
Se tu pensas que eu sou feme,
Tás enganado, sou macho.

Ela — *"Eu me chamo Cavilosa*
Corto mais do que navaia,
Tenho uma saia de chita
E um paletó de cambraia
Se acaso levanto a perna,

	O cara adiante desmaia.
Ele	*— "Cavilosa, tu não sabe*
	É preciso que eu te diga?
	Se tu levantas a perna
	A saia também arriba,
	Mulher que encrenca comigo
	Depressa cresce a barriga.
Ela	*— "Peguei-me com Jeróme véio*
	No pátio da Conceição
	Dei-lhe baque, dei-lhe estouro
	Que abriu terra e tremeu chão."

18 — Escrevi crônicas. Saí durante o dia, jantei com A. Bento e saí às 19 com esse, Cascudo e Adamastor. Fomos no Areal, bairro de embarcadiços, operários etc., construído sobre uma duna, assistir a um ensaio de *Chegança*. Numa saleta alumiada com querosene, dançaram e cantaram duas horas e meia. Estupendo. Dia aproveitadíssimo com isso.

19 — Quadras de coco:

> *"A barra de Cunhaté*
> *É estreita e corre bem;*
> *No meio tem um remanso*
> *Onde se banha meu bem.*
>
> *"Eu vi teu rasto na areia*
> *Me baixei, cobri com o lenço,*
> *Eu ouvi a tua voz,*
> *Fiquei nos ares suspenso."*

19 — Vida sem sair. Tomei temas de Cabocolinhos.

20 — Dia tomando temas de Chegança.

21 — Dia tomando temas de Catimbó.

Boi — "Boi solto, lambe-se todo". "Boi fora de seu terreiro até as vacas lhe dão", prolóquios nordestinos me dados por Cascudinho.

"Me deitei à meia-noite
Só às uma adormeci
Acordei era duas hora
Que mais não pude drumi
Minina que entra em meu sono
Num tem que se arrependê
Guardo ela nos meu carinho
Cumo a casa guarda o dono
Como a luiz o auvilecê."

22 — De-manhã os catimbozeiros me dando cantigas — Passeinhos pela cidade. De-noite ensaio do Boi Calemba no bairro do Alecrim, lua, vento e areão, um Mateus estupendo. Viola e rabeca.

22 — Quantas cordas tem sua viola?
— Tem 12, isto é, devia!... Ando apertado e a minha só tem oito.

23 — Domingo. Antônio Bento no hotel doente e aporrinhado. Janto com ele depois de assistirmos passagem da procissão de N. S. dos Navegantes pelo Potenji. Noite vamos no *Cine-teatro* Carlos Gomes ver D. Fairbanks no *Pirata Negro*.

24 — Escrevo cartas etc. Vejo ensaios de Pastoril. De-noite, quermesse no sítio de Cascudinho e arredores. Passeio com Cristóvam Dantas. Ant. Bento de cama. As duas pequenas da Solidão.

25 — Manhã consagrada até às 12 e 30 a banho de mar em Areia Preta com Cristóvam Dantas e várias senhoras e homens da alta sociedade natalense. Plena vida americana, maiôs ao ar livre. *Grogs* em casa de Omar O'Grady prefeito e casa dum Gordon. Dia dormindo. Noite visitando Antônio Bento.

26 — Dia besta que passo meio irritado por não trabalhar nem passear. Pobre do Ant. Bento é que se mexe e de-noite principio colhendo o Congo.

27— Jovino me canta o Congo e eu o escrevo, dia inteiro. De noite não posso nem conversar de tão derreado.

28 — Amanheci bem-disposto. Fui fazer coisas na cidade. De-noite afinal fui fechar o corpo no catimbó de dona Plastina, no Alecrim. Os mestres da cerimônia foram os feiticeiros Manuel dos Santos e João Germano. Noite inesquecível.

29 — Fui à inauguração do Aeroclube do R. G. do Norte. Instalações simples e regulares. Festa cordial. Dois aviões piruetando no ar. Moças bonitas.

30 — Madrugada pra partimos pra Redinha passar dia com Barôncio Guerra, Cascudinho e eu. Dia ótimo. Banho de mar. Almoço formidável, sopa rósea, vatapá, peixe de coco. Chegou Jorge Fernandes. Noite coqueiros vieram cantar e dançar. Depois veio o "Boi" de S. Gonçalo. Dormimos na Redinha.

31 — Dia bestinho. Não fiz nada.

JANEIRO / 1929
1º — O dia mais besta da viagem. Não saí de casa. Antônio Bento foi ontem pra fazenda dele. Escrevi e não saí de casa. Nostalgia.
Mandar Cascudo *Tupi na geografia nacional* e bibliografia sobre língua tupi.

> *"A mulé de Lampião*
> *Quaji que morre de dô*
> *Pro num fazê um vistido*
> *Da fumaça do vapô."*

2 — Também que nem ontem e anteontem dia completamente besta. Todos os homens combinados vir aqui em casa cantar, falharam esses três dias. Estou irritado, obrigado a ficar em casa na esperança deles virem e os safados me falham. De-tarde me vesti, fui na *terrasse* da *Rotisserie* com Adauto, Barôncio e Nunes Pereira cavaqueando.

3 — Continua bestice. Afinal Antônio Bento me telefona, chegado de novo a Natal. Me encontro com ele e Cristóvam Dantas às 14 e 30 em palácio e passeamos, conversamos, combinamos cantadores pra manhã. De-noite os três vamos no Alecrim assistir ensaio geral do Boi. Noite mais divertida. A cidade hoje esteve apreensiva porque um filho do presidente do estado, Juvenal Lamartine, brincando (12 anos), deu um tiro no filho do capitão de polícia. Atravessou três partes do intestino. Espera-se a morte desse menino.

4 — De-manhã trabalhei um bocado com um velho pernóstico que sabe o fandango. Durante o dia Montano veio me dar os cantos de Congo que sabia. De-noite Arari trouxe um rapaz de cocos, tomei alguns.

5 — Dia besta. Banzando inutilmente com Antônio Bento.

6 — De-manhã o velhote do fandango, tão pernóstico, tão trêmulo e falso na entonação que acabei desistindo. Pelas 16 horas Edgar, irmão do Cristóvam Dantas me dá toadas do Fabião e uns três cocos, excelentes. Escrevo *Turista* e carta pra pôr tudo em dia.

7 — Viagem de Natal a Bom Jardim, auto, com Antônio Bento e mano. Deliciosa. Descrevi em *Turista aprendiz*. Chegada à tinha no engenho. Recepção cordial. Ar paulista, pouco falador simpaticíssimo.

8 — Passeios pelo engenho. Várias visitas à casa de caldeira etc. Durante o dia principiei pegando melodias de Boi e cocos com gente chamada pelo Antônio Bento. De-noite as moças e nós dançamos coco.

9 — Trabalho quase dia todo. De-noite o "Boi" de Fontes veio dançar no engenho. A mais perfeita dança dramática que já vi na viagem. Artistas deliciosos de espontaneidade e espírito.

10 — Trabalho dia inteirinho com artistas desse "Boi" e com o rabequista Vilemão, mulato escuro que me dá desafios estupendos. De-noite, aparece Chico Antônio, o coqueiro. Simpático e formidável. Noite inesquecível.

11 — Amanheço meio indisposto do estômago, tenho feito misturadas formidáveis. Só cajus, 30, 40 por dia. Trabalhei com Chico Antônio dia todo. De noite ainda a ouvi-lo. Janto na outra casa do engenho.

12 — Inda trabalho com Chico Antônio o dia até 17 horas. Na partida ele com o Boi Tungão se despede de mim e do nosso trabalho de maneira tão comovente que senti a chegada da lágrima. "Adeus sala, adeus piano. Adeus tinta discrevê! Adeus, papé di assentá!" (assentar as músicas que ele cantava) De mim ele disse que quando eu chegasse na minha terra havia de não me esquecer nunca mais dele. Em por acaso eu voltasse aqui, mandasse chamá-lo que ele vinha… E de fato nunca mais me esquecerei desse cantador sublime. Bom homem, simples, simpático e a voz maravilhosa, envolvendo a gente como nenhuma outra não. Caiu uma tarde tristonha cheia da lembrança de Chico Antônio. De-noite um zambê gorado.

13 — Passeio a cavalo pela manhã sem sol. Chupar cajus no mocambo, lugar aprazível da propriedade. Durante o dia trabalho um bocado ainda com o rabequista Vilemão. De-noite escuto dois cantadores pernambucanos numa casa de adobe, gente circunscisfláutica, sem gosto de terra, falando bem, bestas. De longe se escuta um zambê noutra casa de empregados. O som do bumbo zambê se escuta longe.

Vamos lá. A pessoal dança passos dificílimos. O também bate soturno em ritmo estupendo. Estou no meu quarto e inda o zambê rufa no longe. Adormecerei e ele ficará rufando. Pleno século XIX. Plena escravidão. Minha comoção é dramática e forte.

14 — Automóvel. Vamos a Penha, onde mora um mano de Antônio Bento. Visito o engenho Cunhaú assombrado pelas memórias do passado, índios Janduí, holandeses, André de Albuquerque, e o famanado Arcoverde, séc. XIX, assassino suntuoso. Almoço no Bom Passar e aí tomo alguns temas do fandango com três homens de Penha. De-noite bailarico no Bom Jardim, despedida das Cavalcantis que partem pra Paraíba.

15 — Visito engenho besta almanjarra, forma primitiva de engenho, moagem feita por cavalos que fazem rodar a engrenagem. À noite inda escuto um bocado Chico Antônio que vem morar no Bom Jardim. Durante o dia inda colhi uns cocos sabidos pelas meninas e empregadas da casa.

16 — Trabalho um bocadinho alguns cocos novos com Chico Antônio e ele parte de novo. Dia monotonizado pelos preparos de partida pra Natal. Gostei imensamente da gente do Antônio Bento. Cordiais, calados, nada da brilhação fuque-fuque do nordestino. Bem paulistas até no sentido elogioso da palavra. Pela noite chego a Natal onde Cascudinho me recebe com a notícia que o governo vai me dar um terreno na praia.

17 — Missa pela morte da mãe de dona Ana Cascudo. Visita a palácio e combinação viagem ao sertão.

18 a 22 — Viagem de auto ao redor do R. G. do Norte. Descrita no *Turista aprendiz*. Diário no outro livrinho de notas.

23 — Visita ao presidente e mais coisinhas natalenses.

24 — Apenas coisinhas natalenses. Boas conversas, boas comidas, palácio, tomar água de coco na *Rôtisserie*.

25 — Almoço me oferecido por Cristóvam Dantas na casa dele. Panelada de carneiro estupenda. Recepção cordialíssima. Esteve o presidente Juvenal Lamartine, Antônio Bento, Cascudinho e o pai e a família Dantas. Fiquei derreado com a panelada e meio amolado com o terçol iniciado. À noite com Cascudinho e Antônio Bento passeio auto por Areia Preta ao luar e visita ao presidente varoneando aí.

26 — Último dia de Natal. Terçol na mesma. Arranjo malas pela manhã. Despedidas a chefe de polícia, prefeito, presidente, Cristóvam Dantas, jornal *A República*, Adamastor Pinto, Damasceno Bezerra, Jorge Fernandes. Jantar me oferecido no Hotel Internacional por um grupo. Presidente faz-se representar. Depois casa do prefeito continua a farinha.

27 — Vinda automóvel de Natal pra Paraíba atravessando Mamanguape em ruínas. Descrito no *Turista aprendiz*. Me esperavam no caminho José Américo de Almeida, Ademar Vidal e Silvino Olavo. Banho no hotel e janta. Passeio, lua cheia, a praia de Tambaú maravilhosa, onde surpreendo crianças bailando coco. Estupendo.

28 — Mamanguape tem três horas diferentes. A oficial, a solar e a de Rio Tinto. Essa é a da cidade progressista com fábricas de fiação Comp. Rio Tinto dos Ludgren, espertalhões pra fazer trabalhar mais os operários. Os três amigos se esforçam pra que eu colha melodias. Estão gentilíssimos. Trabalho um bocado com um mano do Antenor Navarro e com um recruta do exército. Faz um calor insuportável. De-noite passeio com Ademar Vidal vendo as partes antigas da cidade: contém delícias. A igreja de S. Francisco é magnífica. Os fundos ainda coloniais da prefeitura são um palácio florentino, equilíbrio maravilhoso. Passeio suado, mas delicioso.

29 — Trabalhei e trabalhei nada mais. Dia inteiro casa Ademar Vidal escrevendo, escrevendo cocos. De-noite visitei jornal oficial *A União* que deu notícia gentil minha chegada.

30 — Mais um dia inteiro de trabalho. De-noite passeio de auto pela praia deliciosa de Tambaú com Antônio Bento, José Américo e Ademar Vidal. Depois fomos ver uma Lapinha pobre no bairro Róger, sem interesse.

31 — Mais um dia de trabalho. Só pela tarde, acabada de colher a barca, passeei vendo o parque e S. Francisco, essa maravilha. Como exterior é o que o Nordeste possui de melhor. E é o monumento mais gracioso do Brasil.

FEVEREIRO / 1929
1º — Pouco trabalho hoje porque os combinados não apareceram. Almoço em Tambaú casa do José Américo, estupendíssimo: feijão de coco e gurijuba, peixe finíssimo. Jantei ainda lá.

2 — Trabalhos sempre. Durante o dia aparece Avelino Cardoso, que vem do Recife sem o Ascenso que não pudera vir, apesar de ter avisado. Antes assim porque estávamos de partida, José Américo, Ademar Vidal, Antônio Bento e eu pra fazenda de algodão do tenente Epaminondas de Aquino, perto de 90 quilômetros de automóvel da Paraíba. Lá chegamos às 21 e entramos a escutar um grupo admiravelmente concertante, noite colosso. Escutamos também dois manos meninos cantar o coco, caso de meninos-prodígio extraordinários. E a noite foi dormida entre besourinhos e um poder formidável de outros bichinhos.

3 — Acordamos nesta fazenda Cruzeiro perto de Molungu e aqui inda escutamos os cantadores e depois do almoço partimos pra Areia, zona do brejo, em cima da serra de Borborema. Poucas povoações no caminho. Entre elas a povoação de Alagoinha onde passeando pela feira dominical, já acabando, topei numa janela, dentro duma bacia com água, umas "laranjinhas" de entrudo carnavalesco. Eram dum verde azul e estavam pra vender. Eu, Ademar e o Bento nos encharcamos de água com 1% de 1% de perfume barato. Tostão cada uma. Depois vimos à esquerda a cidade de Lagoa Grande, ao pé da serra, linda, pitoresca. Grimpamos a serra entre vistas lindas, temperatura maravilhosa, chegamos a Areia, cidade morta, na tardinha. Jantamos casa amigo José Américo, partimos pra Paraíba na noite. Chuva na serra, chofer péssimo. Chegamos às 22 com mais de 300 quilômetros de estrada com catabil, desde ontem.

4 — Trabalhei dia inteiro. Peguei toques dos Cabocolinhos e cocos do Odilon do Jacaré que trouxemos da fazenda do Aquino.

5 — Dia inteiro de trabalho sempre. Assim mesmo almocei casa do General Cavalcanti e jantei na praia de Tambaú com a gente do José Américo. Depois fomos no bairro cruz de Alma, de operários, ver um ensaio de Cabocolinhos. Formidável coreografia bruta. Mistura de instintos primitivos estonteantes, com a monotonia formidável da gaita, bombo e ganzá. Coisas de africanos, ameríndios, incaicos e russos. Na dança "do sapo" é fato que o passo russo tão conhecido de ficar de cócoras com uma das pernas estendida e pular, estendendo a outra e cruzando a primeira, estava executado. Saí besta da sala apertada do clube, um calorão pavoroso e o cheiro dos corpos suados quando, na dança de despedida, dançando então todos admiravelmente, foram tomados dum frênesi dionisíaco espantoso. Saí besta, não tem dúvida.

6 — Trabalhei um bocado pela manhã. Almocei casa Ademar Vidal onde trabalho sempre. Agora os cantadores estão falhando. São 15 e não veio mais ninguém. Estou só, espero e escrevo. Não veio ninguém, fui me despedir dos Cavalcantis.

7 — Pensava trabalhar muito hoje, porém, não apareceu ninguém. Só o negro pernóstico Jimmy que me disse só cantar a *Madelon*. Foi esse que andou pela Euro-

pa e foi vendido escravo pra negociante de Bombaim. Demos o fora nele. Pelas 14 horas apareceu o gaiteiro dos Cabocolinhos, o Marim, pra me trazer as gaitas que eu encomendara e me deu mais uns temas de boi pernambucano e um coro interessantíssimo em hipolídio. Pela tarde fui visitar por acaso o presidente do estado, Dr. João Pessoa, simpático, topetudo e falador. Depois pela última vez fui na praia de Tambaú me despedir mulher José Américo. Jantar casa A. Vidal. José Américo foi pra praça fatigado. Passamos pela casa do Antenor Navarro e por acaso ele estava chegando do Recife. Conversa e licor de maracujá.

8 — Seis horas e me apronto pra partir pro Recife. No café Odilon do Jacaré se despede de mim com o *Boi Valeroso*, dizendo que me rogava praga que eu havia de voltar e depois disse que eu devia me casar. Parto 8 menos 10. Antônio Bento, Ademar Vidal, Silvino Olavo, gal. Cavalcanti no bota-fora. Taboleiro e estrada valsante de areão. Melhora pouco antes de chegar a Pernambuco. 9 e 15 passamos pela "rua" que limita Pernambuco e Paraíba. Na Paraíba a povoação se chama Pedra de Fogo, em Pernambuco, Itambé. Estrada agora boa e terra melhora bem nos serrotes. Engenhos, usinas, decanvilles, gente. Pouco antes das 10 horas passamos Goiana onde fotografo duas igrejas velhas. Dois guarda-civis na cidadinha. Prefeitura emproada. Pouco depois cai uma chuva danada que só passa depois de atravessarmos sem ver, no auto fechado, Igaraçu. Depois Olinda. Os bondes vêm com serpentinas me aplaudindo. Recife às 12 horas. Me hospedo no Glória Hotel e vou almoçar Ascenso e Stella. Começou me apertando pra fazer conferência na Cultura Artística, mas não farei. Jantar com Ascenso e andei procurando um maracatu que não achamos. Mas pelas vinte e duas horas, achado o Cícero Dias, caímos todos no frevo do Vassouras. Loucura e formidável porre de éter.

9 — Acordo bem-disposto. Cícero passa pelo meu quarto às 9. Depois passa o José Pinto, irmão do Adamastor, de Natal, Preparativos pra noite que sob o ponto de vista da "frevoeira" recifense, gorou. Não saiu nenhum frevo na rua e bestamos idiotamente Ascenso, Cícero Dias, um amigo dele, José Pinto, um amigo dele pintor e eu. Pelas 22 Cícero, Ascenso, amigo do Cícero estão num porre formidável de éter. José Pinto e eu vamos no meu quarto de hotel tomar coca. Surge o pessoal todo que soube pelo merdinha do pintor do caso da coca. Daí em diante o pessoal, principalmente Ascenso, se tornaram intoleráveis. Vamos à feira do Bacurau (um mercado) comer sarapatel. Não como, estava mau, sem mulatas. Afinal pelas quase duas, José e eu conseguimos dar o fora no pessoal e vamos pro quarto dele tomar sedol. Não conseguimos porque na pensão rudimentar, Cais da Aurora, 3º andar, o velhote porteiro desconfiou e ficou esperando que eu saísse. Me esqueci de falar que pelas 20, Ascenso e eu fomos na sede na Nação do Leão Coroado, ver ensaio de maracatu. Não havia ensaio. Noite besta.

10 — Domingo de carnaval. Desde manhã pleno carnaval. Loucura. Tarde com Ascenso, Avelino Cardoso fui assistir à saída do maracatu do Leão Coroado com nove bombos e uma porção de gonguês. Depois foi a peregrinação através das ruas e dos frevos. Caí no frevo por demais. Acabei no Palace com amigos de improviso e o José Pinto, cocaína e éter.

11 — Fatigadíssimo. Sou obrigado a me levantar porque o Dr. Gouveia Barros me oferece um almoço no Hotel Central. Ele, Avelino, Ascenso, eu e o alemão que é qualquer coisa também da Cultura Artística. Foi mais ou menos uma emboscada fina pra eu fazer uma conferência na Cultura Artística. Tornei a recusar. De-noite só olhei carnavalada. Assim mesmo pelas 24 caí na frevolência. Dormi cedo.

12 — Terça de Carnaval. Vou almoçar casa Ascenso. Monótono. Volto dormir. No almoço nos surpreenderam Cícero Dias, Pedro Filho, mano dele, um primo e o Tonico Castro Rebelo, ainda sem dormir e bêbedos desde a noite antecedente. Engraçados e paus. De-noite, depois de livre do Ascenso, pude com mano de Adamastor e outros, tomar o pó e éter loucamente. Passei o resto da noite, por me sentir ainda com o resfriado do dia antecedente, passei a noite sob efeitos reprovocados de coca e éter, uma luxúria até 6 da manhã.

13 — Por isso a monotonia formidável de malestar do dia de hoje. Dia que não existiu pra mim. Em todo caso consegui almoço delicioso de lagosta no Leite. Durmo cedo.

14 — Amanheço bom. Vou com José buscar o estivador Hortêncio e trabalho com ele as melodias de carregar piano Almoço colosso de feijão de coco e peixe casa Ascenso. Passeio durante o resto do dia. Revejo a sublime S. Francisco. Discuto urbanismo com o atrasado frei Theves que Cícero Dias me apresentou. Janto casa Ascenso depois passeio de auto, buscando quem cante o Boi. Descobrimos a mulata que virá amanhã. Cícero janta conosco. Aparece o rapazinho Levi. Passeio Boa Viagem de-noite com Gouveia de Barros.

15 — Trabalho com a mulata todo o Boi dela e mais algumas linhas de Catimbó. Vou jantar com Hernani Braga na pensão Landi. Tanta cordialidade!...

16 — Manhã inutilizada pela falta de cantadores. Pelas 16 parto pra engenho pai do Cícero Dias, Sr. Pedro Dias, com o José Dias, mano do Cícero. Ascenso e Stella não podem última hora ir por causa vó de Stella estar à morte. Estrada péssima passando por Jaboatão. Já noite encontro duas usinas iluminadas de efeito lindo. O engenho Batateira está festivo. Rapaziada modernista lá, o Willy Leyn, o Euriquinho, outros. Pedro Filho, mano de Cícero, tem um Boi pra eu assistir. Depois janta ótima com empadão de pitu e tal. Boi principia às 22 e 30 pra acabar depois das 4 da madrugada. Porre colossal do Cícero, do Antônio Castro Rebelo, do Pedro Filho e dum alemão. Noite pândega, Boi, salvo as danças, péssimo.

17 — Me acordo às 9 meio resfriado outra feita. Cafiaspirina, whisky e café quente. Algumas fotos. Ver cais, caçoadas, conversas, almoço regular. Parto sempre de auto com José Dias, Castro Rebelo e o alemão. Outra estrada. Passamos pelas cidades de Escada e do Cabo, sem nenhum interesse excepcional. Entre as duas, errada enorme de caminho. Paisagens, que nem as de ontem, lindas e... "risonhas" mesmo. Mais usina à vista e fábrica de estopa. Plena região do açúcar, "zona da mata", semelhante à "zona do brejo" da Paraíba. Janto um bife com Castro Rebelo e cama fatigadíssimo neste meu Glória Hotel, de Recife.

18 — Dia de Recife. José Pinto me aparece pela manhã e andamos campeando joias antigas. Depois vou almoçar casa Ascenso com Hemani Braga que me mostra os erros de revisão do *Ensaio sobre a Música Brasileira*. Almoço mão de vaca pesado e ótimo. Dia passeio bonde Boa Viagem. Janta casa Ascenso e depois visita casa Dr. Gouvea de Barros.

19 — Manhã no campo de Imbura (Latecoêre) passeio de avião biplano sobre Recife com filho Francisco do Hernani Braga. Maravilha de sensações novas. Almoço no Leite com José Pinto e vou a Olinda passear. Olinda, cheia de caráter, uma gostosura. Vou até o farol de bonde, depois subo e desço ladeiras, vendo becos, ruas, igrejas. A Sé, u'a merda exterior. Convento de São Francisco, maravilha de azulejos e pinturas. Quadros admiráveis de composição. Alguns mesmo como valor plástico nas figuras. Outros até como expressão psicológica dos rostos. Num corredor descubro azulejos num azul forte inda conservado o segredo na panorâmica de Delfo, e que é absolutamente diferente dos azulejos do Brasil, como desenho e como cor, maravilhosos. A sacristia em tudo magnífica. Entre os quadros dos caixotões do teto, umas naturezas-mortas curiosas, bastante retocadas às vezes possivelmente com elementos ajuntados posteriormente nos quadros (alguns), tudo lembrando pelo desenho, por certos processos de pintura (e menos pela composição) certas naturezas-mortas flamengas. Interessantíssimo. Também os entalhes da sacristia são muito bons. É mesmo talvez a sacristia mais completa, mais total como interesse, acabamento e composição que existe no Brasil, um monumento enfim. S. Bento é bem inferior. Imagens novas (aliás as velhas de S. Francisco pouco valiam também como valor plástico), o altar dum barroco frio, inteirinho doirado. No bar da praia, olhando pro mar, ao vento, José Pinto e eu tomamos gelados descansando. Volto pra Recife pras 18 horas partir com Ascenso e Alfredo Medeiros pro engenho Martinica de Renato Carneiro da Cunha, ouvir a Maria Joana que está lá com os patrões. Viagem deliciosa ida e volta a lua clara quase cheia. Estrada no geral ruim. Engenho magnífico como sede, confortável sem propriamente luxo, nem pretensão. Acho no jantar infelizmente pouco caráter. Depois Maria Joana canta envergonhada na frente dos patrões. Canta quase mal. Foi pena.

20 — Parto hoje pelo Aratimbó. De manhã cedo casa Ascenso onde tomo melodias do maracatu do Sol Nascente. Almoço em que aparecem Jaime Gris, Murilo Lagreca e Cícero Dias. Feijão de coco, peixe de coco, tudo sublime. Depois ateliê Murilo ver bobagens dele. Depois hotel onde arrumo as malas, pago etc. Às 16 levo malária e embrulhos pra bordo, a chuvinha caindo com José Dias. Depois refrescos debaixo do hotel com Ascenso, triste porque a promoção dele no Tesouro decerto escapa, e José Dias. Só esse janto no frege dele e fazemos um último passeio sentimental a pé, pelas pontes e cais do Recife. Uma delícia na noite chuvosa. 20 horas a bordo. Apareceu Dr. Gouvea de Barros, Avelino Cardoso, Ascenso, Stella, Jaime Gris, Cícero Dias, Willy Lewyn Rabelinho, José Pinto, Ernani Braga, Murilo Lagreca. Fitipaldi também me abraça. Às 21 parto. O navio trepida tanto que quase impede escrever, como se vê por essas notas tomadas às 21 depois partida Maceió.

21 — Amanheço em Maceió. Pelas 8 horas me aparecem a bordo Jorge de Lima, Lins do Rego e no trapiche já com 19 anos Aluísio Branco. Visita à Associação Comercial móde ver objetos de feitiçaria das macumbas. Interessantes. Depois visita ao Lavenere que me oferece livros dele. Depois almoço no Restaurante Alemão, sururu, camarões, ponche de maracujá, salada de frutas. Parto às 12 e estou vogando. Vida de bordo entre sono e leitura. Na janta, o companheiro do lado fala em *Macunaíma*. Me conhece. Caceteação de ir por toda a parte conhecido, observado, interpretado...

22 — Bahia pela manhã às 8. Saímos de automóvel o alemão capenga de Recife e eu. Vamos à matriz de Sant'Ana ver teto admirável do Franco Velasco e tiepolescos painéis do José Teófilo de Jesus, tudo uma fortuna. Depois Ordem 3ª de S. Francisco que os irmãos nos mostram inteiramente. Colossal teto de Franco Velasco, pinturas, mobílias, tudo excelente. As imagens nas duas igrejas, mesmo as de Manuel Inácio da Costa, decaem bem. Na Ordem 3ª vemos a imaginha, meio corpo, de S. Francisco de Assis em barro cozido, u'a miniatura de maravilhoso feitio e bem expressiva. Depois corremos belchiores e compro anel e três marfins. Às 11 vogando nos tremeliques intoleráveis do *Aratimbó* outra feita. Vida de bordo.

23 — Vida de bordo, mas agradável, todos se conhecem e sou simpatizado, mas obrigado a ser escritor e o diabo, o que é desagradável. O gorducho advogado do Recife, Dr. Tavares, o engenheiro Heitor Lima e o alemão Schäfer, ambos do Recife, mais o italiano de S. Paulo fazemos boa camaradagem. Bebemos champanha na janta. De-noite fazem subscrição pra cortar o bigodinho e as costeletas dum antipatiquinho de bordo... Vontade enorme de chegar.

24 — Chego no Rio pelas 15 horas.

O TURISTA APRENDIZ

Paraíba (6 de fevereiro)
Não houve o dia 6 de fevereiro.

Paraíba (7 de fevereiro)
Imaginava trabalhar muito hoje, porém, os cantadores falharam. Só ali pelas 9 da manhã, depois de duas horas de espera apareceu um negro. Já quando o sujeitinho me apareceu impinimei tanto com o jeito dele que não pude recebê-lo com a cordialidade esquecida que torna logo fácil o indivíduo popular no geral tão desconfiado.

Pois o negro sentou, olhei pra ele sincero, não tem dúvida: estava bem vestido. A fazenda era azulão, porém, limpo, novo, os botões do dólmã chiques. Achei graça foi no sapato amarelo de duas cores, dum pernóstico no geral atribuído aos mulatos. Feio como o Cão porém tipo de se ver. Nariz não existia ou era a cara toda, com as ventas maravilhosamente horizontais, dum nordestinismo exemplar.

— Seu nome, faz favor?...
— Jimmy, vigia da Great Western.
— Sei. Olha aqui, Jimmy: me contaram que você canta melhor que o Odilon, nós estamos só nós três (Ademar Vidal) aqui na sala, eu queria que você cantasse alguma coisa pra eu ouvir. Eu estou fazendo uma...
— O Sr. me desculpe, eu não sei cantar nada não!
Não diga isso, Jimmy, todos os companheiros de você dizem que você canta muitos cocos lindos...
— Eu não canto coco, não Sr.! (Um ar de desprezo que só dando!)
— Cocos ou outras cantigas. Cantigas de Maracatu...
— Não sr.! Não canto nada disso não! Eu só canto a *Maedelon* (pronúncia perfeita).
— Você esteve na guerra, é?
— Não Sr., mas viajei a Europa toda.

No engenho de Cícero Dias (Foto M. de A.)

Ademar Vidal se adiantou:

— Como é seu nome exato? Deixa de ser pernóstico!

— Fulano de Tal.

— Aha.

Não conseguimos nada e pusemos o indivíduo pra fora, porém, a história dele é engraçada. Terá uns vinte anos agora. Pelos 12, um paraibano rico e divertido levou-o pra Paris e fez de Jimmy um *chasseur* com roupa verde-periquito. Sucesso tamanho que o branco levou Jimmy, vivo como galinho-de-campina, por toda a parte, Londres, Itália. Depois vendeu-o escravo pra um negociante indiano. Jimmy foi parar em Bombaim, escravo de estimação. A mãe dele andava chorando desesperada pelas ruas da Paraíba, o Ministério do Exterior se mexeu no tempo de Azevedo Marques. E Jimmy afinal foi repatriado pra vir nos dizer no dia de hoje que tinha umas habilidades e se nós arranjássemos um teatro ele se exibia, negro safadinho.

Mais vadiação. Afinal pelas 14 horas me apareceu o Marim, neto de portuga e pernambucano de nascença. Esse não tinha nada de Jimmy, caboclo adorável dum pitoresco de fala que jamais não vi tão. É o gaiteiro dos Cabocolinhos e veio me trazer a gaita dele que quero levar pra uns estudos em S. Paulo.

Conversou horas, nós puxando por ele.

— Marim, você não se lembra de algumas "linhas" de Catimbó?

— Catimbó? Ave Maria!... Num sei não mai diz que Paraíba é completu nisso. In todu casu tragu sempre meu raminho de pinhão no peitu.

— Lá im Pernambucu minha outra mulé sabia di Catimbó, era muito! Era ua moçota dêcenti, grandi cumu o sinhô mesmu. Morreu di pirão di carangueju guaiamum. Cumeu, bebeu água i morreu inturidu. Ua moça boa morrê assim porque bebeu água muita, digu Vôte!... Sinti bem... Qui eu ficasse lá murria. Então pensei: vô-mimbora, vô vê minha filicidade. Trouve meus terens e vim morá na Paraíba. Sô pobri porém tenhu minha casa di paia onde eu morá mai minha mulé, outra, e meus dois fiínhu. U minínu é um galegu safadu di louro, anda doenti da presa di baxu, já butamu botão di cirola di home na gaiganta dele... Inda bem qui minha cumadi, essa sim qui mulé dêcenti! nasceu nu tê (ter dinheiro) mai s'importa com a genti, mi mandô... Etc.

Mário de Andrade

VIDA MUSICAL

MÁRIO DE ANDRADE, PODENDO IR À EUROPA, PREFERIU VIR EM EXCURSÃO AO NORDESTE, ONDE COLHEU DIRETAMENTE MAIS DE OITOCENTOS MUSICAIS.

Ernani Braga

Especial para *A Província*

Mário de Andrade não é um sujeito baixo, atarracado e malcriado como era o Beethoven que ele um dia nos apresentou. Olhando às vezes para o Mário, fico pensando como é que Beethoven lhe descreveria o tipo, se quisesse também ser mau. Talvez dissesse:

— Mário é um sujeito alto, magricela e destabocado.

E o pai da Adelaide estaria vingado do pai de Macunaíma. Porque de fato, Mário é bem alto, não tem nada de gordo (será, quando muito, *faux-maigre*!) e tem uma língua que só sabe chamar as cousas pelos próprios nomes. Ele detesta eufemismos e circunlóquios. Pão é pão. Queijo é queijo. O que não presta, não presta. Burro é burro mesmo.

Um crítico sincero

Saibam todos que Mário é um homem destabocadamente franco, ou francamente destabocado. Por isso há muita gente que não gosta dele. Dessa gente que está habituada a ouvir chamar as moças feias de simpáticas, as velhas alcoviteiras de beatas. Mas o Mário não liga muito a quem lhe quer mal pela sua rude franqueza, e vai dizendo claramente o que sente e pensa. Amigo incomparável, perfeito, dos amigos, vota uma indiferença sublime aos que o não são. Mas com uns e outros é sempre sincero.

Um crítico seguindo à risca essa orientação não pode deixar de ser temido. Mário é, em São Paulo, um verdadeiro papão. Um tremendo espantalho. Mas tem conseguido sanear o ambiente, que era quase irrespirável. Graças à sua aspereza e sinceridade já se faz arte na Capital Artística. E lá, onde o elemento italiano tomou tal preponderância que os artistas brasileiros quase se sentem estrangeiros na sua terra, Mário de Andrade é, principalmente, uma sentinela avançada em defesa do nosso direito. Zombando de ameaças anônimas ou declaradas, ele tem levado avante a sua nobre campanha. E vai conquistando terreno. Nos programas de ensino e de concerto sempre figuram os nomes dos compositores patrícios.

O Turista Aprendiz

Preferiu o Norte à Europa

Mário é um apaixonado das nossas cousas. Podendo ter feito, agora, em condições excepcionalmente vantajosas, uma viagem à Europa, preferiu vir ao Nordeste. Nessa nova excursão enriqueceu consideravelmente a sua prodigiosa coleção de documentos folclóricos. Volta a São Paulo levando mais de oitocentos temas colhidos diretamente no Rio Grande do Norte, na Paraíba e aqui em Pernambuco. O que isso representa de esforço e tenacidade é inconcebível. Poderá fazer uma ideia alguém que tenha tentado, uma vez, anotar a melodia mais simples, cantada por um desses cantadores populares, interessantíssimos, mas desconcertantes. Eles não cantam duas vezes da mesma forma. Nem param pra nos dar tempo de escrever. É preciso decorar a cantiga ou fazer o que o Mário me contou que fez em certa ocasião que seria única para ele. Ouvia alguns compassos e saía correndo para longe.

Depois de escrevê-los, repetia a manobra. Só assim pôde conseguir o tema completo.

Uma curiosidade insaciável

A curiosidade de Mário é insaciável. Visita cidades e sertões, engenhos e mocambos, igrejas e antros. Conversa com acadêmicos, ouve os trovadores populares, discute com os intelectuais, observa os tipos de rua. Onde possa suspeitar um filão precioso, lá estará, firme e atento, sem medir tempo, distância ou sacrifício. É de uma resistência milagrosa.

Um "boi" aqui em Pernambuco, prendeu-o das 10 horas da noite até às 4 da madrugada. Mário me contou isso à mesa, jantando comigo, há poucos dias. Verinha, nossa comensal, pouco versada em tradições populares, quis saber se o "boi" era brabo. E a mamãe da Verinha indagou de que raça era o "boi". Divertimo-nos com o quiproquó.

Mário de Andrade estava com o "corpo fechado"

Mário de Andrade leva de Pernambuco impressões fortes. Entre outras, a de seu batismo aeronáutico, no Campo de Ibura. Assisti a essa estreia que foi, sob todos os aspectos, auspiciosa. Dando parabéns ao Mário, quando o biplano o depunha são e salvo no chão pernambucano, ele me afirmou que o momento era de pêsames, por ter acabado tão depressa o delicioso passeio. Pareceu-me um herói.

"Caicó — Paisagem do campo de aviação"
(Foto e legenda M. de A.)

Confesso que estava com os meus receios, vendo os preparativos para a ascensão do Mário. Os aeroplanos são ainda tão sujeitos a acidentes! Lembrei-me depois de uma circunstância que me tranquilizou absolutamente. Mário, em função especial e solene, obteve que um catimbozeiro, na Paraíba, lhe fechasse o corpo. Custou-lhe essa fechadura 30 mil-réis. Mas podia, agora, voar à vontade.

E pôde mais do que nunca, ser franco e destabocado com todo o mundo. Até com os italianos de São Paulo.

**CONFIRA NOSSOS
LANÇAMENTOS AQUI!**

ITATIAIA